Née le 22 octobre 1919 à Kermanshah en Perse, Doris Lessing a six ans quand sa famille s'installe en Rhodésie du Sud, l'actuel Zimbabwe, alors colonie britannique. Pensionnaire d'un institut catholique tenu par des religieuses qu'elle supporte mal, elle quitte définitivement l'école à quinze ans, travaille en tant que jeune fille au pair puis comme standardiste. En 1938, elle commence à écrire des romans tout en exerçant plusieurs emplois pour gagner sa vie. À dix-neuf ans, elle se marie avec Frank Wisdom, avec qui elle aura deux enfants, mais elle le quitte en 1943 pour Gottfried Lessing, dont elle aura un fils. En 1950, elle publie *Vaincue par la brousse (The Grass is singing)*, puis cinq ouvrages d'inspiration autobiographique, publiés entre 1952 et 1969, sont regroupés sous le titre *Les enfants de la violence*. Prolixe et éclectique, elle apparaît comme le témoin privilégié de son temps et comme une véritable instance morale. En 2007, elle se voit attribuer, à quatre-vingt-huit ans, le prix Nobel de littérature.

Alfred et Emily

Doris LESSING

Alfred et Emily

ROMAN

Traduit de l'anglais
par Philippe Giraudon

Titre original
ALFRED & EMILY

Éditeur original
Fourth Estate, an imprint of
Harper*Collins*Publishers

Pour la traduction française
© Flammarion, 2008

Avant-propos

Mes parents étaient remarquables, quoique très différents l'un de l'autre. Leur seul point commun était leur énergie. Tous deux furent dévastés par la Première Guerre mondiale. Après avoir eu une jambe fracassée par un obus, mon père dut porter une prothèse en bois. Il ne se remit jamais de l'expérience des tranchées. Quand il mourut, à soixante-deux ans, c'était un vieillard. Sur son certificat de décès, il aurait fallu inscrire comme cause de la mort : la Grande Guerre. Le grand amour de ma mère, un médecin, se noya dans la Manche. Elle ne se remit jamais de cette perte. J'ai tenté de leur donner des vies qui auraient pu être les leurs s'il n'y avait pas eu la guerre.

Pour mon père, la tâche était aisée. Il grandit dans la région de Colchester, à jouer dans les champs avec les fils de fermiers. Toute sa vie, il avait voulu être agriculteur, dans l'Essex ou le Norfolk. Comme il n'eut jamais l'argent nécessaire pour acheter une ferme, j'ai exaucé son vœu le plus cher, qui était d'être un fermier anglais. Il excellait dans les sports, notamment le cricket.

Pendant les quatre années de la guerre, ma mère soigna les blessés dans l'ancien Royal Free Hospital de Londres, lequel se trouvait alors dans l'East End. Quand elle eut trente-deux ans, on lui offrit le poste d'infirmière en chef au Saint George's Hospital, un des plus grands hôpitaux de l'époque. C'est maintenant un hôtel. Habituellement, il fallait attendre d'avoir quarante ans pour occuper un tel poste. Elle était d'une efficacité redoutable. Quand j'étais enfant, je disais pour plaisanter que si elle était restée en Angleterre elle aurait dirigé le Women's Institute ou aurait inspiré, comme Florence Nightingale, la réorganisation des hôpitaux. Elle était également douée pour la musique.

Cette guerre, la Grande Guerre, la « der des ders », pesa lourdement sur mon enfance. Les tranchées étaient pour moi une réalité aussi présente que ce que je voyais autour de moi. Aujourd'hui encore je m'efforce d'échapper à cet héritage monstrueux, pour être enfin libre.

Si je pouvais rencontrer à présent Alfred Tayler et Emily McVeagh tels que je les ai fait vivre par écrit, tels qu'ils auraient été si la Grande Guerre n'avait pas eu lieu, j'espère qu'ils approuveraient l'existence que je leur ai donnée.

Première partie

Le roman d'Alfred et Emily

1902

Les soleils des longs étés du début du siècle dernier ne promettaient que paix et abondance, sans parler de la prospérité et du bonheur. De mémoire d'homme, on n'avait jamais vu des journées aussi imperturbablement ensoleillées. D'innombrables mémoires et romans l'ont certifié, aussi puis-je affirmer en toute confiance qu'en ce dimanche après-midi d'août 1902, dans le village de Longerfield, le temps était splendide. C'était le jour de la fête annuelle de l'Allied Essex and Suffolk Bank. La scène avait lieu dans une vaste prairie que le fermier Redway prêtait chaque année et qui était occupée par des vaches la plupart du temps. Plusieurs activités se déroulaient simultanément. À l'extrémité de la prairie, le tumulte et les cris d'excitation indiquaient que les enfants jouaient à cet endroit. Une longue table à tréteaux, dressée à l'ombre de quelques chênes, était chargée de victuailles variées. L'attention se concentrait principalement sur la partie de cricket, et la majorité des assistants étaient agglutinés autour des silhouettes vêtues de blanc. La scène entière allait bientôt être plongée dans l'ombre par les grands ormes qui séparaient cette prairie de la suivante, où les vaches exilées observaient les événements en agitant leurs mâchoires comme des commères évoquant des souvenirs. Dans leurs costumes d'un blanc frais, passablement poussié-reux après une journée de jeu, les joueurs avaient conscience de leur importance pour cette fête esti-vale. Ils savaient que tous les yeux étaient fixés sur eux, y compris ceux d'un groupe de citadins appuyés à une clôture et décidés à ne pas rester à l'écart.

Non loin du terrain de cricket, une grande femme blonde était assise dans l'herbe, sur des coussins. Son visage empourpré proclamait qu'elle n'appréciait guère la chaleur. Elle se trouvait avec une frêle créature – sa fille – et une autre jeune femme qui venait de se pencher en scrutant son visage pour mieux entendre ce qu'elle – Mrs Lane – allait dire.

— Ma chère, vous quereller ainsi avec votre père est très grave.

À cet instant, un jeune homme s'avança vers les piquets et s'immobilisa avec sa batte. La femme blonde s'inclina pour le saluer de la main, et il lui répondit en hochant la tête avec un sourire. Brun et robuste, il était d'une beauté saisissante. Le silence régnant soudain marquait le caractère exceptionnel de sa présence. Le bôleur lança une balle et le bat-teur la renvoya avec autant d'aisance que de force.

— Chut, dit Mary Lane. Attendez un peu, je vou-drais voir...

La petite Daisy se penchait déjà en avant pour regarder. Sa compagne, Emily McVeagh, suivit son exemple bien qu'elle ne vît sans doute pas grand-chose. Elle était rouge d'excitation et de détermination, et ne cessait de jeter des regards de côté à la femme plus âgée dans l'espoir d'attirer son attention.

Une autre balle s'envola à toute allure vers le beau garçon, qui de nouveau la repoussa sans tarder. Des applaudissements s'élevèrent.

— Bravo ! s'exclama Mrs Lane.

Elle s'apprêtait à applaudir mais le bôleur s'était déjà mis à courir.

Encore un lancer... un autre... Une balle atterrit près des trois femmes assises et le joueur de champ courut la récupérer. Les tours de batte continuèrent, quelques spectateurs applaudirent, puis il y eut un tonnerre d'acclamations quand le jeune homme envoya la balle presque aussi loin que l'endroit où jouaient les enfants.

Il était l'heure de prendre le thé. Ce fut la ruée vers la longue table à tréteaux. Une femme postée près de la bouilloire tendait les tasses.

— J'en prendrais bien une tasse, Daisy, dit Mrs Lane.

Sa fille alla aussitôt se joindre à la queue.

Se rappelant qu'Emily attendait bien davantage d'elle, Mrs Lane se tourna vers la jeune fille et déclara :

— Je ne crois pas que vous imaginiez vraiment ce que vous allez subir.

Mrs Lane était une femme influente, pourvue d'amis bien placé, et elle avait appris d'une douzaine d'informateurs différents ce qu'allait exactement subir Emily McVeagh.

La jeune fille avait défié son père, lui déclarant qu'elle n'irait pas à l'université mais deviendrait infirmière.

« Elle ne sera qu'une vulgaire bonne à tout faire », s'était dit Mrs Lane, bouleversée par sa décision.

Elle connaissait bien John McVeagh et sa famille. Elle avait suivi les triomphes scolaires d'Emily avec une admiration mêlée de regret à l'idée que sa propre fille ne pouvait rivaliser avec tant d'intelligence, de personnalité et de pugnacité. Les deux jeunes femmes étaient amies, ce qui étonnait toujours les gens en les voyant si différentes l'une de l'autre. Autant Daisy était timide, effacée, d'aspect fragile, autant Emily était d'emblée maîtresse d'elle-même et des circonstances. Toujours première dans tous les domaines, choisie comme chef de classe, croulant sous les prix, elle apparaissait comme la protectrice de sa petite camarade.

— Je sais que j'en suis capable, dit Emily d'une voix calme.

« Mais pourquoi, pourquoi ? » voulait lui demander Mrs Lane. Peut-être aurait-elle posé la question si le jeune champion ovationné ne s'était dirigé vers elle. Se redressant pour l'embrasser, elle s'exclama :

— Bien joué, mon petit ! Bravo !

Cette petite scène avait son histoire.

Il accepta la tasse de thé que lui offrait Daisy, ainsi qu'une énorme part de gâteau. Puis il s'assit à côté de son amie, Mrs Lane, qui le connaissait depuis sa naissance.

Deux frères. L'aîné, Harry, était l'idole de sa mère. Chacun savait que celle-ci était mécontente de voir son mari, le père de ses enfants, qui détestait son destin d'employé de banque, passer tout son temps libre à jouer de l'orgue à l'église. Elle estimait qu'il aurait plutôt dû s'efforcer de « réussir ». Bien différent de cet homme sans ambition, leur fils aîné s'était vu proposer avant même la fin de ses études un emploi nettement plus avantageux que ce que pouvaient espérer la plupart des étudiants. Il est vrai que c'était un brillant sujet, n'ayant aucun mal à passer des examens et remporter des prix. Cependant cette mère n'aimait pas son second fils, Alfred. C'était du moins ce que donnait à penser son comportement avec lui.

À cette époque, battre un enfant signifiait simplement qu'on respectait les commandements de Dieu : « Qui aime bien châtie bien. » Malgré tout, Mrs Lane avait été choquée par ce qu'elle voyait dans cette famille. Elle aussi était l'épouse d'un employé de banque, occupant une position supérieure, mais son mari était un pilier de l'Église, très impliqué dans la vie locale. Le malheur d'Alfred avec sa mère était depuis longtemps de notoriété publique. Ceux qui plaignaient l'enfant lui accordaient toutes sortes de petits plaisirs et de traitements de faveur. S'il n'était guère intéressé par l'école, il était très doué pour les sports, notamment le cricket. Venant à peine d'entrer dans sa seizième année, il était trop jeune pour jouer au côté des adultes. Cependant il était là, parmi eux, et qui saurait jamais tout le mal que Mrs Lane s'était donné pour convaincre des gens influents qu'il fallait lui offrir l'opportunité de se distinguer ? La mère d'Alfred était assise avec les spectateurs. Quand on la félicitait pour les prouesses de son fils, elle paraissait gênée, estimant manifestement que seul son autre enfant méritait des applaudissements.

Alfred avait maintenant l'occasion de faire la preuve de ses talents, et Mrs Lane était aussi contente de lui que d'elle-même. Elle avait souvent déclaré qu'elle chérissait ce garçon comme son propre fils, et elle aurait aimé qu'il fût vraiment à elle. La mère d'Alfred éveillait en elle une forte antipathie, même s'il ne lui était guère possible de le dire ouvertement dans cette petite communauté où tout le monde se connaissait.

— Vous nous avez vraiment fait honneur, Alfred, lança-t-elle en s'éventant avec le programme des festivités.

De nouveau, la présence du jeune homme était requise sur le terrain. Il s'y rendit en hâte, non sans sourire à ses deux amies – car Daisy l'adorait autant que sa mère –, et aussi à cette autre adolescente à laquelle il n'avait pas été présenté.

Tout en observant la discussion où Alfred était maintenant mêlé, Mrs Lane se tourna de nouveau vers Emily.

— Vous ne vous rendez pas compte à quel point c'est mal payé, déclara-t-elle. Vous devrez vous échiner comme une boniche, et les horaires sont horriblement chargés. Sans compter que la nourriture est abominable.

Elle ne savait comment exprimer une autre objection de poids. Les infirmières stagiaires appartiennent à la lie de la société, aurait-elle pu dire, ce sont les filles les plus grossières du prolétariat. Alors que vous, Emily McVeagh, vous avez mené une existence facile, vous avez toujours eu le meilleur. Le changement va être dur pour vous, très dur.

La partie recommençait et le beau garçon avait repris sa place au guichet.

— Si seulement je comprenais pourquoi, réussit enfin à dire Mrs Lane. Si vous pouviez me donner vos raisons, Emily. Vous savez, peu de pères souhaitent que leur fille aille à l'université. Il doit être tellement déçu.

Elle n'appréciait guère John McVeagh, qu'elle trouvait prétentieux et imbu de lui-même, mais il était vraiment fier d'Emily, dont il se glorifiait à tout bout de champ, et il devait maintenant avoir un sentiment...

— Il m'a dit : « Ne remets plus jamais les pieds chez moi ! », lança Emily en regardant sa conseillère avec des yeux brillants de larmes.

Elle avait souvent déclaré qu'elle aurait aimé avoir Mrs Lane pour mère. Sa véritable mère étant morte et sa belle-mère la traitant sans gentillesse, elle en était venue à se considérer comme la fille de cette femme qui l'observait en cet instant d'un air profondément déçu.

— Réfléchissez, Emily, réfléchissez.

Mais Emily allait bel et bien commencer dans une semaine à travailler avec la lie de la société, au Royal Free Hospital de Londres, situé sur Gray's Inn Road. Elle ne pouvait plus rester chez elle, puisqu'elle avait été officiellement mise à la porte.

« Ne remets plus jamais les pieds chez moi... » Elle éprouvait une certaine satisfaction à répéter cette phrase, comme si elle se débarrassait ainsi non seulement de ces mots mais de son père, John McVeagh, en un adieu définitif.

— Il a dit que je ne devais plus me considérer comme sa fille, déclara-t-elle.

Elle n'avait pu s'empêcher de parler avec violence, avec désespoir, et elle était maintenant en pleurs.

— Ma chérie ! s'exclama Mrs Lane en passant son bras autour des épaules d'Emily et en embrassant une joue brûlante de larmes. Ce qu'il dit est sans importance. Vous êtes sa fille, et rien ni personne ne peut y changer quoi que ce soit.

Des applaudissements s'élevèrent de nouveau sur le terrain de cricket. Le beau garçon avait été pris en défaut, mais manifestement sa défaillance n'avait rien de honteux car il fut ovationné tandis qu'il rejoignait les spectateurs. Il ne fut pas étonné en constatant que sa mère, qui l'instant d'avant se trouvait là, à le regarder, avait disparu.

En jetant un coup d'œil par-dessus la tête d'Emily, Mrs Lane vit elle aussi que cette méchante femme, Mrs Tayler, était partie.

Quand Alfred se dirigea vers Mrs Lane, elle lâcha Emily pour serrer dans ses bras le jeune héros. Il était clair qu'elle essayait ainsi de compenser l'attitude de la mère d'Alfred.

— Vous avez joué à la perfection, dit-elle. Bravo, Alfred.

Il hésita un instant, vit le visage en larmes de la jeune inconnue et alla s'asseoir sur une chaise.

— Mon Dieu ! reprit la gentille Mrs Lane en serrant de nouveau Emily contre elle. Je voudrais tellement comprendre, ma chérie !

Tout en regardant la partie de cricket, Alfred entendit la jeune fille dont la tête reposait sur l'épaule de Mrs Lane proclamer :

— Je sais que c'est ce que je dois faire. J'en ai la certitude.

Il parut tenté de s'éclipser, mais se ravisa et alla chercher de nouvelles tasses de thé qu'il tendit aux trois femmes avec un sucrier. Lorsqu'il donna sa tasse à Daisy, il lui demanda tout bas :

— Qui est cette fille ?

— C'est Emily, dit Daisy comme si c'était une réponse suffisante.

Puis elle ajouta :

— Mon amie.

« Voilà donc la fameuse Emily », pensa Alfred. Il avait tellement entendu parler d'elle qu'il savait tout à son sujet. Comme cela arrive souvent quand on est confronté à la personne réelle – en l'occurrence une jeune fille échevelée en train de pleurer –, il se dit qu'il était difficile de comprendre en la voyant pourquoi elle était si importante aux yeux de Daisy.

À l'instant de se rasseoir, les yeux de nouveau fixés sur la partie de cricket, il fut distrait par une rumeur près de la clôture. Les adultes s'étaient éloignés mais des enfants avaient pris leur place. Bien qu'il fût à quelques mètres d'eux, Alfred voyait que ceux-ci étaient pauvres. Les fillettes portaient des robes en lambeaux et étaient pieds nus. Quelques garçons tentaient d'escalader la clôture, en regardant avidement la table couverte de victuailles.

— Va leur donner quelque chose, Daisy, dit Mrs Lane. Prends les sandwichs.

Comme la femme postée près de la bouilloire semblait sur le point de protester, elle ajouta :

— C'est moi qui les ai apportés.

Comprenant ce qui se passait, plusieurs femmes se dirigèrent vers la table, et Mrs Lane leur cria :

— Il n'est question que des provisions que j'ai moi-même apportées !

Alfred et Daisy prirent des assiettes de sandwichs et deux biscuits de Savoie, dont les enfants derrière la clôture s'emparèrent avec avidité. Ils étaient affamés.

Les femmes qui s'étaient approchées pincèrent les lèvres.

— Rien que mes provisions ! répéta Mrs Lane en souriant malgré son irritation.

Elle ajouta à voix basse :

— Leurs précieux gâteaux n'ont rien à craindre de moi.

Une des femmes prit la parole.

— Ce sont des bohémiens. Je n'aimerais pas que mon délicieux biscuit finisse dans leur estomac.

— Même les bohémiens doivent manger de temps en temps, vous savez, lança Mrs Lane.

Elle était rouge de colère, maintenant.

— Ils sont si pauvres, dit Alfred en s'adressant à elle comme s'il attendait une explication. On dirait qu'ils ont besoin d'un solide repas.

— Oui, approuva Daisy.

Elle sourit à ce garçon qu'elle connaissait depuis toujours, cet écolier chétif devenu soudain un héros.

S'arrachant aux bras de Mrs Lane, Emily rattacha le ruban noir qui retenait ses cheveux en arrière. Ayant dix-huit ans, elle avait désormais droit aux chignons, mais en cette après-midi passée avec de si vieux amis il lui avait semblé approprié d'adopter une coiffure de collégienne.

— Il faut que j'y aille, dit-elle. Je vais manquer le train.

— Je t'accompagne, déclara aussitôt Daisy.

Emily se leva, souriante, en refoulant ses larmes.

— Le plus dur, c'est de commencer, avoua-t-elle à Mrs Lane.

Elle se rendait ainsi maîtresse de son propre avenir, le mettait à l'abri de la réprobation muette qu'exprimait le visage grave de Mrs Lane.

Les deux jeunes filles se dirigèrent vers la clôture. Daisy suivait Emily comme une ombre.

Arrivées à la clôture, elles cherchèrent vainement une porte ou une ouverture quelconque.

Les enfants s'attardaient, dans l'espoir d'une nouvelle distribution.

Après un rapide coup d'œil à la ronde, Emily sauta la barrière puis se retourna pour adresser un sourire victorieux à Mrs Lane et à la préposée à la bouilloire, laquelle était scandalisée par ce comportement indigne d'une dame. Faute de porte,

Emily hissa Daisy par-dessus la clôture. Puis les deux jeunes filles s'élancèrent vers la gare.

Alfred avait rejoint le groupe près des joueurs.

Mrs Lane était maintenant assise dans l'ombre profonde et son visage empourpré retrouvait peu à peu sa couleur normale.

— C'est parfait... dit-elle, peut-être à l'adresse des moineaux qui s'attaquaient aux gâteaux.

Elle songea au saut merveilleux de la jeune fille par-dessus la clôture, revit son aisance, sa grâce. Tout cela semblait étrangement comme un démenti aux projets aussi imprudents qu'irréfléchis d'Emily.

— Non, dit Mrs Lane. Oh, non. C'est impossible. Quel gâchis !

Août 1905

Encore la même scène. Les vaches continuent d'observer en ruminant. Alfred est à la batte. Il a dix-neuf ans et cela fait désormais deux ans qu'il joue avec les adultes. C'en est fini du bel adolescent nerveux. Il est devenu un vrai jeune homme et tout le monde a les yeux fixés sur lui, pas seulement Mrs Lane, qui s'évente sur sa chaise à l'ombre du chêne, et la mère d'Alfred, qui sanglote avec ostentation.

Rien d'étonnant qu'une certaine ironie se lise sur le visage de Mrs Lane.

Le lendemain du jour où nous les avons vus précédemment, Daisy avait annoncé à son retour de Londres qu'elle allait rentrer comme stagiaire au Royal Free Hospital avec son amie Emily. Il semblait évident après coup que Mrs Lane aurait pu s'y attendre. Daisy avait toujours admiré Emily et s'était efforcée de l'imiter dans la mesure où ses propres talents le permettaient. Bouleversée, atterrée, Mrs Lane n'avait cessé de pleurer jusqu'au moment où son mari, encore plus inquiet pour elle que pour leur fille, avait fait venir le médecin et déclaré à son épouse :

— À présent, ma chérie, ça suffit. Vous prenez les choses beaucoup trop à cœur.

Mrs Lane ne savait pas qu'il fût possible de pleurer comme elle le faisait maintenant. Sa petite fille, qu'elle appelait souvent dans l'intimité sa fée ou son ange, était dans un hôpital à essuyer le derrière des miséreux. Le choix qu'avait fait Emily était épouvantable, mais au moins elle était grande et forte. Alors que Daisy, cette enfant si fragile... Quand une mère verse des larmes inconsolables parce qu'un enfant ne suit pas la direction qu'auraient voulue ses parents, il convient de poser au moins une question. Pourquoi se sent-elle ainsi accablée, vaincue, comme si une part d'elle-même avait été condamnée à mort ? On peut en dire tout autant d'un père. En l'occurrence, on racontait que John McVeagh était fou de chagrin.

Quant à Mrs Tayler, elle sanglotait bruyamment, bien en vue sur son siège surplombant le terrain de cricket. Son Alfred qui maniait sous ses yeux la batte avec tranquillité, admiré et applaudi par la foule, s'était vu proposer des emplois dans diverses banques, y compris à Luton et Ipswich, non pour son habileté à maîtriser la plume ou les chiffres mais afin de l'attirer dans l'équipe locale de cricket. Comme il était également doué pour le billard et les boules, on se disputait cette jeune vedette, et sa mère était aussi ravie que lorsqu'on avait choisi son autre fils pour son intelligence. Mais Alfred avait refusé. Il avait déclaré qu'il préférerait mourir plutôt que de devenir employé de banque, que ses deux années dans l'Allied Essex and Suffolk Bank n'avaient été pour lui qu'un long cauchemar. Et il avait décidé de travailler pour Mr Redway, le fermier qui prêtait chaque année sa prairie pour cette fête. Alfred était très ami avec Bert Redway, lequel avait grandi à ses côtés. En fait, il avait passé son enfance à jouer avec les fils des fermiers, le long des haies et dans les champs.

— Il va devenir garçon de ferme, avait gémi sa mère. C'est bien le fils de son père. Ces deux-là ne songent qu'à me rendre malheureuse.

Elle avait fait la tournée des cuisines, afin de se faire plaindre par les maîtresses de maison.

Alfred s'était contenté de lui dire :

— Mère, je n'ai pas l'intention de végéter dans une banque et c'est mon dernier mot.

Le matin même, il avait enfoncé le clou en ramassant les bouses de vache sur la prairie. Les commissaires de la fête, les surveillants des jeux des enfants et les hommes chargés d'installer le terrain de cricket l'avaient observé en souriant, voire en riant quand sa mère avait le dos tourné. Et son père avait abandonné brièvement l'orgue de l'église pour lui dire :

— Bravo, Alfred. J'aimerais pouvoir en faire autant.

Mrs Lane était désolée pour la mère d'Alfred, mais convaincue que sa propre déception était bien pire. Alfred avait été toute sa vie un apprenti fermier : cela n'avait rien d'une nouveauté. En revanche, penser que Daisy, sa petite fille... Chaque semaine, Mrs Lane envoyait à Londres un énorme cake, une boîte remplie de pâtés, toutes sortes de friandises. Emily et Daisy dormaient dans une chambre avec six autres stagiaires, que Mrs Lane appelait intérieurement et même en public de la racaille de l'East End. Dix minutes après avoir été ouverts, les paquets ne contenaient plus une miette car toutes les filles étaient affamées. Les stagiaires avaient très peu de congés. Quand elle voyait sa fille et Emily, Mrs Lane était aussi horrifiée et chagrinée qu'elle l'avait prévu. Elles étaient si maigres, si épuisées. En constatant qu'elle ne s'était nullement exagéré les privations qui les attendaient, elle se demandait comment ces deux enfants élevées dans le confort pouvaient tenir le coup.

Elle avait cru qu'Emily renoncerait, présenterait des excuses à son père et rentrerait chez elle en se repentant. Il n'en fut rien. Le jour où Mrs Lane entreprit sa fille avec tact à ce sujet, Daisy répondit simplement :

— Elle ne ferait jamais une chose pareille. Elle a sa fierté, mère.

D'ailleurs, Emily n'avait jamais laissé entendre qu'elle pensait avoir commis une erreur.

En fait de fierté, songea Mrs Lane avec dédain, ce n'était qu'entêtement, sottise obstinée. Les mains des jeunes filles étaient rougies, abîmées. Elles avaient toutes deux l'air de bonnes à tout faire – et c'était bien ce qu'elles étaient. Leur travail consistait exclusivement à vider des bassins, frotter, nettoyer et essuyer, laver planchers, murs et plafonds du matin au soir. Quand elles obtenaient une après-midi de congé, elles s'effondraient sur leur lit pour dormir.

Mrs Lane déclara à son époux qu'elle avait tellement honte qu'elle en mourrait ; mais si elle avait pu connaître l'avenir... Daisy, sa petite fée, finit par devenir examinatrice, et le regard glacial de ses yeux cachés derrière des lunettes coûta des larmes à bien des malheureuses candidates à la carrière d'infirmière. Elle était célèbre pour sa sévérité mais aussi pour sa rectitude et son sens de la justice.

Alors que Mrs Lane avait tellement désiré avoir des petits-enfants, elle n'en eut jamais car Daisy se maria sur le tard, avec un éminent chirurgien, et se consacra à aider Emily dans ses œuvres charitables.

Cette après-midi-là, toutefois, même si elle se sentait le cœur brisé, Mrs Lane effaça toute trace de larmes pour attendre les jeunes filles, qui avaient quelques heures de congé. Elle avait veillé à ce que la table soit chargée de victuailles, car elle savait qu'Emily et Daisy se jetteraient dessus dès leur arrivée. Elle avait déjà eu des mots avec les administrateurs de plusieurs hôpitaux, sans compter les surveillantes et responsables renommées d'écoles d'infirmières. Il était aussi absurde que scandaleux d'exiger un tel labeur de jeunes femmes si horriblement mal nourries. Elle projetait d'écrire au *Times* à ce sujet.

Quand les jeunes filles arrivèrent, Mrs Lane s'abstint de faire des remarques sur leur maigreur et leur mauvaise mine. Après l'avoir embrassée, elles s'attaquèrent aussitôt aux provisions.

Elles s'assirent sur des coussins près de Mrs Lane et commencèrent à dévorer leurs assiettes pleines. Mrs Lane ne pouvait supporter de voir leurs mains rêches. Elle détourna littéralement les yeux.

— Nous ne pourrons rester longtemps, déclarèrent Emily et Daisy.

Elles étaient toutes deux de service cette nuit-là. Mrs Lane ne devait pas oublier qu'elles n'étaient plus stagiaires. Faisant maintenant leur deuxième année, elles soignaient vraiment des malades. Les trois femmes s'accordèrent pour dire que le temps passait à toute allure.

On annonça une pause thé pour les joueurs de cricket. Alfred les rejoignit et salua Daisy, mais non Emily. Il ne l'avait pas reconnue. Dans son souvenir, elle était grande et robuste, probablement sportive s'il en jugeait par la façon dont elle avait sauté naguère par-dessus la clôture.

— Une des raisons pour lesquelles je me réjouis de ne pas aller à Luton ou ailleurs, dit-il à Mrs Lane, c'est que j'aime tant venir manger une petite part de votre cake.

Il lui adressa un sourire qui suffisait certainement à conquérir tous les cœurs, excepté celui de sa mère.

— Vous savez, je ne pourrais pas tenir dans une banque, ajouta-t-il. Vous me connaissez.

— Oui, Alfred. Et je suis si heureuse que vous ne partiez pas au loin.

Daisy n'entendit pas, ou fit comme si elle n'entendait pas cet échange. Elle croyait qu'Alfred ne se doutait pas qu'elle serait plus heureuse que quiconque de le voir rester.

— Peut-être pourrais-je venir vous voir quand je ferai un saut à Londres, lui dit Alfred.

— J'attendrai cette visite avec impatience, répliqua Daisy.

On appela Alfred pour la suite du match. Peu après, les jeunes filles embrassèrent Mrs Lane et repartirent pour Londres.

Août 1907

Emily et Daisy passèrent avec succès leur examen de dernière année, et Mrs Lane écrivit à Mrs McVeagh, la belle-mère. Elle avait songé à écrire à John McVeagh, mais l'affrontement aurait été trop sérieux. La réponse de la belle-mère fut lapidaire : « Merci de m'avoir informée. Emily a toujours été une fille si intelligente. Bien à vous. »

Mrs Lane était certaine que John McVeagh suivait chaque étape de la carrière d'Emily. Mrs McVeagh, cette vieille harpie, n'avait répondu qu'en son nom propre. Elle ne devait pas être du genre à s'opposer à son époux. Mrs Lane écrivit qu'elle allait organiser un bal pour sa fille, Daisy, et pour Emily – ils savaient très bien que les deux jeunes filles étaient amies. « Je serais ravie de vous voir à cette occasion. » Le père et la belle-mère ne viendraient pas, mais il y avait le frère d'Emily. Peut-être ferait-il un geste, lui.

Mrs Lane aurait étranglé John McVeagh de ses propres mains – pour ne rien dire de la belle-mère. Ils auraient pu quand même songer qu'Emily n'aurait personne pour l'applaudir, et encore moins pour la faire danser. Et ce vieux ladre ne pouvait-il pas au moins donner un peu d'argent à Emily pour s'habiller ?

Son salaire d'infirmière ne permettait pas à la jeune fille de faire des frais de toilette, et sa garde-robe se réduisait à l'essentiel. Il lui faudrait une robe, une vraie. L'imbécile prétentieux qu'était John McVeagh ne se serait pas ruiné en lui envoyant de quoi acheter une tenue convenable pour les grandes circonstances.

Mrs Lane était sûre qu'Emily rêvait d'avoir une belle robe. Daisy aussi – n'était-ce pas le rêve de toute jeune fille ? Depuis qu'elle avait quitté le collège, Emily n'avait rien eu de joli à se mettre.

« Elle n'a pas de mère », se répétait Mrs Lane tout en faisant des plans pour qu'Emily ait une robe digne d'elle. Elle avait acheté un rouleau d'une ravissante mousseline blanche à fleurs, avec laquelle elle confectionna pour Daisy, son petit ange, une robe d'après un modèle qu'elle avait elle-même porté dans sa jeunesse. Manches ballon, rubans, un fichu de dentelle. Après l'avoir vue sur Daisy, elle en fit aussitôt une seconde pour Emily, sa fille lui ayant donné les mesures nécessaires.

Elles s'habillèrent toutes trois dans la chambre de Daisy. Mrs Lane arborait sa plus belle robe de satin gris. Emily était déçue, quoiqu'elle s'efforçât de ne pas le montrer. Elle détestait la mousseline à fleurs.

Son dur labeur d'infirmière avait rendu Emily solide, maigre et musclée. Ayant beaucoup joué au tennis cet été-là, elle était plutôt bronzée. Tout en s'habillant, elle sentait qu'elle avait l'air gauche et mal à l'aise. Elle remercia cependant Mrs Lane avec effusion, car elle savait qu'elle l'aimait et avait fait de son mieux.

La banque avait prêté aux Lane sa salle de conférence aux boiseries sombres et luisantes, aux lourds rideaux de velours marron. Dans ce cadre austère, Emily paraissait encore plus déplacée, avec ses manches ballon et sa ceinture rose. Daisy était magnifique. Mrs Lane se trouvait tiraillée entre son amour éperdu pour sa petite fleur et sa honte affreuse d'avoir rendu un si mauvais service à Emily. Tous les jeunes gens travaillant pour la banque étaient là – certains étaient même venus d'Ipswich – et il y avait aussi quelques fermiers. Daisy fut de toutes les danses. On aurait dit un tourbillon de mousseline fleurie et de sourires. Les hommes faisaient la queue pour danser avec elle, et Alfred se montra le plus assidu de tous. Cette soirée resta mémorable pour Daisy, qui ne l'oublia jamais. Non seulement elle avait passé honorablement ses examens mais maintenant Alfred, qui était son héros depuis son enfance, ne cessait de l'entraîner sur la piste pour danser.

Emily fut moins heureuse. Alfred dansa avec elle, mais elle se montra raide et maladroite, sans doute parce qu'elle détestait son apparence.

En somme, ce fut un triomphe pour Daisy, et pour Emilie un souvenir à effacer au plus vite. Cette nuit-là, dans la chambre de Daisy, Emily pleura en silence. De son côté, Mrs Lane versa des larmes en songeant à ce qu'elle avait fait, ou n'avait pas fait, pour cette jeune fille qu'elle aimait tant. Elle sanglota jusqu'au moment où son mari endormi près d'elle s'agita et lui demanda ce qui n'allait pas.

Mrs Lane avait veillé à ce qu'un journaliste de la gazette locale assistât au bal. Elle lui avait donné des instructions pour son compte rendu, en insistant pour qu'il mette Emily en valeur, et elle en avait envoyé un exemplaire aux McVeagh.

Quels gens horribles ! Mrs Lane maudit leur froideur, leur manque de cœur.

Ce matin-là, Alfred ouvrit la porte de la cuisine et découvrit Mr Lane attablé devant son porridge.

— Oh, c'est vous, mon garçon, dit Mr Lane. Voulez-vous du porridge ? Des toasts ? Le thé vient d'infuser.

Alfred faisait presque toujours un saut chez eux à cette heure matinale. Il venait voir Mrs Lane, en fait, mais ce jour-là il espérait aussi rencontrer Daisy avant son départ pour Londres. Comme d'habitude, il mourait de faim, car il était levé depuis une éternité. Aujourd'hui, il était sorti dès quatre heures. Bien sûr, il avait pensé à Daisy, mais c'était surtout pour s'étonner d'avoir attendu si longtemps pour la voir telle qu'elle était vraiment, elle qu'il connaissait depuis son plus jeune âge.

Alfred se servit généreusement du porridge, qui avait mijoté dans la marmite noire posée toute la nuit sur le fourneau dont le feu bien alimenté brûlait joyeusement.

Étant père aussi bien que mari, Mr Lane avait repensé à cette soirée où Alfred n'avait cessé de faire la cour à Daisy. Il s'était interrogé sur l'éventualité d'une demande en mariage. Que répondrait-il alors au jeune homme ? Daisy se débrouillait si bien. Avait-il envie, lui, son père, de la voir épouser un fermier ? Il décida qu'il agirait suivant les circonstances et continua de manger des toasts.

Pendant ce temps, dans la chambre, Daisy se brossait les cheveux en chantant car elle avait rêvé toute la nuit au séduisant Alfred. Emily, en revanche, ne pouvait se résoudre à mettre dans sa valise la robe blanche qui lui avait coûté tant de larmes.

Mrs Lane s'en aperçut, s'approcha d'elle et la prit dans ses bras.

— Je suis tellement désolée, lui chuchota-t-elle. Si vous saviez comme j'ai honte de moi...

— Vous êtes toujours si bonne pour moi, dit Emily.

Elle constata avec soulagement que Mrs Lane s'apprêtait à emporter la robe. Oh, elle pouvait la brûler, la cacher ! Emily ne voulait plus jamais y penser.

Mrs Lane entra la première dans la cuisine, salua Alfred et avoua qu'un peu de porridge lui ferait plaisir.

Presque aussitôt, Daisy entra à son tour. Elle et Alfred se mirent à flirter et à échanger des plaisanteries. Alfred aimait ce jeu, qui prit bientôt des proportions si extravagantes que Mr Lane ne put s'empêcher de rire.

— Enfin, je suppose qu'il vaut encore mieux que vous contiez fleurette à ma fille qu'à ma femme ! s'exclama-t-il.

Lorsque Emily fit son entrée, Alfred se demanda qui pouvait être cette jolie fille. L'instant d'après il reconnut Emily, qui n'avait plus rien à voir avec la créature en mousseline fleurie du bal. Elle portait une jupe bleu sombre et un chemisier à rayures bleues agrémenté d'un petit col en toile blanche.

Elle sourit à Alfred, en espérant qu'il ne se souviendrait pas d'elle telle qu'elle était la veille au soir. Elle déclara qu'elle n'avait pas faim. Un peu de thé, peut-être.

Alfred la trouva triste et fatiguée, ce qui contrastait avec la frivolité des instants précédents.

Il s'adressa à Daisy, mais il aurait pu aussi bien parler à Emily :

— Pourrai-je vous voir quand je viendrai à Londres ?

— Oh, oui, avec plaisir, répondit Daisy.

— Oui, bien sûr, dit Emily. Nous allons sans doute nous trouver un petit appartement pour habiter ensemble. Nous en avons assez des logements des infirmières.

— Vous n'avez qu'à régler ça avec mère, conclut Daisy en se rendant compte soudain qu'elle n'avait rêvé que de cela pendant la nuit.

À cet instant, Bert Redway frappa à la porte ouverte, l'entrouvrit et annonça à la ronde :

— Je viens chercher Alfred.

C'était là aussi un rite qui se déroulait presque chaque matin.

Alfred s'inclina pour rire devant Daisy, fit le tour de la table pour embrasser Mrs Lane et lança à Emily :

— Eh bien, peut-être vous verrai-je quand je monterai à Londres.

Il s'éloigna avec Bert d'un pas nonchalant sur l'allée. Bert avait une fourche à foin sur l'épaule et Alfred ramassa la sienne, qu'il avait laissée près du portail.

Les deux jeunes gens s'en allèrent sous les yeux de Daisy et de Mrs Lane, qui étaient restées sur le seuil.

— J'aime voir Alfred avec Bert, dit Mrs Lane. Ils se font du bien mutuellement.

Elle ne faisait pas allusion à la position privilégiée d'Alfred chez les Redway, qui le considéraient comme leur fils, mais à l'influence apaisante qu'il exerçait sur Bert, lequel avait tendance à faire le fou et à abuser de la boisson.

— Alfred est comme un frère aîné pour Bert, continua Mrs Lane en embrassant Daisy au passage.

— Et il est temps que nous partions, déclara Emily.

Une nouvelle fois, Mrs Lane regarda s'éloigner deux jeunes personnes, mais elles prenaient une direction opposée à celle des hommes.

NOS MEILLEURES ANNÉES

À présent, Emily et Alfred étaient à l'apogée de leur vie, de leur destin – de tout.

— Si seulement nous pouvions revivre nos meilleures années, disait ma mère en serrant les bras d'un air farouche, comme pour y garder à l'abri ces précieuses années.

Elle regardait son époux avec défi, comme s'il était responsable de la fin de l'âge d'or.

— Oui, disait-il, quelle belle époque c'était ! Ce que nous nous sommes amusés !

Dans la ferme des Redway, Alfred tenait une place qui en fait avait été la sienne toute sa vie. Dès son plus jeune âge, il avait joué dans les fermes, avec les fils des fermiers. Les fossés, les haies et les champs étaient son terrain de jeu, et Bert avait été et était resté son meilleur ami. Ils travaillaient ensemble, seuls ou en surveillant les saisonniers, jusqu'à l'heure où les lumières s'allumaient. Alfred se rendait alors avec Bert au pub, ce qui n'était pas une mince responsabilité, puis ils rentraient tous deux pour le dîner. Alfred vivait chez les Redway, comme un fils de la maison. Il aimait s'occuper du bétail, tandis que Bert veillait sur les récoltes. En été, Alfred jouait au cricket tous les week-ends. Il participait aussi à des compétitions de billard. Bert allait volontiers au champ de courses. S'il avait le temps, Alfred essayait de l'accompagner car son gros ami au visage rubicond et à l'humeur joviale, avec ses boucles brunes et son rire tonitruant, était connu aussi bien pour sa bonhomie que pour sa propension à boire plus que de raison. Alfred lui arrachait souvent les chopes des mains pour le ramener à la maison avant qu'il ne soit trop tard. Il savait que les parents de Bert comptaient sur lui.

Il aimait également beaucoup danser. Le samedi, s'il y avait un bal, grand ou petit, dans les environs, il était capable de faire des kilomètres à pied pour s'y rendre. Il rentrait à l'aurore, toujours à pied.

À cette époque, Alfred travaillait et s'amusait avec la même énergie. Toutefois, comme Mrs Lane était membre d'une bibliothèque ambulante, il lisait énormément – Bernard Shaw, H. G. Wells, Barrie. Il parlait de ses lectures avec Mrs Lane, et aussi avec son mari, lequel ne s'intéressait pas moins à la politique.

— Je suis tory jusqu'au bout des ongles, proclamait Mr Lane en partie pour taquiner son épouse, dont les sympathies allaient plutôt au socialisme et au pacifisme.

Alfred rendait visite aux Lane dès qu'il le pouvait, afin de discuter avec eux et de leur emprunter livres et magazines.

Il montait à Londres pour aller au music-hall, qu'il adorait, ainsi qu'au théâtre. Il lui arrivait de faire un saut chez « les filles », comme disait Mrs Lane.

— Allez voir les filles, Alfred, et venez me dire comment elles se portent.

L'« appartement » où elles vivaient – ainsi baptisé parce qu'il était à la mode, voire encore passablement audacieux pour des jeunes filles, de vivre dans un appartement et de subvenir à leurs propres besoins – consistait en fait en deux pièces à l'arrière d'une maison d'ouvrier proche de l'hôpital.

— J'aimais aller dîner après le spectacle, racontait-il avec nostalgie des dizaines d'années plus tard. Qu'est-ce qu'on s'amusait au Trocadéro, au café Royal !

Attraper ensuite le dernier train pour Colchester n'était pas évident. Plus d'une fois, il avait dormi par terre dans le living-room des filles. Cependant la logeuse, Mrs Bruce, déclarait qu'elle n'appréciait pas de voir un jeune homme dormir chez des demoiselles.

— Mais, Mrs Bruce, je les connais depuis mon enfance, objectait Alfred. Elles pourraient être mes sœurs.

— Il se trouve qu'elles ne sont pas vos sœurs, pour autant que je sache, rétorquait la matrone en pinçant les lèvres et en croisant les bras sur sa poitrine imposante. Ça ne me plaît pas, c'est tout.

Elle attendait qu'il soit entré, que les filles fussent là ou non, et ouvrait la porte à l'improviste, sans frapper.

Des dizaines d'années plus tard, mon père invectivait encore « Mrs Grundy ». Cette figure de dame d'une moralité exemplaire apparaît dans bien des romans et des mémoires de cette époque. Qui était-ce ?

— Mrs Bruce était comme ma mère, disait Alfred même dans son vieil âge – enfin, dans la mesure où il est devenu vieux. Jamais elle n'aurait manqué une occasion de dire une méchanceté. Une Mrs Grundy voit une saleté répugnante là où n'importe qui d'autre voit un plancher bien propre.

Alfred voyait Emily lors de ses visites à Londres, mais rarement. Daisy était plus souvent à l'appartement que son amie, et elle s'excusait :

— Vous connaissez Emily. Elle est tellement active. Même moi, il arrive fréquemment que je ne l'aperçoive pas pendant des jours. C'est un vrai courant d'air. Vous aussi, d'ailleurs.

Car Daisy aurait été heureuse qu'Alfred vienne plus souvent et reste plus longtemps.

Si Emily était « active », que dire de lui ?

— Si seulement j'avais l'énergie d'Emily ! gémissait Daisy. Je me demande où elle la trouve.

— Pour l'amour de Dieu, disait parfois Mrs Lane, asseyez-vous une minute, Alfred. Prenez une tasse de thé. Regardez, j'ai fait ce gâteau que vous aimez.

— Il faut déménager les cochons... répliquait Alfred. J'ai une vache sur le point de vêler, et il est temps de récolter les betteraves du champ d'en haut...

Cependant elle posait ses deux mains sur les épaules du jeune homme et le forçait à s'asseoir.

— Je vous vois trop rarement, Alfred. Et Daisy semble n'être jamais disponible, ces jours-ci. Quant à Emily... Peut-être viendra-t-elle pour la fête, le mois prochain.

Mais rien n'était moins sûr.

— Comment faisions-nous ? demandait mon père à ma mère en songeant au bouillant jeune homme qu'il avait été. Seigneur, quand j'y pense...

— Dieu seul le sait, répondait ma mère en soupirant. Je n'étais jamais fatiguée en ce temps-là.

Emily – sœur McVeagh pour les gens de l'hôpital – aimait son travail.

— Elle était à cheval sur la discipline, mais toujours juste.

Ainsi décrivait-elle Daisy, qui suivait son chemin en empruntant un autre itinéraire.

Emily jouait au tennis avec des camarades de classe, à qui elle écrivait dans sa vieillesse : « Vous souvenez-vous... »

Elle travaillait son piano avec acharnement et passa son examen final à cette époque. Les examinateurs lui dirent qu'elle pourrait mener une carrière de soliste si elle le désirait. Elle jouait de l'orgue pendant certains offices à All Soul, une église de Langham Place très à la mode. Elle jouait aussi lors de concerts, de récitals et de festivités à l'hôpital, y compris des bals d'infirmières. Sœur McVeagh était vraiment une chic fille.

Au cours de ces années, elle reçut un message de sa belle-mère, laquelle pensait que son père serait heureux de la voir.

Malgré tout, son père n'avait pas écrit lui-même.

Emily alla déjeuner dans son ancienne maison. Peut-être s'y rendit-elle plus d'une fois.

— Mais je ne lui ai jamais pardonné, jamais, insistait-elle, les poings serrés, les yeux jetant des éclairs.

Qu'aurait signifié « pardonner », de la part d'une fille qui lui avait désobéi, était indépendante et réussissait si brillamment qu'elle était certainement une fierté pour lui, pour sa famille, pour tout le monde ?

« Merci, père. Je vous dois tant. » Vraiment ?

Eh bien, elle lui devait sans doute beaucoup.

« Sans vous je n'aurais jamais... »

Peut-être était-ce vrai.

Mais elle ne put jamais oublier ces années où elle avait été une jeune infirmière.

— C'était si dur, si difficile.

Elle ne faisait pas allusion à la dureté du labeur qu'on exigeait d'une infirmière débutante.

— J'avais tellement faim. Nous avions toutes faim. Je n'avais même pas les moyens de m'acheter un mouchoir convenable.

Elle avait les larmes aux yeux.

— Mon salaire était misérable. Je ne pouvais même pas me payer une paire de gants, disait ma mère à sa fille qui passait le plus clair de son temps dans la brousse, jambes nues, chaussée de *veldschoen* poussiéreuses et vêtue d'une robe taillée dans une étoffe à prix réduit de la boutique locale.

Mes mains étaient tout égratignées du fait de la poule récalcitrante que j'avais dérangée en train de pondre, ou de la clôture en fil de fer barbelé que j'avais escaladée. Et ma mère parlait de *gants* !

— Je ne pouvais pas m'acheter de jolis gants. Si j'avais eu ne fût-ce qu'une minuscule pension, un peu d'argent de poche...

Quand ma mère se rendait à Banket les jours de courrier, elle portait un chapeau correct, au ruban toujours neuf et élégant, et des gants blancs agrémentés de petits boutons. Ses chaussures étaient cirées et elle avait un mouchoir de toile blanche tout frais dans sa poche. Elle portait la robe « de chez la couturière » que toutes les femmes du district arboraient dans les grandes occasions. Elle aurait pu descendre ainsi la rue principale de n'importe quelle grande ville.

Mais aurait-elle accepté que son père lui versât une pension ? Je ne le pense pas.

Emily n'appréciait guère la danse, à quoi elle préférait le théâtre et les concerts. Cependant Daisy convia Alfred à un bal donné pour les infirmières en titre, et il y dansa toute la soirée avec une certaine Betsy Somers, une jeune fille petite et bien en chair, aux cheveux blonds et frisés. Ses joues s'empourpraient facilement quand il faisait chaud. Les gens avisés faisaient remarquer entre eux que Betsy ressemblait beaucoup à Mrs Lane.

Toutefois, le mariage... ce n'était certes pas une décision qu'on prenait en cinq minutes.

Mr Redway était un homme bon et Alfred gagnait nettement plus qu'un ouvrier agricole, mais cela ne suffisait pas pour envisager de se marier. Et il ne pouvait guère demander à Betsy de vivre sous le toit des Redway.

Chacun sut bientôt qu'Alfred se rendait à Londres aussi souvent que possible pour voir une infirmière. C'est alors que Mr Redway lui dit de l'accompagner au champ d'en haut pour examiner la nouvelle étable.

Alfred se demanda où il voulait en venir. Sans doute était-il encore question de l'ivrognerie de Bert.

La maison des Redway avait jadis été la demeure du régisseur d'un vaste domaine qui avait périclité, de sorte qu'on l'avait divisé et vendu. Outre la maison du fermier, des cottages de dimensions variées abritaient les ouvriers agricoles et leurs familles. Le champ du haut était bordé par un petit bois, où Mr Redway s'arrêta avec Alfred. Il déclara qu'il projetait de faire construire une maison d'une bonne taille à cet endroit.

— Bien sûr, continua Mr Redway, Bert pourrait s'y installer. Cependant je préférerais qu'il reste chez nous.

Alfred comprit. Ses conversations avec Mr Redway étaient ainsi faites que la plus grande partie en demeurait implicite. Bert avait posé de sérieux problèmes, ces temps derniers, et on ne pouvait attendre d'Alfred qu'il habite avec lui pour veiller sur lui.

— Si vous voulez vous marier, vous pourriez loger dans cette maison. Je m'arrangerai pour que vous n'en soyez pas de votre poche.

L'implicite, en l'occurrence, était à peu près ceci : « J'aurais aimé que vous soyez notre fils, Alfred. Je pourrais vous laisser la ferme sans un instant d'hésitation. Mais vous n'êtes pas notre fils, et nous devons en prendre notre parti. Si Bert pensait à se marier... mais il ne semble avoir aucun projet. » Mr Redway se contenta de dire :

— Betsy Somers, hein ? Sa famille doit être originaire du Kent. Pourquoi ne l'amèneriez-vous pas ici pour le week-end ? Elle pourrait assister à notre fête annuelle. Elle aime le cricket ?

— Je l'espère, répondit Alfred en riant. Sans quoi, elle risque de s'ennuyer ferme.

C'est ainsi que l'avenir d'Alfred fut décidé. Et il se plut à imaginer Betsy assise sur une chaise à côté de Mrs Lane, en train de le regarder jouer.

En quoi consistait l'implicite, cette fois ? « Vous devez comprendre qu'il faut que nous l'examinions un peu, cette petite. S'entendra-t-elle bien avec nous ? » Il en va ainsi dans toutes les communautés bien établies, quand un fils y introduit une fiancée. Il s'agit de savoir si elle va s'intégrer.

— Préférez-vous du chaume ou des ardoises pour le toit ? dit Mr Redway.

— Des ardoises. C'est mieux en cas d'incendie.

Alfred comptait demander à Betsy de l'épouser quand la maison serait finie, mais ce n'était pas urgent. Même s'il croyait sincèrement l'aimer, il trouvait sa vie de célibataire tellement agréable. Puis le destin changea de face. Alors qu'il était à Londres, en train de dîner dans l'appartement des filles, Alfred s'effondra en gémissant, terrassé par une douleur fulgurante. Comme ils étaient à proximité du Royal Free Hospital, Daisy y courut et revint avec deux brancardiers tandis qu'Emily escortait Alfred jusqu'à la porte d'entrée. Il fut transporté sur-le-champ dans une salle d'opération, juste à temps pour qu'on lui sauve la vie. Son appendice s'était perforé. Il resta suffisamment longtemps à l'hôpital pour parvenir à la conclusion qu'il aimait vraiment Betsy. Ils se fiancèrent officiellement. De son côté, Emily McVeagh annonça qu'elle allait épouser le docteur Martin-White, un cardiologue. Il y eut une petite réception dans le bureau du service de sœur McVeagh. Alfred y assista dans un coin, appuyé sur des béquilles, en compagnie de Daisy. Betsy était de service quelque part.

— Il a l'air vraiment sympathique, dit Alfred avec approbation à Daisy.

Le docteur Martin-White était très différent des gens qu'Alfred côtoyait habituellement, tous des fermiers, des ouvriers agricoles, des campagnards. C'était un grand homme, un peu trop maigre peut-être. Ses manières étaient circonspectes, comme s'il craignait de se montrer présomptueux, et son visage pensif trahissait une grande sensibilité.

Ces événements eurent lieu en 1916.

Dans la vie réelle, l'appendice de mon père se perfora juste avant la bataille de la Somme, ce qui lui évita de se faire tuer avec le reste de sa compagnie. Quand il fut renvoyé dans les tranchées, l'obus qui fracassa sa jambe droite l'empêcha de périr à Passchendaele.

— Un vrai coup de chance, disait-il parfois.

Mais il ajoutait ensuite :

— Enfin, si on trouve vraiment qu'il vaut la peine d'être en vie.

À présent, les événements s'accéléraient. Betsy déclara qu'elle ne verrait aucun inconvénient à manquer sa dernière année de formation si cela lui permettait d'épouser tout de suite son bien-aimé. Alors qu'il avait imaginé le mariage dans un lointain rassurant, Alfred entendit sa fiancée proclamer qu'elle ne pouvait supporter d'être séparée de lui, et il se surprit à en dire autant de son côté.

— Pourquoi attendre ? demandait-elle.

Il était d'accord, mais où allaient-ils vivre ? Leur maison était loin d'être finie, ce qui signifiait qu'ils devraient finalement commencer bel et bien leur vie commune sous le toit des Redway. Du coup, il n'était plus possible de remettre à plus tard l'examen de passage de Betsy.

— Naturellement, ils ont besoin de m'examiner de plus près, dit-elle avec assurance.

Elle était sûre que tout se passerait bien, car elle savait que les gens la trouvaient sympathique. Pourquoi n'en irait-il pas de même avec les Redway ? Toutefois, Alfred tenait surtout à ce qu'elle rencontre Mrs Lane au plus vite. Si jamais Mrs Lane ne donnait pas son approbation... Serait-il prêt à renoncer à Betsy ? Non, en aucun cas. C'est ainsi qu'Alfred comprit que Betsy comptait vraiment plus que tout pour lui.

Il était bien inutile de se faire du souci. Mrs Lane guetta à sa fenêtre l'arrivée de l'élue de son cher Alfred. Elle aperçut devant la grille une jeune fille blonde « qui tremblait comme une feuille », comme elle le raconta plus tard à Alfred. Courant à la grille, elle serra Betsy dans ses bras.

— Bienvenue, ma chère Betsy ! roucoula la seconde mère d'Alfred.

(« Elle s'est montrée plus maternelle envers moi que ma mère véritable », disait Alfred.)

Les deux femmes pleurèrent dans les bras l'une de l'autre. Mrs Lane assura à Alfred qu'il avait de la chance.

— Elle est délicieuse, Alfred. Bravo !

Chez les Redway, les difficultés commencèrent tout de suite. Bert était venu du pub afin d'assister au dîner avec la fiancée d'Alfred. Elle lui plut d'emblée, mais il manifesta sa sympathie en la harcelant de taquineries pas toujours très agréables, car il était à moitié ivre.

Elle lui résista brillamment, tandis que ses futurs « beaux-parents » l'observaient en silence et lui donnaient des bons points.

Bert déclara à Alfred qu'il était un veinard.

Et quand arriva le moment des festivités annuelles de l'Allied Bank, Betsy s'assit sous le chêne à côté de Mrs Lane et applaudit lorsque sa compagne lui disait de le faire. Il y avait foule, cet après-midi-là, car Alfred Tayler figurait au programme. Pour la première fois, Betsy vit son bien-aimé dans son élément.

Deux fêtes scellèrent officiellement l'union d'Alfred et Betsy, dont un vrai mariage dans le Kent, où le jeune marié découvrit non sans surprise qu'il faisait désormais partie d'une famille nombreuse et chaleureuse. Il préféra toujours les familles des autres à la sienne. Emily n'assista pas à la cérémonie, car elle était absorbée par son nouveau foyer. En revanche, Daisy s'y rendit avec Mrs Lane. Cette dernière donna à son tour une fête en l'honneur du jeune couple, une fois la moisson terminée. Entre-temps, Betsy et Alfred reçurent une invitation pour le mariage d'Emily McVeagh.

Le carton était imposant et élégant, aussi fin que la plus fine porcelaine. En l'apercevant sur la table du petit déjeuner, chez les Redway, Bert entra en fureur. Depuis l'arrivée de Betsy, il allait mal. Il buvait plus que jamais et s'emportait à l'improviste pour des riens.

— Regardez-moi ça, railla-t-il. Pour qui se prend-elle, cette Emily McVeagh ? La reine des pimbêches, voilà ce qu'elle est.

Il n'avait pourtant guère fait attention à Emily jusqu'alors et n'avait sans doute qu'une vague idée de qui elle était. Cela ne l'empêcha pas de continuer :

— Et elle se marie dans cette fameuse église ? Je suppose que vous allez vous précipiter à la cérémonie comme une brave petite fille.

— Je la connais depuis des années, Bert, répliqua Betsy avec calme. J'ai été stagiaire dans son service et elle était mon instructrice. Elle s'est montrée bonne pour moi, alors que certaines des sœurs étaient de vraies mégères. J'ai eu de la chance de tomber sur elle.

— Sœur McVeagh devient Sa Majesté la Pimbêche ! brailla Bert.

Et il s'inclina gauchement d'un air cérémonieux, en renversant au passage le porte-toasts.

— Calme-toi, dit Mr Redway. J'aimais bien Emily McVeagh. Elle venait souvent voir Mary Lane.

— Eh bien, elle ne viendra plus, lança Bert. Sa dignité le lui interdira. L'église St Bartholomew, nom de Dieu ! Et une réception au Savoy !

Il attrapa l'invitation et parut sur le point de la déchirer. Betsy la lui reprit en déclarant :

— Bert, Emily est mon amie. Ne l'oubliez pas, je vous prie.

— Ne l'oubliez pas ! hurla Bert. Je parie que vous allez souvent nous rebattre les oreilles avec vos amis de la haute !

Mrs Redway, qui avait une migraine toujours prête pour ce genre d'occasions, se leva en murmurant :

— Ma tête...

Et elle quitta la pièce.

— Ça suffit, Bert, dit Mr Redway.

— Et j'imagine qu'Alfred ne sera pas assez bon pour vous, désormais, poursuivit Bert.

Alors qu'elle endurait habituellement des « taquineries » encore bien pires de la part de Bert, Betsy éclata en sanglots et courut se réfugier dans sa chambre.

Mr Redway était blême de colère.

— Je n'ai jamais eu aussi honte de ma vie...

Et il sortit à son tour.

— À présent, Bert, lança Alfred, il est temps que tu changes de comportement.

Il pensait sans doute que la boisson faisait partie dudit « comportement ». Cependant Bert n'était pas saoul. De toute façon, il avait atteint le stade où un verre d'eau comme une tasse de thé pouvaient le replonger dans son ébriété de la soirée précédente.

— Je suis fatigué de ces scènes, Bert. En faisant pleurer Betsy, tu vas trop loin.

— Mais ce n'étaient que des taquineries, dit Bert troublé par le départ de son père et les reproches d'Alfred. Je plaisantais, rien de plus.

— Depuis plusieurs jours, je ne compte plus les fois où je dois consoler Betsy parce qu'elle pleure à cause de toi.

— Tu fais des histoires pour rien, riposta Bert d'un air fanfaron.

— Écoute, si tu ne cesses pas de harceler Betsy, je vais aller vivre avec elle chez les Lane en attendant que notre maison soit terminée.

— Tu ne peux pas faire ça... tu ne voudrais pas...

Cette fois, Bert était vraiment bouleversé.

— Si, je le ferai, assura Alfred. Écoute-moi bien, Bert...

Alfred se pencha en avant et saisit son ami par les épaules pour le forcer à écouter.

— Betsy est ma femme. C'est elle ma première priorité.

Atterré, Bert était sur le point de se mettre lui aussi à pleurer.

— Mais, Alfred, tu ne voudrais pas... tu ne pourrais pas...

— Si, répéta Alfred.

— Mais ce n'est pas si grave que ça. Ce n'est pas du tout...

— Tu la fais pleurer et je dois à chaque fois lui dire que tu n'avais pas de mauvaises intentions. Mais maintenant, ça suffit.

— Mais j'aime Betsy. Je ne la fais pas pleurer, simplement je la taquine un peu.

— Eh bien, dit Alfred en le regardant droit dans les yeux, moi aussi j'aime Betsy, et elle est ma femme.

— Mais tu ne la connais que depuis peu... commença Bert.

Conscient d'avoir proféré une absurdité, il rougit et déclara :

— Je vais aller lui demander pardon.

Se précipitant vers la chambre où Betsy s'était réfugiée, il frappa et se rua à l'intérieur. Assise sur son lit, Betsy était en larmes.

— Betsy ! lui cria Bert. Betsy, je suis désolé. Je ne suis qu'une brute épaisse. Pardonnez-moi, Betsy.

Alfred attendit quelques minutes puis poussa la porte entrouverte. Bert était agenouillé par terre près de Betsy, la tête sur ses genoux. Elle pria d'un geste son mari de la délivrer. S'approchant de Bert, Alfred l'aida à se lever en disant :

— Allons, mon vieux, ça suffit.

Il passa son bras autour des épaules de Bert et l'emmena. En sortant, il entendit Betsy chuchoter :

— Merci.

Betsy et Daisy devaient être les demoiselles d'honneur d'Emily. Aujourd'hui même, Betsy était attendue à Londres pour répéter la cérémonie et essayer sa robe.

Mrs Lane l'accompagnerait, car elle était dame d'honneur.

Betsy sortit bientôt de la chambre, en tenue de ville. Les deux hommes étaient encore attablés devant le petit déjeuner.

Sans accorder un regard à Bert, elle dit à Alfred :

— Je m'en vais. Peut-être ferais-tu mieux de ne pas venir.

Bert avait pleuré, à la manière morbide des alcooliques s'apitoyant sur eux-mêmes. Apparemment, Alfred lui avait passé un sérieux savon.

Alfred devait aller à Londres avec Betsy et Mrs Lane. Pour eux trois, c'était un peu une fête.

Dehors, Mr Redway semblait attendre Betsy devant la maison.

— Je vais vous accompagner, déclara-t-il.

Betsy et son beau-père s'avancèrent sur l'allée boueuse. Quand elle ne fut plus guère qu'un bourbier, Mr Redway annonça :

— Attendez, je vais vous porter.

De son bras vigoureux, il souleva la jeune femme et la porta jusqu'à l'endroit où la boue cessait complètement. La reposant avec douceur, il lui dit :

— Ne faites pas attention à Bert. Ce n'est pas un mauvais garçon, au fond. Et je crois que votre Alfred va le tirer d'affaire.

Betsy répliqua avec gratitude :

— Merci. J'ai été bête de me mettre dans un état pareil.

Pendant ce temps, Bert disait à Alfred :

— Tu vas rester avec moi ? Tu ne vas pas à Londres ?

— Non, je ne te quitte pas.

Cependant il se demandait dans quelle mesure il devrait ainsi s'accommoder des faiblesses de Bert à l'avenir.

— Viens, Bert, allons jeter un coup d'œil sur le blé.

Bert ne parla plus d'Emily ni du mariage. Alfred aurait dû se rendre à Londres avec Betsy à cette occasion, mais le jour venu il déclara de nouveau à Bert qu'il n'irait pas, qu'il resterait avec lui. En s'en apercevant, Mr Redway dit simplement :

— C'est gentil de votre part, Alfred.

Et il les accompagna tous deux sur le chantier de la future maison d'Alfred et Betsy. Alors qu'ils regardaient les maçons en faisant des suggestions, Bert lança à brûle-pourpoint :

— Betsy était très jolie dans cette robe.

— Mais ce n'est pas celle qu'elle portera lors du mariage, dit Alfred.

Bert parut sur le point d'éclater de nouveau en reproches furibonds, mais Mr Redway intervint :

— Sois raisonnable, Bert. À quoi rime tout cela ? Emily McVeagh se marie. Un point c'est tout.

Et c'est ainsi qu'Alfred n'assista pas au mariage d'Emily.

Le problème, toutefois, c'était que pour Bert il n'était pas question de mariage. Il avait essuyé plus d'une plaisanterie sur l'imminence de ses noces, mais en fait ses tentatives n'aboutissaient jamais. Quand il était sûr qu'Alfred et sa famille ne pouvaient pas l'observer, il jouait les jolis cœurs. Cependant, une semaine plus tôt, une jeune fille qui lui plaisait vraiment et qu'il raccompagnait chez elle après un bal l'avait vu s'effondrer pour vomir. Elle lui avait déclaré que ce n'était pas ainsi qu'elle se représentait son avenir. Alfred était au courant, mais pas ses parents. Bert l'avait supplié de ne rien leur dire.

— Ils m'ont harcelé pour que je me marie. Pour toi, ça n'a pourtant pas l'air d'être difficile.

En attendant, il suivait Betsy des yeux, la regardait sans pouvoir s'empêcher de sourire. Elle dit à Alfred :

— Il me rappelle Rover.

Rover était le gros chien noir de Mr Redway, qui adorait la jeune femme.

Puis Betsy eut des nausées : elle était enceinte. Le médecin commença à plaisanter en disant qu'elle devait attendre des jumeaux. Elle devint très vite énorme et il semblait maintenant urgent que la maison fût prête à temps pour la naissance.

— J'espère qu'elle sera terminée. Nous n'avons pas de place ici pour un enfant, gémissait Mrs Redway comme si Bert n'avait pas grandi dans une demeure aux dimensions imposantes.

Un soir où Bert était rentré ivre mort, Betsy le réprimanda et il s'excusa. Puis il apparut un matin dans la cuisine, à l'heure du petit déjeuner, en arborant sur la joue une marque écarlate qu'il ne paraissait même pas avoir remarquée. À cette vue, Betsy se mit à pleurer :

— Oh, Bert ! Il faut absolument que vous arrê-
tiez !

Pendant ce temps, Bert se tamponnait la joue,
sans autre effet que de faire jaillir du sang. Betsy
se précipita pour en étancher le flot avec sa serviette, tandis qu'il s'écriait en riant qu'il valait la
peine d'être balafré si c'était pour être soigné par
elle.

— Ce n'est pas drôle, Bert, dit-elle. J'ai déjà vu
ça avec mon cousin Edward. C'était un ivrogne,
comme vous, et il refusait d'arrêter. Un jour, il a
mal serré les freins d'une charrette à foin et elle l'a
écrasé.

Horrifiée, Mrs Redway éclata d'un rire nerveux.
Alors qu'elle avait vu son fils sombrer peu à peu
dans l'alcoolisme, elle paraissait avoir décidé de ne
plus s'en préoccuper.

— Voyons, Betsy, gémit-elle. Bert n'est pas... il
n'est pas...

— Bien sûr que si, intervint Mr Redway. Et
Betsy a raison, Bert. Il faut que tu arrêtes.

— Sans quoi vous connaîtrez le sort de mon
oncle George, dit Betsy. Lors d'une fête de Noël, la
boisson a eu raison de lui.

— Betsy possède une réserve inépuisable de
parents dont l'exemple peut tous nous édifier,
observa Alfred.

— Mais oui, répliqua Betsy. C'est un des avantages d'appartenir à une famille nombreuse. Et je
regrette pour toi que ce ne soit pas ton cas, Alfred.

— Il y a bien mon frère, dit Alfred. Mais je suis
sûr qu'il ne boit que du champagne.

— Le champ' ne vaut rien, lança Bert. Il donne
la migraine.

— Je ne plaisantais pas, dit Betsy qui n'aimait
pas l'aîné prétentieux d'Alfred. Il y a aussi mon

frère, Percy. Personne ne dira jamais que c'est un ivrogne, et c'est pourtant la vérité. Il court droit au delirium tremens.

Alfred manqua s'étouffer de rire.

— Oh, Betsy ! gloussa-t-il.

Soulagé de le voir rire, Bert l'imita. Betsy reprit d'un ton sévère :

— Ce n'est pas drôle. Si vous n'arrêtez pas, Bert, vous serez mort avant même de vous en apercevoir.

Alfred s'esclaffa de plus belle et Betsy sortit précipitamment, en larmes.

— Vous devriez avoir honte, dit Mr Redway. Il ne faut pas la taquiner, dans son état.

Quand Betsy revint, les yeux rouges, Mr Redway se leva et la conduisit à sa chaise.

— Vous avez parfaitement raison, Betsy, lui dit-il.

— Et maintenant je vais terminer mon discours, déclara-t-elle. Lorsque l'état de mon oncle George s'est détérioré, il est allé voir quelqu'un à Londres. Il s'agit d'un médecin célèbre. Il faut que vous y alliez aussi, Bert.

Se sentant pris au piège, Bert assura qu'il s'y rendrait un de ces jours.

— Non, trancha Betsy. J'irai avec vous. Ma mère me donnera l'adresse. Je vais écrire et prendre rendez-vous.

Et elle tint parole.

Le jour du rendez-vous, il faisait très chaud. Bien qu'incommodée par le temps, Betsy déclara à Alfred :

— Non, je vais l'emmener. S'il y va avec toi, il te faussera compagnie pour chercher un pub. Il a peur de moi, tu comprends, pas de toi.

— Peur de toi ? s'exclama Alfred. Qui pourrait avoir peur de toi ?

— Tu verras, dit Betsy.

Mr Redway lui proposa de se rendre à la gare sur la vieille jument blanche, mais elle répondit que le mouvement d'un cheval lui serait pénible. Elle préférait marcher.

Ils partirent tous quatre pour la gare – Mr Redway, Alfred, Bert et Betsy – sur le chemin défoncé et poussiéreux.

Betsy souffrait de la chaleur, mais elle déclara :

— Ne vous en faites pas, je vais bien. Et il s'agit d'une affaire importante.

Elle soudoya le chef de train pour qu'il leur trouve un coupé, et elle monta avec Bert.

Alfred et Mr Redway regardèrent le train s'éloigner.

— Vraiment, Alfred, dit Mr Redway, tu as épousé une fille remarquable.

— Oui, je sais.

À Londres, Betsy prit Bert par le bras et lui déclara :

— Et maintenant, Bert, il n'est pas question que vous vous échappiez pour prendre un verre.

C'était exactement ce qu'il avait eu en tête, mais il dit à Betsy :

— Je vous le promets.

Dans le cabinet du médecin, situé sur Wimpole Street, Betsy dit à la réceptionniste qu'elle était avec Mr Redway, qui avait pris rendez-vous, puis elle conduisit fermement son compagnon dans la salle d'attente.

— Dites-moi, Betsy, n'êtes-vous pas un peu trop dure avec moi ?

— Non. Il faut aller jusqu'au bout, Bert.

Quand la réceptionniste les appela, Betsy escorta Bert jusqu'à la porte du médecin, le fit entrer puis alla se rasseoir lourdement dans la salle d'attente. Elle se sentait vraiment épuisée.

Néanmoins elle ne quitta pas des yeux la porte du médecin et accourut dès qu'elle s'ouvrit, après un bon moment – au moins une heure. Elle accueillit Bert dès sa sortie et dit en souriant au médecin :

— C'est moi qui vous ai écrit.

— Votre lettre était magnifique, déclara le grand homme.

Dans la rue, Bert vit que Betsy était toute rouge et en sueur. Il héla un taxi et l'aida à monter dedans.

Elle s'obstina pourtant à ne pas lâcher son bras jusqu'à ce qu'ils soient arrivés au train. De nouveau, elle trouva le chef de train et lui donna de l'argent pour avoir un coupé.

Le chef de train était plus inquiet pour elle que pour Bert, qui n'avait pas bu ce jour-là.

Mr Redway et Alfred les attendaient à la gare. L'ayant prise chacun par un bras, ils rentrèrent chez eux par les chemins qu'embaumaient les aubépines en fleur.

— Oh, ce parfum ! s'écria Betsy. Il me donne la nausée.

Mais elle tint bon et alla s'allonger dès qu'elle fut à la maison.

C'était l'heure du dîner.

De sa voix la plus mourante, Mrs Redway exigea sur-le-champ de savoir ce qu'avait dit le médecin. Elle semblait s'attendre à une réponse rassurante, mais Bert déclara :

— Il m'a dit que si je n'arrêtais pas de boire, je serais mort dans dix ans.

Mrs Redway s'essuya les yeux, poussa un gémissement horrifié et parut sur le point de s'évanouir.

— Eh bien, Bert, dit son père, la cause est entendue. Il faut que tu le fasses.

Le dîner s'acheva. Bert sortit, du côté de la maison où se trouvait un banc. Voyant le regard de Mr Redway, Alfred suivit son ami. Il craignait qu'il n'ait filé discrètement au pub, mais Bert était assis sur le banc dans la lumière du couchant. Alfred s'assit près de lui et Bert dit à voix basse :

— Ça m'a fait réfléchir, Alf. Je ne pensais vraiment pas être tombé si bas.

— Tu as été bien bas, répliqua Alfred.

Bert s'affaissa, remua nerveusement les pieds, poussa des soupirs en toussant et en jetant des coups d'œil à Alfred.

— Non, dit Alfred.

Son rôle de geôlier lui pesait. Lui qui était du genre accommodant, il se retrouvait avec la perspective de devoir répéter pendant des mois, voire des années : « Non, Bert. Non. »

Au bout d'un moment, Bert déclara :

— Je vais me coucher.

Alfred ne regarda pas s'il rentrait vraiment – il serait aisé à Bert de s'échapper. Cependant il songea que s'il était Betsy, il le surveillerait et interviendrait en cas de besoin.

Il faisait très chaud et le vent desséchait la langue. L'odeur des aubépines collait comme des doigts moites.

À ses pieds s'étendaient les ombres d'une longue rangée d'ormes se dressant au bord d'un ruisseau. Une charrette chargée de sacs d'orge passa sur le chemin. L'odeur douceâtre et insidieuse de l'orge fit surgir en son esprit l'image d'une chope remplie de bière mousseuse.

— Seigneur ! s'exclama Alfred. Je suis en train de devenir comme Bert !

L'après-midi avait été pénible pour lui. Pour commencer, il détestait voir sa bien-aimée Betsy gonflée et rougie, avec ses cheveux collés sur les joues. Il y avait pensé pendant des heures, en essayant d'accepter cette réalité. Deux ans plus tôt, au bal de l'hôpital, il avait vu la petite Betsy, une jolie fille aux formes généreuses, et l'avait enlevée sans vergogne à son cavalier pour danser avec elle toute la soirée. Tout cela pour aboutir à ce banc où il était assis, plein d'une perplexité incrédule, à guetter d'une oreille Bert dans sa chambre à l'angle de la maison, tandis que sa propre épouse s'était allongée car elle se sentait mal et que lui-même...

En revenant de la gare, après avoir laissé Betsy avec Bert dans le train, il avait été hélé par deux jeunes filles qui lui avaient crié :

— Alf ! Alf ! Est-ce qu'on vous verra ce soir au bal de Dawley ?

Mr Redway avait jeté un regard sévère à Alfred, qui était sur le point de répondre : « Oui, bien sûr ! » Il avait alors retrouvé la mémoire et déclaré :

— Vous oubliez que je suis un homme marié.

Ces filles étaient Ruby et Ethel, avec qui il avait dansé si souvent. Sa mère les aurait jugées vulgaires, mais il s'en fichait. Après tout, il ne comptait pas les épouser ! Elles étaient distrayantes et, surtout, elles dansaient bien.

— Alors, Alf, s'écria Ruby, le temps de danser est passé pour vous !

— Quel dommage, Alf ! renchérit Ethel.

Un coup de poignard en plein cœur n'aurait pas été plus douloureux. Oui, le temps de danser était passé pour lui. Lui qui aimait tant danser. Il avait même remporté des prix. Quand il dansait, il n'était pas rare que les autres couples libèrent la

piste pour qu'Alfred et sa partenaire – Ruby, peut-
être ? ou Ethel ? – puissent montrer ce qu'ils
savaient faire. Mais le temps de danser était passé
pour lui. S'il n'avait pas eu une épouse allongée là,
derrière ces rideaux fermés, il serait parti à pied
pour Dawley. Marcher en ce soir d'été, alors que
les ombres s'approfondissaient et que les oiseaux
lui souhaitaient au passage une bonne nuit... Non,
il ne pouvait endurer cette pensée. Plus jamais. Il
resta assis sur le banc tandis que les ormes plon-
geaient dans l'ombre ses pieds, puis ses jambes. En
se mariant, il savait qu'il renonçait aux libertés de
sa vie de célibataire, mais il n'en avait vraiment
pris conscience que cet après-midi, en entendant :
« Le temps de danser est passé pour vous. »

Il s'était forcé à se lever pour aller voir où en
étaient les ouvriers qui construisaient cette maison
dont on allait si vite avoir besoin. Il avait marché
d'un bout à l'autre de la ferme, puis était revenu
en faisant un grand tour. Le temps de marcher
n'était pas passé pour lui, mais le temps de danser...

Alors qu'il s'apprêtait à accompagner son beau-
père à la gare, une pensée s'imposa à lui : et *elle*,
comment se sentait-elle ? Il n'y avait pas songé.

Lors des noces, dans le Kent, il avait remarqué
que plus d'un jeune homme était plein de regrets.
Nombreux étaient ceux qui avaient fait la cour à
Betsy, ou espéré le faire. Il avait l'impression d'être
un voleur s'emparant de la préférée de tous – car
c'était bien ce qu'elle était. En dansant avec elle au
mariage, il avait été si fier de cette belle danseuse,
petite et légère. Après une valse tourbillonnante,
leur fox-trot avait été applaudi par les invités. Il
entendait les femmes s'exclamer : « Quel dan-
seur ! »

Mais le temps de danser était passé pour lui.

Et Betsy, avec son ventre énorme qui semblait gonfler à vue d'œil, qu'éprouvait-elle ? Il détestait ce ventre. Il lui semblait que cette masse démesurée avait englouti sa bien-aimée Betsy, sa danseuse. Mais comment se sentait-elle ? Peut-être exactement comme lui. Lorsque les ombres s'appesantirent sur le jardin, Alfred se retourna et regarda la fenêtre de Bert. Il aurait été aisé à son ami de s'éclipser par l'arrière de la maison à l'insu de tous. Puis il vit que Bert allumait sa lampe, dont la lueur dorée perça l'obscurité du soir. Bert avait aperçu Alfred aux aguets et il avait allumé la lampe pour montrer qu'il était là. Être espionné, guetté, soupçonné... Tel serait nécessairement le destin de Bert à présent – pour combien de temps ? Et Betsy, qu'en pensait-elle ? Elle avait épousé le bel Alfred Tayler et voilà qu'elle se retrouvait nantie d'un beau-frère que la boisson menait à sa perte, sans compter une belle-mère geignarde et plaintive. Il serait fort étonnant que Betsy ne fît pas des comparaisons.

Alfred rentra dans la maison et regagna sa chambre en espérant que Betsy serait endormie. Il se brossa les dents le plus silencieusement possible, mais quand il s'allongea près d'elle, en faisant attention à son ventre énorme, il sentit ses bras l'étreindre et le serrer contre cette masse chaude et moite, irradiant la détresse, qu'était devenue sa jolie Betsy.

— Oh, Alfred, dit-elle, je t'attendais !

Il savait qu'elle l'attendait dans l'espoir d'un peu de réconfort. N'en avait-il pas besoin, exactement comme elle ? Pour eux deux, le temps de danser était passé. Il ne pouvait s'empêcher d'être hanté par ces mots amers.

— Je suis restée couchée à réfléchir, reprit-elle. Ça ne fait que deux ans que nous nous sommes rencontrés. Tu te souviens, Alfred ?

S'il se souvenait !

— Et regarde ce que nous sommes devenus, Betsy, murmura-t-il en caressant ses épaules sous ses cheveux blonds collés par la sueur.

— Regrettes-tu de m'avoir épousée, Alfred ? demanda-t-elle d'une petite voix triste dans son oreille.

— Mais non, voyons. Mais il me semble que toi, tu pourrais avoir des regrets. Tu te retrouves avec un vrai fardeau...

Il pensait à Bert, à la charge qu'il représentait, oppressante et menaçante, dont la stabilité incombait maintenant à Betsy.

— Il ne faut pas que tu aies des regrets, Alfred, chuchota-t-elle d'un ton implorant. Je t'en prie, n'aie aucun regret.

— J'ai l'impression que nous pourrions en avoir tous les deux, répliqua Alfred en tentant d'éviter ce ventre brûlant qu'il savait capable de s'agiter traîtreusement sous ses yeux.

D'une voix froide et amusée qui s'accordait à l'ironie d'Alfred, elle déclara :

— De toute façon, avoir des regrets ne nous servirait plus à rien.

Et elle prit sa main et la plaça juste à l'endroit qu'il redoutait, sur ce monticule qui était son enfant. Comment donc pouvait-on attendre de lui qu'il comprenne quoi que ce soit à une chose pareille ?

— Nous sommes condamnés à rester ensemble, Alf, dit-elle en posant sa propre main sur la sienne.

Il sentait remuer sous sa paume quelque chose qui ressemblait à un pied ou un genou, comme ceux qu'on voyait sous le flanc d'une vache approchant de sa délivrance.

— Oui, nous sommes coincés, dit-il en ravalant ses regrets, ses répugnances et ses réticences.

Il rit tout bas et reprit :

— Betsy, j'allais dire : « Je t'ai et tu m'as », mais il me semble que nous avons nettement plus que ça.

En riant, au bord des larmes, ils finirent par s'endormir.

D'un seul coup, Emily comprit que depuis des mois, voire des années, elle ne pensait qu'à sa maison, ou plutôt à la maison de William. Son esprit avait été rempli nuit et jour par des visions de rideaux, de papiers peints et de chaises à couvrir, obsédé par une nouvelle table pour la salle à manger, des moquettes, des tapis. Elle y avait consacré toute son énergie et sa concentration, comme s'il s'agissait de passer un examen. Elle s'en était rendu compte en rendant visite à Daisy, qu'elle n'avait pas vue depuis un certain temps tant elle était occupée à choisir des tissus d'ameublement. Elle posa devant son amie des échantillons de soie, de velours, de veloutine, et vit l'expression du visage de Daisy qui semblait lui dire : « Qu'est-ce qui te prend, Emily ? » Oui, qu'est-ce qui lui prenait ? Assise dans le petit salon de Daisy, avec cette dernière et la femme qui avait pris sa place dans la maison, une certaine Dido qu'elle avait eue jadis sous ses ordres et qui était maintenant infirmière en chef dans le service naguère dirigé par sœur McVeagh, il lui sembla avoir été ensorcelée. Les échantillons d'étoffe paraissaient à présent une preuve de l'absurdité où elle était tombée. Tout cela ne lui ressemblait pas.

Dans cet appartement où elle avait habité avec Daisy, en échangeant des potins sur l'hôpital, elle avait l'impression de n'avoir jamais quitté le Royal Free. Sa vie, depuis son magnifique mariage, semblait avoir été vécue par une autre.

Daisy l'observa d'un œil perspicace et remarqua :

— Eh bien, Emily, je n'aurais jamais cru que ce genre de choses pourrait t'intéresser.

Daisy était restée une frêle créature. À côté de son amie bien en chair, elle donnait l'impression de pouvoir s'envoler ou disparaître au moindre choc.

Emily songeait éperdument qu'elle ne voulait pas s'en aller, qu'elle était ici chez elle. Même Mrs Bruce, en la voyant monter l'escalier, avait semblé ravie.

— Bienvenue à la maison ! avait-elle lancé.

Ce n'était qu'une plaisanterie, mais ces mots étaient en accord avec ce qu'éprouvait Emily.

Son époux, le prestigieux médecin, avait un dîner avec des confrères ce soir-là, de sorte qu'Emily pouvait rester... ce qu'elle fit. Elle fourra les jolis tissus dans son sac à main et se mit à parler des affaires du Royal Free comme si elle ne l'avait jamais quitté.

Lorsqu'elle rentra chez elle, son cher William se préparait à se coucher.

Il avait un peu trop bu, même si – à Dieu ne plaise ! – cela ne pouvait se comparer aux excès de Bert. Il était de bonne humeur et embrassa Emily avec plus de chaleur que d'ordinaire. Sentant qu'il l'appréciait et même la regardait avec une attention particulière, elle perdit toute prudence. Comme il l'enlaçait, elle lança :

— Que diriez-vous si je retournais au Royal Free ?

On voit par là qu'elle n'était pas une épouse pleine de tact. Ce n'était certes ni l'endroit ni le moment de faire une déclaration aussi impétueuse. Il laissa retomber ses bras et la fixa d'un air devenu désapprobateur.

— Ce ne serait pas merveilleux pour moi, pas vrai, sœur McVeagh ?

Pourtant, à l'époque où le médecin et l'infirmière étaient parvenus peu à peu à une entente, tout cela n'avait-il pas été merveilleux ? Il se détourna et gagna son lit – ils dormaient dans des lits séparés.

Et voilà ! Il n'en était pas question.

À la façon dont il avait dit « sœur McVeagh », elle avait senti que son admiration pour elle n'avait pas été totale, et qu'il en allait de même maintenant.

Enfin, il pouvait difficilement l'empêcher d'agir à sa guise, n'est-ce pas ? Mais si, il le pouvait : une simple remarque glaciale avait suffi.

Alors qu'elle l'avait longtemps négligée, Emily se rendit aussi souvent que possible chez Daisy. Elle se sentait tellement exclue, oubliée – presque en exil.

Si l'Emily qui avait passé tant de temps – elle allait devoir admettre que cela avait duré nettement plus d'un an – à penser à des peintures et des tapisseries, à en acheter, en commander, en chercher dans des boutiques et même à en rêver, si cette Emily lui semblait soudain étrangère à son être réel, c'était encore plus vrai de Mrs Martin-White, l'épouse du médecin. Elle était si désespérément malheureuse qu'elle avait d'abord pensé être malade. Comment expliquer autrement son cœur lourd, son angoisse, le violent sentiment de panique qui s'emparait d'elle à l'improviste, sans raison ? À cette époque, les gens ne cherchaient pas automatiquement dans leurs souvenirs d'enfance l'origine de leur malaise présent. Bien sûr, elle s'était déjà sentie aussi mal dans le passé, elle le savait, mais elle ne parvenait pas à se rappeler quand ni pourquoi. Elle réfléchit qu'elle avait perdu sa mère à l'âge de trois ans, et qu'elle avait sans doute été malheureuse alors. Cependant, que penser de ce qu'elle éprouvait maintenant, où la douleur était devenue son élément et la tristesse l'air même qu'elle respirait ? Et à qui pouvait-elle en parler ? Lorsque Dido n'était pas là, elle déclarait à Daisy qu'elle se sentait terriblement déprimée et ne savait pas pourquoi.

Daisy n'avait aucune expérience du mariage. Elle ne songeait même pas à se marier. Il lui semblait qu'Emily s'était éloignée d'elle et était devenue méconnaissable à partir du moment où elle avait été en proie à une exultation que Daisy avait jugée aussi étrange que violente, liée aux préparatifs de son mariage si stupéfiant. Ce n'était pas là l'Emily qu'elle connaissait depuis son enfance.

Daisy travaillait aux épreuves finales qui feraient d'elle une examinatrice pour les concours d'infirmière. Elle était aussi capable qu'Emily de se fixer sur un but, mais sans manquer comme elle d'y perdre son équilibre. Daisy et ses anciennes collègues avaient noté qu'Emily paraissait hors d'elle-même, à cette époque, et c'était aussi l'avis de Mrs Lane.

Emily pleurait beaucoup en privé, cachait avec soin ses yeux rouges et son besoin de se répandre en soupirs... mais elle ne pouvait dissimuler son état aux quatre domestiques – la gouvernante (« qui est là depuis la mort de ma mère »), la femme de chambre, la bonne à tout faire et la cuisinière. Emily se montrait si irritable et déraisonnable qu'elles finirent par s'en aller.

— Vous n'êtes pas la seule femme à ne pas se tirer d'affaire avec le personnel, se contenta de dire son tendre époux. Eh bien, engagez d'autres domestiques !

Toutefois Emily, comme les épouses des collègues de son mari, se plaignait du problème des domestiques, qui devenait rapidement critique pour les classes moyennes et supérieures de la société.

La généreuse opulence de l'Angleterre édouardienne n'était pas terminée. L'époque était très prospère – enfin, pour les classes mentionnées ci-dessus. Or les domestiques n'avaient plus envie de travailler dans des demeures privées, où ils étaient soumis à toutes sortes de restrictions et de règlements. Non loin de Clarges Street, il y avait une nouvelle fabrique de gants (des gants « français »), une modiste française, un tapissier possédant une autre boutique à Paris, un chocolatier de luxe, un grand magasin aux cinq étages où régnaient la mode et la frivolité. Sans compter l'engouement pour les produits russes, qu'on trouvait dans la boutique Mir. Voilà où étaient partis les domestiques d'Emily. Elle passa des annonces dans les journaux, recourut à des agences, mais elle n'eut plus qu'une femme de chambre et une bonne à tout faire, et personne pour servir à table. Elle écrivit à Mrs Lane en lui demandant si des filles de la campagne n'aimeraient pas entrer à son service à Londres. Elle proposait de les loger – enfin, tant bien que mal –, mais Mrs Lane répondit qu'aujourd'hui les filles ne voulaient plus des tâches ménagères.

Pendant ce temps, Emily demeurait si triste et abattue que son mari s'en aperçut et lui prescrivit un fortifiant. Il remarqua aussi qu'elle semblait passer beaucoup de temps avec les infirmières de Chestnut Street. Il insinua que telle ou telle épouse d'un collègue à lui constituerait certainement une compagnie plus convenable.

Mary Lane n'était pas surprise. Dès le début, elle avait jugé qu'une fois passé le premier éclat de ce mariage Emily aurait besoin de conseils. À l'instant où elle avait vu la photo du fiancé d'Emily, elle avait senti son cœur se serrer. « Oui, j'étais effondrée », dit-elle à Daisy, laquelle déclara qu'Emily n'était plus la même mais qu'elle avait peut-être trouvé dans ce médecin un homme convenant à sa nouvelle personnalité obsédée par la mode et l'ameublement.

Emily et Mrs Lane étaient assises sur des fauteuils de jardin, devant la petite maison d'où l'on apercevait la route menant à la gare.

Mrs Lane attendait les révélations d'Emily en bavardant. Une femme blonde bien en chair apparut sur l'allée avec un landau abritant deux bébés.

— C'est Betsy, annonça Mrs Lane. Vous savez, la femme d'Alfred.

Et elle appela la jeune mère.

— Il se fait tard pour leur déjeuner ! cria Betsy.

Cependant elle s'avança un peu sur l'allée avec le landau acheté par Mr Redway – « Vous méritez ce qu'il y a de plus cher. »

— Ces bébés sont adorables ! Ce sont des jumeaux, dit Mrs Lane en saluant de la main le petit groupe. Betsy, venez vite me voir, que je puisse m'en donner à cœur joie !

Au début, avec ces deux angelots si près de chez elle, Mrs Lane avait eu peine à s'arracher à leur présence, mais Betsy avait fini par dire qu'elle se sentait capable de s'en tirer seule et la vieille dame avait limité ses visites.

Betsy approcha le landau des deux femmes se prélassant sur leurs fauteuils.

Les bébés étaient assurément délicieux et Mrs Lane s'empressa un moment autour d'eux avant de se rappeler qu'Emily avait besoin de son attention. D'un pas lent, Betsy reprit le chemin de sa maison.

— Je n'ai pas réussi à tomber enceinte, observa Emily.

— Mais vous avez encore le temps, n'est-ce pas ?

— Cette Betsy n'a pas attendu si longtemps.

— Cela vous ennuie ? Vous êtes inquiète ?

Emily ne savait par où commencer. Elle voulait se confier à son amie, lui parler de cette tristesse qui l'accablait. Ne pas avoir d'enfant était le cadet de ses soucis.

Pour dire les choses franchement, Mrs Lane s'était attendue à des confidences sur le lit conjugal. Cet homme fin, timide, sensible... Emily avait besoin de quelqu'un lui ressemblant davantage, doué comme elle d'un caractère fort et direct.

Aujourd'hui, toutefois, Emily ne semblait ni forte ni directe. Rien à voir avec la jeune femme qui était venue annoncer son mariage, ivre de son succès, de son accomplissement. Triomphante, c'est ainsi que Mrs Lane avait décrit cette Emily qui semblait convaincue d'avoir décroché le gros lot. Mais maintenant ? Même si Mrs Lane pensait que William ne payait pas de mine – et en tout cas n'était pas un homme pour Emily –, elle n'allait certes pas aborder ce sujet. Du reste, elle savait qu'il était aisé d'être induit en erreur par les hommes d'apparence discrète.

Les conseillers conjugaux n'existaient pas à cette époque, mais si Mary Lane avait exercé cette profession elle aurait certainement mis en garde les conjoints contre leur incompatibilité. Cependant elle était assez sage pour avoir remarqué que Mère Nature semble souvent ne guère se soucier du bonheur de ses enfants lorsqu'elle les marie.

Emily parvint enfin à déclarer qu'elle était malheureuse à en mourir, et qu'elle se fichait que cela puisse paraître stupide.

Toutefois elle ne dit pas pourquoi. Mrs Lane attendit une confidence, un point de départ à quoi se raccrocher, mais rien ne vint. Elle avait envie de demander : « Est-ce que vous vous amusez au lit ? » Betsy ne s'ennuyait pas avec Alfred, et n'hésitait pas à le faire savoir. Mais appliquer le verbe « s'amuser » à un personnage aussi sérieux que le docteur Martin-White – non, c'était impossible.

Emily se mit à pleurer. Elle ne parvenait plus à arrêter ses larmes, assise sur le gazon avec cette femme qu'elle avait toujours considérée comme sa véritable mère. Posant sa tête sur les genoux de Mrs Lane, elle sanglota de plus belle tandis que Mary caressait ses cheveux.

— Dites-moi, Emily, hasarda Mrs Lane, continuez-vous à faire de la musique ?

— Non, pas vraiment.

— Vous étiez si active autrefois... Jouez-vous au tennis ?

— Non.

— Cela ne plairait pas à William ?

— Non. Il voudrait bien que je joue au tennis... avec des partenaires choisis.

Mrs Lane n'aboutit à rien et Emily finit par reprendre le train pour Londres.

Elle ne pouvait dire à Mary Lane ce qui n'allait pas, car elle-même ne le savait pas.

Emily avait été élevée par un père autoritaire, dans une maison froide et sévère où tout obéissait à une mécanique rigide. Elle avait fui pour se retrouver au sein de l'hôpital, lui aussi régi par la hiérarchie, l'ordre et la discipline. Toute sa vie, elle avait été soumise à des règlements. À présent ces limites avaient disparu, et elle ne savait pas ce qui lui manquait. Ç'avait été le début de sa détresse actuelle : elle se sentait exilée sans carte sur un océan de possibilités. Ce n'était pas le pire. Son mari n'était pas tendre et elle ne s'amusait certes pas au lit. Cependant elle était trop ignorante pour comprendre sa propre insatisfaction.

Quand sœur McVeagh se languissait du Royal Free, elle voulait en fait retrouver un monde d'ordre et de certitude.

Elle avait l'impression d'être au fond d'un puits obscur aux parois hautes et lisses. Lors de sa formation d'infirmière, elle avait abordé la neurasthénie, mais ce sujet ne l'avait pas intéressée. Elle le regrettait maintenant. Si elle avait pu donner un nom au puits ténébreux, elle se serait sentie mieux. Toutefois une pensée la soutenait : elle allait devoir s'en sortir seule. Personne d'autre ne le pourrait. Qui l'avait arrachée à la tyrannie de son père ? Elle-même. Rien qu'elle. Personne d'autre.

— Je vais donner des soirées musicales, lança-t-elle une nuit, dans l'obscurité.

Elle ignorait l'instant d'avant qu'elle allait prononcer ces mots.

Elle savait que son mari s'était redressé sur son coude pour la regarder fixement.

Elle n'avait pas dit : « *Nous* allons... » Non. « *Je* vais... »

Derrière ce « je », il y avait toute la mécanique formidable de son énergie qui venait à son secours.

Elle attendit une remarque désapprobatrice, mais son époux se contenta d'observer :

— Mais sans personnel, il paraît impossible de donner des soirées, n'est-ce pas ?

Il ne lui avait pas dit non, ne l'avait pas foudroyée par un rayon mortel de cette réprobation dont elle sentait qu'elle l'avait fait basculer dans le puits de ténèbres.

— Vous verrez, déclara-t-elle. Pour commencer, je vais réduire le personnel à deux personnes : une gouvernante qui fera aussi la cuisine, et une femme de chambre. En ce qui concerne le linge, je le confierai à la blanchisserie chinoise.

— Je ne suis certes pas censé me mêler de tels arrangements domestiques, dit son époux.

Néanmoins il était toujours accoudé et la fixait à travers l'obscurité de la chambre.

À l'hôpital, sœur McVeagh revenait de la blanchisserie en déclarant joyeusement : « Une vision de l'enfer. » Ou encore : « Abandonnez tout espoir, vous tous qui entrez en ces lieux. » Elle qui avait détesté cet endroit, voilà qu'elle retrouvait dans sa propre maison les lessiveuses, les essoreuses, la planche à laver, les fers à vapeur, le tas de charbon dans le coin.

— J'ai besoin que vous soyez au courant, dit Emily. Nous devons être d'accord. La blanchisserie coûtera cher, mais avec seulement deux salaires de domestique à payer... Et je projette d'engager du personnel pour les occasions exceptionnelles.

— Je vois que vous avez déjà tout prévu, remarqua son époux.

Était-il toujours accoudé dans l'ombre ?

Ce n'était pas un méchant homme. Il lui donnait une somme importante pour les frais du ménage. Il n'était pas moins généreux pour ses toilettes, car il aimait la voir bien habillée. Mais l'instant où il lui remettait l'argent, dans des enveloppes séparées, avait un goût amer. Pour elle qui avait gagné sa vie depuis l'âge de dix-huit ans, c'était peut-être cet instant, cet argent donné avec un sourire qu'elle trouvait le plus accablant de tout ce qui lui pesait dans le mariage. Mais « ce n'était pas la question ».

— Il faut que nous soyons d'accord, répéta Emily.

Cette fois, manifestement, elle insistait sur le « nous ».

— Si nous donnons des soirées musicales et des réceptions, nous devrons payer davantage de gages.

Elle l'entendit reprendre sa place dans le lit. Et il n'était pas du tout mécontent. Au contraire, elle sentait qu'il était enchanté. Une conclusion improbable s'imposait à elle. Il avait désiré dès le début qu'elle devienne une hôtesse mondaine. « Voilà pourquoi il m'a épousée, se dit-elle avec incrédulité. Moi, sœur McVeagh. Est-ce ainsi qu'il m'a vue ? Est-ce pour cette raison qu'il m'a choisie ? » (Elle ne pensa pas : « Il m'a choisie parce qu'il m'aimait. » Cette autre conclusion ne lui vint pas à l'esprit.)

Une hôtesse. Moi ? Malgré tout, elle avait tout organisé. Tandis qu'elle parlait dans l'obscurité, elle annonçait à sa propre surprise de nouvelles décisions qu'elle avait apparemment déjà prises, comme si elle les avait méditées assise à son bureau avec une plume et une feuille de papier.

— Je suis certain que vous allez réussir, Emily.

Ces mots furent sa récompense, cette nuit-là.

Était-ce là ce qu'il avait toujours attendu ? Se pouvait-il qu'il n'ait rien dit ?

Après avoir procédé aux changements de personnel, Emily prit encore une initiative. Elle fit le tour des nouvelles boutiques élégantes qui offraient diverses nouveautés pour la maison, et elle acheta la plus révolutionnaire de ces inventions : un des premiers aspirateurs, lourd et peu maniable – mais quelle révélation ! Elle acquit ainsi une douzaine de machines destinées à faciliter les tâches ménagères. Elle fit aussi installer le téléphone à tous les étages, alors qu'à cette époque un unique appareil était de mise.

La première soirée musicale eut beaucoup de succès. Emily était une excellente musicienne, et son époux avait une jolie voix de ténor. Plusieurs autres médecins se révélèrent non dénués de talent.

Elle se lança dans l'organisation d'un dîner. Il fit la liste des invités.

Elle donna également quelques déjeuners pour les épouses des collègues de son mari.

Durant cette période, ils reçurent une invitation d'Alfred et Betsy pour le baptême de leurs jumeaux. Malheureusement, Emily devait donner une réception ce jour-là. Daisy se rendit au baptême et passa la nuit chez sa mère, à qui elle annonça qu'Emily était devenue une femme du monde.

— Vous n'allez jamais me croire, mère...

Mrs Lane la croyait tout à fait. Elle était au courant des activités d'Emily grâce aux chroniques mondaines, où il était souvent question des fêtes données par le docteur Martin-White et son épouse.

— Elle est toujours fourrée avec des Honorables et des Ladies, dit Daisy. Elle m'a invitée à une soirée musicale et je me suis retrouvée assise à côté de notre ambassadeur à Berlin.

— Tu sais, Daisy, déclara Mrs Lane après un silence pesant, je n'aime pas ça. Je ne la *vois* pas dans cette existence. Ce n'est pas vraiment Emily.

Cependant Emily jouait ce rôle comme si elle n'avait rien fait d'autre de sa vie.

Elle aurait pu dire en silence à son époux : « Vous vouliez une hôtesse, n'est-ce pas ? Eh bien, me voici. »

Quand il sortait dîner ou assister à une réunion, Emily se rendait chez Daisy, dans cette maison où elle se sentait vraiment chez elle. D'autres infirmières allaient et venaient, mais son amie restait fidèle à l'appartement.

Emily avait l'impression de s'échapper, lorsqu'elle allait voir Daisy. Là aussi, du reste, elle entendait parler de son époux, l'éminent cardiologue. Même si elle pouvait le trouver décevant comme mari, elle se sentait confirmée dans son choix en apprenant combien il était tenu en haute estime à l'hôpital et dans le monde médical en général.

Toutefois, elle pensait souvent qu'elle n'aurait pas supporté son existence si elle n'avait pu s'éclipser de temps à autre afin de retrouver Daisy dans son ancienne demeure.

Plus d'une veuve s'imagine que les funérailles, à défaut de la lecture du testament, marqueront la fin des manifestations publiques de chagrin qu'on peut attendre d'elle. Elle risque fort de découvrir que certains problèmes ne font que commencer.

William mourut inopinément d'une crise cardiaque durant l'été 1924. Aucune des lettres de condoléances des nombreux membres de la famille Martin-White ne laissait présager des ennuis, jusqu'au jour où Emily reçut un message de Cedric, un neveu, fils de la sœur aînée de William :

Vous souvenez-vous de moi, tante Emily ? J'ai aidé à porter le cercueil d'oncle William, lundi dernier. D'après quelques mots que vous avez prononcés, il m'a semblé que vous ignoriez tout des intrigues féroces dont votre maison fait l'objet. Savez-vous que la famille la convoite ? J'ai cru bon de vous mettre en garde.

Après les funérailles, une cérémonie d'adieu avait eu lieu au Royal Free Hospital en l'honneur du médecin apprécié qu'était William Martin-White. Certains membres de la famille, exerçant eux-mêmes des professions médicales, y avaient assisté. Cependant Emily avait invité chez elle un dimanche après-midi les Martin-White au grand complet, dont plusieurs lui étaient à peu près inconnus, autour d'un verre de sherry et d'une part de gâteau.

Les battants de la porte du grand salon du premier étage avaient été rabattus et laissaient voir la pièce vaste et élégante où Emily et William avaient donné leurs concerts. Le piano à queue, qui occupait habituellement la place d'honneur, avait été poussé sur le côté, de même que la harpe et les pupitres à musique. Les vases débordaient de joyeuses jonquilles, car Emily s'était révoltée contre les fleurs blanches inséparables des funérailles. Elle portait une robe noire, mais nantie d'un grand col blanc. La bonne qu'elle avait engagée pour l'après-midi était elle aussi en noir, en dehors de son tablier aux dentelles blanches. En fait, l'atmosphère était plus festive que funèbre et Emily s'attendait à des reproches, lesquels s'exprimèrent sans tarder par la bouche de Jessica, la sœur de William, vêtue de noir de la tête au pied.

— Ma chère Emily ! s'exclama-t-elle. Vous avez l'air en pleine forme !

Si jamais Emily avait versé des larmes, leurs traces avaient été bien effacées. Elle pressa ses hôtes de se servir sur les plateaux s'offrant à eux. Cedric arriva en retard. C'était un jeune homme au style plutôt militaire, comme le voulait alors la mode, et qui inspirait immédiatement la sympathie. Il fit un clin d'œil appuyé à Emily et se montra lui aussi très en forme, voire d'humeur joviale.

— À présent que nous sommes au complet, lança Jessica abondamment pourvue de sherry et de cake, j'espère que nous allons pouvoir avoir une discussion.

— Vraiment ? À quel sujet ? demanda Emily en souriant à Cedric pour le remercier de sa contribution – elle n'osa pas aller jusqu'à lui faire un clin d'œil.

Il y avait dans la pièce une trentaine d'invités, dont Emily n'avait pas vu certains depuis son mariage. Elle était loin de tous les connaître.

— Eh bien, reprit Jessica en enlevant des miettes de ses sombres atours, voulez-vous que j'en vienne au fait ?

— Je vous en prie, dit Emily. Mais je suis perplexe.

L'air était chargé d'électricité sous l'influence des « intrigues » contre lesquelles Cedric l'avait mise en garde.

— Ma chère Emily, commença Jessica, certains d'entre nous estiment que vous pourriez peut-être songer à vivre sur un moins grand pied. Cette maison est assurément trop vaste pour une personne seule.

— Vraiment ? répliqua Emily. Je n'avais nullement songé à déménager.

— Mais vous devez bien penser, chère Emily, que William aurait souhaité pour vous une existence plus modeste.

— Nous savons tous ce que William voulait. Il a rédigé un testament, par lequel il m'a légué la maison.

Cette réplique acerbe fit grand plaisir à Emily, mais beaucoup moins à Jessica. Cependant plusieurs assistants commençaient à se rendre compte qu'ils avaient devant eux sœur McVeagh, célèbre pour sa langue acérée.

— Le cher William ne vous avait-il pas informée de ses dispositions ? Il avait certainement une idée en tête.

Cedric se mit à tousser pour dissimuler un rire. Jessica lui lança un regard furibond.

— Tout le monde n'est pas d'accord avec la majorité, observa-t-elle. Par exemple, Cedric a dit qu'il espérait que vous ne mettriez pas un terme à vos soirées musicales.

— Étant donné que William ignorait qu'il aurait une crise cardiaque, comment aurait-il pu m'informer de quoi que ce soit ? déclara Emily. Je ne crois pas qu'on pouvait exiger de lui une prévoyance aussi extrême.

Cedric toussa de plus belle.

— En tout cas, Emily, il est bon que vous sachiez ce que nous pensons. Nous avons discuté de votre situation, et vous devriez prêter au moins quelque attention à nos désirs.

— Je m'intéresse davantage aux désirs de William, riposta Emily. Du reste, je n'imaginais pas l'étendue de votre sollicitude à mon égard. Quand j'aurai réfléchi à tout cela, je vous communiquerai bien entendu ma décision. Mais je n'ai aucune intention de me jeter sur un bûcher funéraire.

Cedric ne put refréner son hilarité, et plusieurs jeunes gens de l'assistance l'imitèrent.

— Nous avions prévenu tante Jessica que vous ne seriez pas facile à déloger, dit Cedric.

— Cedric ! le tança Jessica. Cette remarque est déplacée.

— Tout cet argent que William vous a laissé... poursuivit Cedric. Voilà le problème, voyez-vous. Ils veulent savoir ce que vous allez en faire.

Il avait lâché le morceau.

— Cedric ! s'offusquèrent ses oncles et tantes plus âgés. C'est très mal !

— Vous n'avez aucun égard pour le deuil d'Emily, Cedric !

— Les égards que vous lui manifestez devraient suffire, répliqua le jeune homme.

Il s'agissait de beaucoup d'argent. Emily ne s'était pas doutée de l'importance de la petite fortune de William. Car il s'agissait bien d'une fortune. Son père, un agent de change, avait fait des placements judicieux, et la famille avait vécu avec frugalité. Du moins jusqu'au jour où William avait épousé Emily, laquelle avait fait de la maison un temple de l'élégance et, surtout, de la modernité, grâce à son assortiment d'appareils ménagers.

Déterminé à continuer d'ennuyer ses aînés, Cedric ajouta :

— Certains d'entre nous ont jugé cette demeure idéale pour un jeune couple. Je vais bientôt me marier, mais je suis déjà bien logé. Il y a aussi le jeune Raleigh. Comme il doit épouser une cousine, la maison resterait dans la famille.

Emily était à la fois agacée et amusée. Elle se réjouissait que William n'ait guère aimé sa famille, si c'était là un échantillon de leur comportement.

— Je m'en souviendrai, assura-t-elle. Raleigh, dites-vous, et... qui ?

— Rose, répondit Jessica en reprenant le contrôle des opérations. Raleigh et Rose. Je suis certaine que Rose apprécierait vos merveilleux arrangements domestiques.

— Je n'oublierai pas que Raleigh et Rose veulent ma maison. À présent, vous reprendrez bien un peu de sherry, Jessica. Cedric, Tony...

— Voyez-vous, Emily, dit un vieux fossile (elle croyait se rappeler que c'était un oncle Henry), tout cet argent... Je suis sûr que William détesterait l'idée qu'il soit dilapidé.

— Eh bien, je n'ai pas l'intention de remettre à neuf ou de redécorer la maison. Et je n'ai pas besoin d'une nouvelle garde-robe. Soyez donc rassuré, oncle Henry.

Ils furent certainement réconfortés de voir qu'elle avait une conception aussi limitée de la prodigalité.

— Vous pourriez donner cette maison à Raleigh et Rose et vous installer dans leur propriété à la campagne, suggéra une cousine.

— Pourquoi devrais-je m'installer à la campagne alors que je n'y ai jamais vécu ? rétorqua Emily. Croyez-moi, quand j'aurai décidé quelque chose, je vous le ferai savoir.

C'est ainsi que prit fin le grand débat familial sur l'avenir d'Emily.

En réalité, celle-ci avait été bouleversée par la mort de William, et pas seulement à cause de sa soudaineté. Elle l'avait toujours considéré comme jeune – pas vieux, en tout cas, ni même d'âge moyen. Il avait cinquante ans, ce qui n'était certes pas un âge où songer à quelque chose d'aussi définitif que prendre sa retraite, et encore moins mourir. Mais elle était d'autant plus désemparée que sa propre existence semblait être devenue inséparable de celle de son époux. Depuis leur mariage, toutes ses pensées et ses actions avaient tourné autour de William. Où se trouvait donc Emily McVeagh ? Elle n'avait pas disparu, évidemment. Toutefois elle n'avait rien fait d'autre pendant dix ans que d'appartenir à William. Et maintenant ? Elle avait quarante ans. Si elle le désirait, elle pouvait redevenir infirmière. Elle avait déjà reçu des propositions. Il lui semblait que les amarres avaient été rompues et qu'elle flottait...

Elle pouvait se remarier. Il lui était toutefois impossible d'imaginer un homme auquel elle eût envie d'unir sa destinée. Malgré tout, elle avait épousé William pour le meilleur et pour le pire. Après dix ans, quel état des lieux pouvait-elle dresser ? Elle ne savait par où commencer. Elle avait le sentiment que quelqu'un ou quelque chose s'était emparé de sa vie et en avait entremêlé le fil avec le sien. Que lui était-il vraiment arrivé ? Si elle l'ignorait elle-même, comment pouvait-elle songer à décider de la suite ? Elle avait été Emily McVeagh, une personne résolue, nette, audacieuse, et maintenant elle n'était plus rien. Elle allait à la dérive.

Daisy ? Il n'était plus possible de penser à elle comme à une planche de salut, à un refuge comme autrefois, car Daisy réussissait si bien et était si solidement ancrée dans sa propre existence qu'Emily aurait eu l'impression d'être une petite stagiaire s'accrochant à ses jupes. D'ailleurs, Daisy avait laissé entendre qu'elle songeait elle-même à se marier. Il y avait ce chirurgien, à l'hôpital. Apparemment, Daisy « n'aurait rien contre », comme elle disait. Elle y pensait – pas dans l'immédiat, bien sûr, mais ils n'étaient plus des jouvenceaux.

Emily n'avait personne à qui se raccrocher, personne même à qui demander conseil. Comment parler de son état, après des années d'une union qui avait absorbé toutes ses forces, à quelqu'un qui disait qu'elle « n'aurait rien contre » en évoquant un possible mari ?

Elle n'avait personne. Pas d'enfant. Rien.

Mais elle avait Mary Lane. Quand elle s'en souvint, il lui sembla apercevoir brusquement la lumière d'un phare.

Elle allait fermer cette maison et faire un séjour chez Mary Lane. Ce fut une impulsion soudaine, irrésistible, une décision prise entre l'instant de se coucher un soir et l'heure de se lever au matin.

C'était ce qu'elle allait faire, bien sûr. Ce qu'elle devait faire.

Emily remonta en courant l'allée menant chez Mary Lane. Le dîner allait être servi, vingt-quatre heures après qu'elle avait pris sa décision.

Sa vieille amie se tenait près du fourneau, avec une énorme poêle.

— Je vais vous faire des crêpes, dit-elle. Je sais que vous aimez ça.

Emily laissa tomber sa valise et s'assit sans tarder à la table familière où Harold Lane était déjà installé. Devant le regard entendu de Mary, elle déclara :

— La vie n'est pas toujours une partie de plaisir.

Elle se servait de cette formule pour conjurer l'émotion, y compris la sienne, depuis la mort de William, mais cette fois elle éclata en sanglots. Elle resta assise, en larmes.

— C'est bien, dit Mary. Pleurez donc un bon coup.

— La pauvre, elle a perdu son mari, observa Harold.

Cette remarque faillit arrêter net les pleurs d'Emily, mais dans son désarroi elle s'en saisit avidement et pensa : « C'est vrai. » C'était vrai, mais elle n'y avait encore jamais songé. Ces mots bienveillants étaient un de ces simples messages qui la délivraient toujours de son angoisse, une consolation apaisante qu'elle accueillit comme si elle n'en avait reçu aucune.

Elle regarda Harold Lane, à qui elle n'avait guère prêté attention jusqu'alors tant il était sous la dépendance de Mary, et elle s'étonna qu'il eût trouvé des mots si justes à l'instant même où elle en avait besoin.

Mary posa des crêpes et du citron sur l'assiette d'Emily puis sur celle de son mari, après quoi elle s'assit.

Emily entreprit de s'essuyer les yeux et tenta de sourire. Elle ne s'était jamais sentie aussi désemparée et malheureuse de sa vie, mais elle était maintenant exactement là où elle le désirait, avec Mary. Jetant un coup d'œil à la ronde, elle eut l'impression de faire un rêve où des objets bien connus s'étaient métamorphosés. C'était bien la vieille cuisine où elle s'était assise si souvent, et elle avait devant elle Harold et Mary. Mais tout semblait si sombre, comme assourdi, et ce n'était pas parce que son regard était brouillé de larmes. Pour elle qui venait de sa maison propre, claire, lumineuse, tout ce qu'elle voyait paraissait obscur et poussiéreux. La vaste pièce était toute en bruns et en roses, et même la chatte sur le bras d'un fauteuil avait l'air terne. Dans son souvenir, elle était blanche.

Et Harold et Mary... Depuis combien de temps n'était-elle pas venue ici ? Des mois, probablement, et même plus que des mois, oui, des années... Ils avaient tous deux épaissi. C'étaient deux personnages corpulents, aux joues rouges, dont les cheveux d'un blond de paille grisonnaient.

— Je n'ose plus rien manger en ce moment, murmura Mary. J'ai tellement grossi.

— Balivernes, dit Harold. Abondance de biens ne nuit pas.

Emily éclata de rire. Son rire était forcé, hystérique, mais c'était toujours mieux que de pleurer.

Avec sa toilette noire de Londonienne chic, elle faisait paraître cette cuisine encore plus miteuse.

— Vous feriez mieux de quitter le deuil, observa Mary. Personne n'attend de vous ce genre de tenue, par ici.

— Je crains de n'avoir rien à me mettre, répliqua Emily dont la valise était remplie de vêtements élégants.

— Ne vous en faites pas. Finalement, c'est une chance que j'aie pris du poids. Je vous trouverai quelque chose après le dîner.

Harold déclara qu'il allait lire ses journaux dans son antre. Emily aida sa vieille amie à faire la vaisselle. Après quoi Mary sortit de sa chambre les bras chargés d'habits, dont Emily crut reconnaître un certain nombre.

Quittant sa jupe courte noire, elle en revêtit une plus longue, en tissu marron et terriblement démodée, qu'elle porta avec un corsage jauni. Même ainsi, elle avait fière allure.

— Vous êtes douée, soupira Mary. Vous avez toujours réussi à paraître élégante dans la moindre toilette hors d'âge.

Elle alluma la lampe et s'assit en face d'Emily.

— Je me sens si mal, Mary. Je ne sais pas quoi faire de moi-même.

— À quoi d'autre pouviez-vous vous attendre ?

— J'ignore ce que j'attendais.

Quittant le bras du fauteuil, la chatte sauta sur les genoux de Mary.

— Si j'avais un enfant... mais ça n'est jamais venu.

Mary caressa la chatte, qui se mit à ronronner sans relâche.

Emily regarda cette grande main si forte.

— À quoi suis-je bonne, désormais, Mary ? Même si je ne voyais pas les choses ainsi sur le coup, pendant dix ans je n'ai rien fait sinon donner des déjeuners, des dîners et des soupers, et m'occuper de William.

— À votre place, je m'abstiendrais d'y penser, déclara Mary. Contentez-vous de vous reposer un peu.

— Me reposer ? Je ne crois pas m'être jamais reposée dans ma vie.

— Eh bien ! dit Mary.

Elle délogea bientôt la chatte, qu'elle tendit à Emily, et elle sortit une boîte en carton remplie de papiers de couleur.

— J'ai une nouvelle occupation, annonça-t-elle. Il y a presque tous les jours une petite fille ici. Je ne sais pas si vous avez jamais fait attention à Bert ? Son épouse, Phyllis, attend un second enfant. Je m'occupe de l'aînée pour quelque temps.

Voici ce qui s'était passé.

Betsy ne laissa pas Bert en paix avant qu'il ait promis d'arrêter de boire pour de bon.

— Vous n'avez pas le choix, déclara-t-elle. Le médecin ne vous a-t-il pas dit la même chose ?

Bert arrêta de boire, ou presque, jusqu'au moment où il eut une mauvaise nuit et fit une chute sérieuse.

— Cette fois ça suffit, Bert, dit Betsy.

Alfred apporta toute l'aide qu'il put, mais ce fut Betsy qui guérit Bert.

Deux années passèrent, puis ils eurent tous trois la conversation suivante. Ils se trouvaient dans le salon de la nouvelle maison d'Alfred et Betsy.

— Bert, qui est cette fille que vous fréquentez ?

Elle connaissait la réponse, évidemment.

— C'est Phyllis Merton. Elle veut se marier avec moi.

— Mais vous, Bert, avez-vous envie de l'épouser ?

— Voilà le problème. Vous savez bien qui je voudrais épouser. C'est vous.

— Oh, Bert, vous êtes si bête quelquefois !

Bien qu'il eût cessé de boire, Bert avait gardé un peu de ses manières maladroites de chien fou, en partie parce que c'était sa nature mais aussi parce qu'il avait toujours été difficile de savoir quand il était ivre et quand il ne l'était pas.

Betsy se demandait si cela signifiait qu'il avait l'intention de se remettre à boire un de ces jours. Elle lui lança :

— Vous faites toujours l'idiot, Bert. Je ne dis pas que ce n'est pas drôle, mais par moments je ne suis pas sûre que vous soyez vraiment décidé à ne plus boire.

— Vous êtes maligne, Betsy. Parfois, je n'en suis pas sûr moi-même. Renoncer à boire pour toujours... vous vous rendez compte ? C'est une éternité.

— Mais quand vous serez marié, Bert, il ne faudra plus boire. Plus jamais.

— C'est ce qui m'ennuie, vous savez, Betsy.

— Est-ce qu'elle vous plaît, Bert ?

— Et vous, est-ce qu'elle vous plaît ? Je n'épouserai jamais une fille qui n'aurait pas votre approbation.

— J'espère que c'est une vraie petite mégère, comme moi.

Il arrivait à Alfred de la qualifier ainsi.

(« D'accord, Alfred. Mais l'ai-je fait renoncer à la boisson, oui ou non ? »)

— Voyez-vous, Bert, continua-t-elle, le mariage n'est pas toujours facile. Et vous risquez d'être tenté de recommencer.

— Je l'épouserai si vous donnez votre consentement, déclara Bert.

Phyllis était la fille d'un fermier de la région d'Ipswich et elle avait été examinée à fond par tous les intéressés. On estimait généralement qu'elle n'était pas seulement attirée par Bert, qui était un garçon charmant quand il n'avait pas bu, mais aussi par la ferme des Redway. Il est vrai que ce n'était pas un attrait négligeable.

Dans l'ensemble, Phyllis recueillait tous les suffrages. C'était une brune maigre et maligne, toujours aux aguets. Rien n'échappait à son œil scrutateur, et c'était cette dernière qualité qui plaisait à Betsy.

— Elle sera parfaite pour vous, Bert. Avec elle, vous devrez marcher droit. Et j'avoue que je serai soulagée de lui passer le relais. Vous m'avez parfois épuisée, Bert. Il m'est arrivé plus d'une fois de me mettre au lit en pleurant tellement je me faisais du souci pour vous.

— Dans ce cas, je vais épouser Phyllis pour vous faire plaisir, déclara Bert avec son impétuosité de chien fou.

Les Redway donnèrent leur consentement. Du moins Mr Redway le fit-il – Mrs Redway, à cette époque, n'approuvait plus grand-chose dans la vie. Le mariage fut splendide. Betsy était dame d'honneur. Il n'y avait pas moins de dix demoiselles d'honneur et la petite église de Longmeadow était comble. Le père d'Alfred joua de l'orgue.

Alfred était le garçon d'honneur.

Tout se passa à merveille jusqu'au jour où Phyllis tomba enceinte, ce qui n'alla pas sans difficulté. Bert vint souvent demander conseil à Betsy.

Phyllis mit au monde une petite fille pleine de santé, mais Bert fit une rechute. La nouvelle mère étant absorbée par son bébé, ce fut Betsy qui se chargea de la rechute.

— C'est la dernière fois, Bert. Vous avez promis, n'est-ce pas ?

Le temps passa et Phyllis attendit un second enfant. Cette fois, ce fut Mary Lane qui apporta son aide en s'occupant de la petite fille. Phyllis avait une mère, mais elle n'habitait pas comme Mary à l'autre bout de l'allée.

Mary adorait l'enfant, qui le lui rendait bien.

— J'ai l'impression que je n'aurai pas d'autre occasion de jouer les grand-mères, disait-elle non sans regret. Autant en profiter au maximum.

À son réveil, Emily ne savait plus où elle était – ni qui elle était. Puis des mugissements de vaches non loin de là l'informèrent qu'elle n'était pas à Londres. Tout était très calme. Une chaleur insolite sur ses jambes attira son attention : c'était la chatte. Elle remua ses genoux et l'animal se réveilla en bâillant.

Elle se rendit compte qu'elle avait un besoin urgent de trouver Mary et d'entendre de sa bouche des mots qui tireraient au clair sa situation.

Elle s'enveloppa dans son châle et rejoignit la cuisine, où elle constata que le petit déjeuner était fini depuis longtemps. On était déjà au milieu de la matinée. Emily trouva une bouilloire pleine d'eau, se prépara du thé et s'assit. Elle décida qu'elle devait être malade. Elle ne se souvenait pas avoir jamais été malade. Son cœur était lourd, mais si c'était un symptôme, alors... Elle entendit des voix dehors, dont celle d'un enfant. Par une fenêtre de la cuisine, elle aperçut Mary Lane et la petite fille, indifférentes au monde extérieur, dans une sorte de véranda fermée dont les baies donnaient sur le jardin.

À la vue de Mary, penchée en souriant vers la petite fille qui découpait du papier de couleur avec des ciseaux à bout rond, Emily sentit son cœur se briser. L'enfant sauta sur les genoux accueillants de Mary. Celle-ci serra contre elle la petite Josie, la fille aînée de Bert et Phyllis, et la couvrit de baisers. Cependant Emily ne comprit pas qu'elle désirait elle-même être cette enfant que Mary berçait dans ses bras.

Elle battit en retraite et s'attabla de nouveau devant sa tasse de thé, en écoutant la rumeur de la femme et de l'enfant. De temps en temps, elle allait voir à la fenêtre ce qui se passait. Mary semblait entièrement absorbée. Si elle, Emily, avait eu un enfant, aurait-elle été ainsi ? Durant la dizaine d'années où elle avait été une hôtesse dévouée, aurait-elle pu passer son temps comme Mary en cet instant ?

Elle aurait fait quelque chose de sa vie, alors qu'à présent elle ne cessait de se répéter : « Non, il doit y avoir erreur sur la personne. Était-ce vraiment moi, cette femme dans cette belle maison qui m'a coûté tant de soins ? »

À l'heure du déjeuner, Mary fit rentrer l'enfant pour un petit en-cas, qu'Emily fut invitée à partager. Mary ne mangea presque rien.

— Maintenant, elle va faire une sieste, déclara-t-elle. Il faut avouer qu'un enfant vous fait prendre conscience de vos limites.

La petite fille accompagna Mary dans la chambre. Emily alla jeter un coup d'œil et constata qu'elles étaient toutes deux endormies.

Elle sortit sur l'allée, qui n'avait pas changé. Après avoir longé d'un pas indolent le sentier bordé de touffes de jonquilles et de narcisses, elle aperçut un vaste champ dont elle se souvenait. Il était plein d'enfants bruyants courant en tous sens. Elle y vit aussi un homme qui lui semblait lié au cricket. Oui, Alfred Tayler. Il donnait une leçon de cricket à cette foule d'enfants de toutes tailles, filles et garçons mêlés. Emily s'assit à la même place qu'autrefois, à l'ombre des chênes, et regarda cette scène vibrante d'énergie. Quand la balle de cricket atterrit à ses pieds, une impulsion venue d'un lointain passé la fit bondir et renvoyer la balle

à l'homme, qui l'attrapa en riant et s'inclina brièvement. Peu après, il rejoignit Emily.

— Je suis certain de vous connaître, dit-il. Mais
je suis un peu troublé. Cette jupe...

— Je porte une tenue de Mary Lane, expliqua
Emily. Je suis venue sur un coup de tête, sans
emporter de vêtements adéquats.

— Je comprends. Mary m'a appris que vous
aviez eu un malheur.

C'était une façon comme une autre de dire les
choses...

— Oui, mon mari est mort.

— Quelle tristesse. Je suis désolé.

— Je vous ai déjà vu jouer au cricket, il y a bien
longtemps.

— Pas si longtemps que ça, je pense, répliqua
galamment Alfred.

Deux petits garçons accoururent.

— Voilà Tom et Michael, dit-il.

Au comble de l'excitation, ils entraînèrent leur
père vers le terrain de cricket.

Alfred se mit à courir, poursuivi par ses fils.

« Aurais-je pu en faire autant ? » se demanda
Emily. Les deux garçons étaient bruns et minces,
d'aspect agréable. Ils devaient ressembler à leur
père.

Elle resta assise à regarder, jusqu'au moment où
Alfred revint en courant l'informer qu'il animerait
le lendemain une réunion sportive avec les enfants
à cet endroit. Si le cœur en disait à Emily... Elle
aperçut deux ouvriers poussant chacun un énorme
rouleau.

Alfred repartit au trot, environné d'une nuée
d'enfants.

Les cottages et les maisons de la ferme des Redway
étaient remplis d'enfants. En revenant chez les

Lane, Emily trouva une femme enceinte jusqu'aux yeux qui prenait la petite fille par la main pour l'emmener.

— Non, marcher me fait du bien, assura-t-elle bien qu'elle fût en sueur, rouge et manifestement mal à son aise.

Une femme brune – mais il était impossible de deviner à quoi elle pouvait ressembler quand elle n'était pas enceinte.

— Je suis contente qu'elle approche de son terme, déclara Mary. La pauvre Phyllis supporte très mal la grossesse.

Après quoi, jusqu'à l'heure du dîner, Mary raconta à Emily combien « tout le monde » était inquiet à l'idée des ennuis qu'aurait Phyllis si Bert se remettait à boire.

— C'est le problème, voyez-vous.

Ce qui intéressait Emily, c'était le « tout le monde ». Quand Harold revint de la banque, il se mit à son tour à proclamer que Betsy, la femme d'Alfred, était merveilleuse avec Bert, et que personne ne savait ce qui serait arrivé sans elle, car à un moment tout le monde avait pensé que Bert allait droit au delirium tremens.

Harold retourna ensuite dans la pièce qu'il appelait son antre. Mary déclara qu'elle ne savait plus que faire. Il y avait de nouveau des souris dans la réserve et elle trouvait vraiment que Mme Miaou – la chatte – ne méritait pas sa pitance.

Cette maison avait jadis été une ferme, avant d'être rejointe par d'autres demeures avec lesquelles elle formait maintenant un ensemble qui prétendait au titre de village. À l'arrière se trouvait un garde-manger, où des étagères de marbre abritaient jattes de crème et de lait, fromages, œufs soigneusement alignés, mottes de beurre jaune.

À côté, la réserve contenait des sacs d'avoine, de farine, de sucre. Pommes de terre et oignons étaient empilés sur le sol, à l'abri de la lumière.

Mary se plaignit qu'une famille de souris laissait des excréments sur le sol de la réserve, et même dans le garde-manger.

Emily trouva plaisant le spectacle de ces provisions, qui contrastait avec l'ordre rigoureux des étagères de sa maison de Londres où la nourriture était livrée chaque jour.

— Je suis désolée, Emily, dit Mary, mais il faut que j'aille me coucher. Vous devez vous sentir négligée.

— Être ici me suffit, répliqua Emily.

Elle songea que savoir Mary présente, à quelques pas seulement, était bel et bien suffisant. Néanmoins elle aurait donné cher pour se rendre avec sa vieille amie dans la cuisine et bavarder tranquillement, comme au bon vieux temps.

— Vous n'êtes pas du genre à perdre si facilement votre chemin, déclara Mary après avoir regardé attentivement le visage défait d'Emily. Vous vous en sortirez.

Emily dut se contenter de ces quelques mots, mais elle s'attarda un moment dans la réserve. Mme Miaou entra d'un air nonchalant, en visiteuse, comme si elle ignorait qu'on attendait davantage d'elle. Elle s'assit et contempla avec indifférence un petit trou dans un coin, qu'Emily supposa donner sur le repaire des souris.

Elle but un chocolat. Quand donc l'avait-elle fait pour la dernière fois ? Oui, c'était chez Daisy. Durant toute leur période de formation, elles avaient bu un chocolat en fin de soirée, et la tradition s'était maintenue plus tard lors des visites d'Emily.

En allant se coucher, elle songea qu'elle n'était pas ici depuis deux jours et que déjà elle avait des remords au sujet de son inertie. Mary avait dit qu'elle n'était pas du genre à perdre son chemin. Elle avait pourtant bel et bien perdu pied, ses repères avaient volé en éclats. Et quel était donc son chemin ?

Le lendemain, la petite revint passer la journée avec Mary. Emily sortit l'après-midi pour aller regarder les enfants s'activant avec deux hommes – l'un était l'énergique et infatigable Alfred, l'autre un grand type indolent qu'elle présuma être le fameux Bert. Elle s'assit non loin d'eux, en se protégeant de l'air glacé dans le manteau de fourrure de Mary, qu'elle soupçonnait être du vulgaire lapin – rien à voir avec la peau de taupe noire et lustrée de son propre manteau de ville.

Les enfants de la région devaient participer le jour suivant à une grande réunion sportive, à laquelle Emily décida d'assister. Ce jour-là, toutefois, Phyllis demanda à Mary de venir car elle souffrait. Elle n'était pas certaine qu'il s'agît vraiment des douleurs de l'accouchement, mais si seulement la gentille Mary voulait bien...

Emily se retrouva seule avec Josie, dans la petite véranda ouvrant sur le jardin. Josie montra qu'elle était habituée à trouver sympathiques tous les adultes en adoptant Emily sur-le-champ. Désireuse d'être bercée, elle monta sur ses genoux.

Emily se dit avec stupéfaction : « Mais j'ai déjà fait tout cela. Il n'est pas vrai que je sois une incapable dans ce domaine. » Elle avait adoré son travail, lors de son stage dans le service de pédiatrie. Sœur McVeagh aimait les enfants – c'était un fait – et Josie se trouvait dans des bras expérimentés.

Malgré tout, elles avaient toute la journée devant elles, et l'enfant attendait d'Emily qu'elle la divertisse.

La chatte entra en flânant. Josie la connaissait et l'aimait beaucoup. Quand l'animal sortit, elle demanda :

— Où va-t-elle ?

Cette question innocente fut le point de départ de la nouvelle vie d'Emily. Tout commença à cet instant précis.

— Je pense qu'elle va dans la réserve. Il y a des souris là-bas.

— Oui, les minous aiment les souris, déclara cette enfant de la campagne. Pauvres souris. J'espère qu'elle ne les trouvera pas.

— Ces souris m'ont l'air malignes. Cela fait un bout de temps qu'elles vivent dans la réserve.

— Malgré tout, la chatte est plus grosse qu'elles.

— Mais elles sont intelligentes. Quand Mme Miaou les poursuit, elles se cachent.

— Où donc ?

— Mr Lane range ses bottes dans la réserve. Je parie qu'elles se cachent dedans.

— Évidemment ! Et la chatte ne peut pas rentrer dans les bottes, n'est-ce pas ?

— Non, les souris se faufilent tout au bout et attendent que la chatte soit partie pour ressortir.

— Je me demande quel est le plat favori des souris ?

— Les chats, je pense.

— Et le fromage. J'aime le fromage.

— Allons jeter un coup d'œil.

Emily et Josie se rendirent dans la réserve. L'enfant saisit au passage Mme Miaou, qui se laissa d'abord faire puis se dégagea énergiquement dès qu'elles furent dans la réserve et courut reprendre sa place sur son fauteuil.

Elles examinèrent le garde-manger bien garni. Les casiers remplis d'œufs occupaient tout un mur et Josie observa :

— J'imagine qu'une souris aimerait manger des œufs, mais comment ferait-elle avec les coquilles ?

— Une souris astucieuse pousserait un œuf afin qu'il tombe par terre et se casse. Après quoi, toutes les souris pourraient venir autour et le manger.

— Regardez, voici les bottes de Mr Lane. Si l'œuf tombait dans une botte, je crois que Mr Lane serait fâché contre les souris.

— Et imagine qu'il mette une botte et s'aperçoive que quelque chose gigote dedans. Il dirait : « Qui est en train de grignoter mes doigts de pied ? »

Josie trouva cette idée si drôle qu'elle se jeta par terre pour rire à son aise.

Quand elles revinrent dans la pièce où étaient ses jouets, elle les ignora et demanda :

— Racontez-moi autre chose à propos des souris.

C'est ainsi que commença l'épopée des souris, leurs aventures avec les provisions, les œufs, le fromage, la chatte... Emily n'aurait jamais pensé qu'elle serait capable d'inventer des péripéties aussi longtemps que l'enfant demandait :

— Et ensuite ? Que s'est-il passé ?

Mary Lane rentra et déclara que Phyllis commençait probablement à avoir des contractions, mais que la sage-femme allait venir. Puis elle écouta Emily raconter quelques histoires, et comme l'enfant elle implora :

— Continuez, Emily, je vous en prie.

Et Emily continua.

Le lendemain matin, une amie de Josie vint passer avec elle la journée chez Mary Lane. Toutes deux proclamèrent aussitôt :

— Nous voulons une histoire. Parlez-nous des souris.

Elles ne se lassaient pas des aventures des petits rongeurs, à quoi s'ajoutèrent celles de Mme Miaou, et celles des oiseaux dans les branches qu'on apercevait par les fenêtres donnant sur le jardin.

— Encore ! scandaient les enfants.

Assise dans un coin sur un fauteuil à bascule, Mary souriait et répétait :

— Vous êtes vraiment douée, Emily. Où donc trouvez-vous toutes ces idées ?

— Je ne sais pas, répondait Emily.

Le public s'accrut à vue d'œil. Les enfants s'entassaient dans la pièce exiguë et Mary apportait du lait, des gâteaux et des pommes.

Puis arrivèrent des enfants plus âgés, dont les fils d'Alfred. Mais allaient-ils se satisfaire des destinées aventureuses de merles et de souris ?

Emily élargit son répertoire pour inclure les nombreux chiens de la ferme, de même que les chats et aussi les lapins qu'on pouvait souvent observer par les fenêtres de la pièce. Elle se surprit à interroger Harold et Mary sur les mœurs des furets, des renards et des blaireaux. Puis elle reçut un message de Mr Redway, apporté par les garçons, où il la priait de venir chez eux afin de vérifier si Tom était doué pour la musique, comme l'affirmait son professeur.

Emily partit donc à travers champs pour rencontrer Mr Redway, Mrs Redway, Alfred, une beauté plantureuse qui était Betsy, et les deux garçons.

Il y avait un excellent piano à queue dans le salon des Redway. Tous les cottages et les fermes possédaient des pianos droits. Les enfants chantaient aisément, sans timidité, et les histoires d'Emily étaient coupées d'intermèdes musicaux.

Pendant qu'Emily jouait pour les membres de la famille, Tom resta près du piano. Elle le mit à l'épreuve et finit par déclarer :

— Oui, son professeur a raison. Tom devrait étudier la musique.

— Cela peut s'arranger, dit aussitôt Mr Redway.

— Je ne sais pas d'où il tient ça, s'étonna Betsy. Pas de moi, en tout cas.

— Ça vient de mon père, assura Alfred. Le grand-père de l'enfant. Je pense qu'il a passé sa vie dans l'église, à jouer de l'orgue.

Des parents de tous horizons envoyèrent des messages chez les Lane afin qu'Emily vienne juger du talent de leur progéniture.

Pendant ce temps elle continuait ses exploits de conteuse, devant un public toujours plus nombreux.

— Les enfants aiment mes histoires, observa Emily.

— Vous voulez dire qu'ils en raffolent, dit Mary Lane. Et maintenant, Emily, qu'allez-vous faire ?

Ce fut alors que Daisy vint rendre visite à ses parents, en partie parce qu'Emily séjournait chez eux. Elle arriva à l'heure du dîner et ils se mirent à table tous les quatre.

Mary avait passé la matinée à cuisiner, déclarant que Daisy appréciait un bon ragoût. Et aussi le riz au lait, s'il était agrémenté de muscade. N'importe quelle mère aurait désespéré de l'appétit de Daisy, mais Mary semblait l'avoir oublié et Emily garda le silence.

Le sac de voyage de Daisy était neuf et élégant, de même que sa veste. « Elle se met en frais pour Rupert », pensa Emily, car l'élégance était le cadet des soucis de Daisy. Rupert était son fiancé. Harold attendit à peine qu'ils fussent assis pour lancer :

— Et quand aurons-nous l'honneur de rencontrer ton jeune ami ?

Mary avait vu Ruppert lors d'un déjeuner à Londres, mais elle s'était contentée de déclarer à son mari qu'il était charmant, sur un ton qui laissait entendre qu'elle ne disait pas toute sa pensée.

— J'ai l'intention de venir bientôt ici avec lui pour un week-end, dit Daisy.

Emily comprit qu'elle évitait avec soin de faire allusion à l'emploi du temps chargé de son brillant chirurgien.

Mary se rendait à Londres pour rendre visite à sa fille, faire des courses avec elle, la voir dans cet hôpital vibrant d'activité où elle travaillait. Toutefois elle ignorait ce que Daisy faisait et pensait, ou de quelle façon elle passait son temps libre. Bien que sa propre expérience de la vie ait été si différente, Mary aurait aimé en savoir plus long sur sa fille. Elle lui posait des questions avec une timidité exagérée, dans l'espoir de recueillir des informations compréhensibles pour elle et pouvant même lui permettre d'ouvrir une discussion. Ces investigations ne plaisaient pas à Daisy, qui répondait avec laconisme.

La table était chargée de plats à peine entamés, même si Harold se resservait pour faire plaisir à Mary.

— Je suppose que vous allez avoir envie de parler toutes les deux, dit Mary.

Elle se leva pour allumer les bougies posées sur le buffet. Bien qu'elle fût prête à concéder que l'éclairage électrique était fort utile, elle préférait la lumière des lampes et des bougies.

Quand les deux jeunes femmes rejoignirent la chambre occupée par Emily, elles allumèrent chacune une bougie au chevet de leur lit.

Tandis que Daisy revêtait une chemise de nuit à manches longues et à col haut, Emily se glissait dans un pyjama bleu foncé au liséré écarlate. Elles s'assirent sur leur lit pour se brosser les cheveux. Daisy avait gardé son chignon blond, lequel grisonnait déjà, mais Emily arborait une coupe à la garçonne – elle avait déclaré à Mary qu'elle pensait y renoncer, car il lui fallait se couper les cheveux une fois par semaine. Les coiffures courtes des élégantes amies d'Emily tiraient leur origine des révoltes et des guerres civiles qui marquaient la fin des Habsbourg. Rebelles et insurgés se coupaient les cheveux très court. En entrant à son tour dans la tourmente des soulèvements, la Turquie avait inspiré aux femmes à la mode des coiffures censées refléter l'ambiance du sérail.

Les deux amies manièrent la brosse avec énergie à la lueur tremblante des bougies, puis Daisy déclara :

— Mary m'a écrit que tous les enfants de la région sont fous des histoires que tu racontes.

Emily laissa tomber sa brosse en s'exclamant :

— Mon Dieu, Daisy, qu'ai-je fait ?

S'effondrant sur ses oreillers, elle éclata en sanglots.

Daisy cessa de s'occuper de ses cheveux pour s'écrier :

— Mais que se passe-t-il, Emily ?

— Ai-je mal fait ? S'est-elle plainte ? Oh, Daisy...

Et elle sanglota de plus belle.

Daisy se redressa et lança d'un ton scandalisé :

— Emily ! Qu'est-ce qui te prend ? Arrête tout de suite !

Emily lutta contre ses larmes.

— Tous ces enfants viennent ici, et Mary se montre si gentille, elle leur donne à manger.

— Mais elle en est ravie, voyons.

— Je ne savais pas que cela tournerait ainsi, Daisy. C'est un pur hasard.

— Mais tout cela est merveilleux, Emily. Arrête de pleurer !

— C'est vrai ? Tu le penses vraiment ?

— Tout le monde admire ton talent de conteuse. Tu ne fais jamais les choses à moitié, pas vrai ? Allons, calme-toi.

Daisy se prit à songer qu'Emily venait de perdre son mari. En son for intérieur, elle avait cru que son amie serait heureuse d'en être débarrassée. Le jeune médecin poétique qu'était William avait mis en émoi toutes les infirmières. Mais Mr Martin-White était un tout autre personnage, raide et sévère, dont les gens avaient peur. Elle-même le craignait. Il ne lui venait pas à l'idée qu'elle était à sa manière une figure non moins redoutable dans la hiérarchie de l'hôpital.

— Songes-tu à te remarier, Emily ? demanda Daisy.

— Seigneur, non ! répondit Emily avec vigueur.

Cette réaction confirma Daisy dans sa conviction et elle déclara :

— Éteins ta bougie. J'ai quelque chose à te dire.

Emily s'exécuta. Il ne restait plus guère qu'un moignon de cire sur son petit bougeoir en émail bleu. Elle le trouvait si joli qu'elle laissait souvent la bougie allumée, en guise de compagnie.

Daisy se coucha mais vérifia à la lueur de sa bougie qu'Emily avait retrouvé son calme.

— Vois-tu, Emily, je suis sûre que je ne t'ai jamais parlé de cette affaire. J'ai été très bousculée, à cause de Rupert. Il veut que nous nous mariions bientôt... Mais il se trouve qu'il s'occupe d'une association pour les enfants de l'East End. Même si tu es certainement au courant, tu n'imagines pas la pauvreté affreuse qui règne là-bas.

Cela faisait des années qu'Emily ne songeait guère à la pauvreté. Les invités de ses réceptions étaient tous aisés, sinon riches. En y réfléchissant, elle se dit que les gens les plus pauvres qu'elle ait vus à Londres étaient les domestiques. Depuis plusieurs semaines qu'elle séjournait chez les Lane, elle avait rendu visite aux Redway dans leur belle demeure mais n'avait pas mis les pieds dans les cottages des ouvriers agricoles. Il lui semblait que leurs enfants ne manquaient de rien. Ils avaient des vêtements chauds et de la nourriture en abondance. Cependant elle croyait savoir que leurs écoles n'étaient pas excellentes.

La Grande-Bretagne était riche, en plein essor. Éditorialistes et personnalités officielles se félicitaient à l'envi de la prospérité dont elle jouissait. Le pays était resté en paix depuis la guerre des Boers. Il en allait de même en Europe occidentale, qui avait atteint un haut niveau de vie. Il suffisait d'examiner par contraste la situation épouvantable des vieux empires à moitié écroulés de l'Autriche et de la Turquie pour comprendre qu'éviter la guerre était le secret de la réussite.

Divers incidents en Afrique, qui auraient pu s'envenimer, avaient été dédramatisés par les grandes puissances, peu désireuses de gâcher leur propre prospérité. La France, l'Allemagne et les Pays-Bas étaient florissants.

Néanmoins la richesse de la Grande-Bretagne, laquelle regorgeait comme à l'époque édouardienne de vastes demeures aux habitants menant grand train, ne semblait pas se répercuter dans les classes inférieures.

Tout en surveillant Emily du coin de l'œil au cas où elle se remettrait à pleurer, Daisy lui raconta que les enfants de l'East End – car elle ne parlait même pas de ce qui se passait hors de Londres – étaient mal nourris, vêtus de haillons, dans un état de saleté pitoyable.

— On se croirait chez des sauvages, Emily. En tout cas, Rupert met sur pied cette association et nous avons le soutien de nombreuses personnalités en vue. Notre but est de transformer l'East End. Il est scandaleux qu'une grande ville opulente comme Londres puisse tolérer une telle misère.

Elle continua ainsi un moment, puis s'aperçut qu'Emily s'était assoupie et s'endormit à son tour.

Le lendemain, Emily déclara qu'elle avait bien entendu ce que lui avait dit Daisy. Maintenant qu'elle avait recouvré son calme, Daisy consentirait-elle à le lui répéter ? Tandis qu'Emily et Mary faisaient entrer les hordes d'enfants réclamant à grands cris les histoires de leur « tante Emily », Daisy exposa la situation à son amie et lui demanda son aide.

— Tu es si douée pour ce genre de chose, Emily. Nous avons besoin de ton énergie et de ton efficacité. J'ai dit à Ruppert qu'il fallait que tu sois des nôtres. Il semble qu'il se souvienne très bien de toi et de ton travail à l'hôpital. Tout ce que tu as à faire, en somme, c'est d'accepter.

Emily donna son accord, mais d'autres projets mûrissaient également en elle. Elle en parla à Mary, laquelle déclara qu'elle se demandait d'où Emily tirait son savoir en matière de livres et d'histoires. Cette remarque amena Emily à écrire à sa belle-mère pour lui demander la permission de venir examiner ses vieux livres, s'ils existaient encore.

« Personne n'a touché à votre chambre et je suis sûre que votre père serait ravi de vous voir. »

Emily se rendit à Londres avec le sentiment de laisser derrière elle sa véritable personnalité. « Je devrais peut-être épouser un fermier », songea-t-elle.

La maison de Blackheath n'avait pas changé. À peine si elle avait été repeinte. Se refusant à se remémorer des scènes et des impressions de son enfance, Emily alla aussitôt trouver son père, qui avait beaucoup grossi et dont le visage était rouge.

— J'ai appris la perte que tu as subie, déclara-t-il.

Elle lui avait écrit pour l'informer de la mort de son mari.

— Il a eu une crise cardiaque, n'est-ce pas ? Moi-même, j'ai eu une petite attaque.

— Oui, il s'agissait d'un grave infarctus.

— Je fais attention à ce que je bois et mange.

Elle parla un moment de la santé de son père puis monta dans sa chambre, où sa belle-mère affirmait qu'on n'avait rien touché.

La pièce était exactement dans l'état où elle l'avait laissée, vingt-deux ans plus tôt. Elle ouvrit vivement l'armoire, aperçut ses vêtements de collégienne et referma la porte avec violence. Elle était furieuse.

Il y avait une vieille bibliothèque en chêne sous la fenêtre. Elle s'assit devant, à même le sol, et regarda attentivement les livres aux couvertures fanées. Pour commencer, elle trouva une pile de cartes et d'atlas – la géographie avait été un de ses points forts. Selon quel principe ces livres avaient-ils été choisis ? Ils apparaissaient comme par magie, adressés à son nom, et elle les emportait dans sa chambre. *La Pierre de lune*. *La Dame en blanc*. Sherlock Holmes. *Peter Pan* : mais oui, il l'avait fait pleurer. George Meredith. Dickens au grand complet, à ce qu'il semblait. Tout Trollope. *Middlemarch* et *Le Moulin sur la Floss*. William Blake. Elle se rappela qu'elle avait dû réciter en classe : « Ô Rose, tu languis », et qu'elle ne comprenait rien à ce qu'elle disait. Les poèmes de Byron, Matthew Arnold, Shelley, Wordsworth, Tennyson. Thomas Hardy – mais pas *Jude l'Obscur*. *Moby Dick*, Hawthorne, John Keats. Shakespeare. Les *Contes tirés de Shakespeare* et les essais de Lamb. *Simples contes des collines*. L'anthologie de la poésie anglaise de Palgrave. *Les Pierres de Venise* de Ruskin. *La Foire aux vanités*... Elle avait lu allongée sur son lit, ou assise à cet endroit même. Les livres – un lieu de paix et de sérénité, où elle avait pu se réfugier... Les livres étaient une bénédiction. La lecture était une bénédiction. « Tu montes lire dans ta chambre, Emily ? C'est bien. »

Elle devait une fière chandelle à son père. Et voilà sur une table, soigneusement empilés, des volumes de Walter Scott aux reliures de cuir rouge foncé – mais personne ne les avait jamais lus. Étrange, n'est-ce pas ? Elle descendit au rez-de-chaussée avec l'intention de dire au vieil homme : « Merci. Vous n'imaginez pas à quel point la lecture m'a été précieuse. »

Mais il s'était endormi et ronflait. Elle vit sa belle-mère, à qui elle suggéra qu'il était peut-être temps de se débarrasser de ses vêtements d'adolescente.

Lorsqu'elle partit, elle n'avait toujours pas surmonté la froideur née de sa rupture ancienne avec son père. Cependant elle était pleine de reconnaissance pour lui et le bénissait.

Elle se rendit dans plusieurs librairies, où elle déclara qu'elle comptait commander un grand nombre de livres et se renseigna sur les prix de gros.

À son retour chez les Lane, elle était triomphante.

— Merci, Mary. Sans vous je n'aurais jamais eu l'idée d'aller voir quels livres je possédais.

Après le dîner, elle expliqua ses projets à Mary et Harold, en guettant sur leur visage des signes de doute ou de désapprobation. Mais ils étaient tous deux enchantés.

— Je savais que vous ne resteriez pas là à vous morfondre, dit Harold. Ce n'est pas dans votre nature.

— J'étais sûre que vous trouveriez une idée qui en vaudrait vraiment la peine, renchérit Mary.

Harold regagna son antre et les deux femmes discutèrent longuement. Mary déclara qu'Emily aurait besoin d'un bon avocat.

Elles conclurent également qu'il faudrait mettre Daisy au courant de ces projets. Daisy n'avait jamais parlé à sa mère de son avenir. Tout au plus lui avait-elle dit qu'elle désirait un mariage civil, célébré dans l'intimité, mais que si Mary insistait on pourrait envisager une réception – modeste – dans un hôtel.

Emily termina ses révélations en disant :

— Vous avez été si bonne pour moi, Mary. On n'a pas besoin d'une mère quand on a une amie telle que vous.

Elles pleurèrent dans les bras l'une de l'autre, mais pour des raisons très différentes.

Emily écrivit à Cedric Martin-White. Ils se retrouvèrent dans la maison d'Emily, où elle ne retourna qu'à contrecœur. Que cette demeure était vaste, claire et spacieuse comparée à celle des Lane ! Elle s'y sentait néanmoins comme oppressée par une ombre. La maison la désapprouvait ! Pourquoi ? Quel sentiment absurde et stupide...

Cedric et Emily prirent place à la grande table qui avait servi pour tant de dîners de William et Emily. Cedric déclara qu'il allait devoir prendre des notes – il avait apporté carnets et crayons. Assis en face d'Emily, il semblait comme l'incarnation de l'efficacité et de la responsabilité. En fait, il était bel et bien avocat.

Ayant exposé si récemment ses projets à Mary, Emily les avait parfaitement en mémoire et eut tôt fait d'expliquer à Cedric ce qu'elle voulait.

Il commença par dire qu'on ne voyait pas bien quel rôle Daisy et Ruppert jouaient dans cette affaire. Était-il question d'une seule ou de plusieurs associations ?

— Je pense que nous avons à peu près les mêmes objectifs.

— Je peux élaborer les statuts d'une association poursuivant plusieurs buts similaires en parallèle ou prévoir deux organisations distinctes. Vous êtes sûre de ce que vous voulez, tante Emily ?

— Oui, tout à fait.

— Alors pourquoi ne pas créer une association ou une fondation, à votre guise, que vous seriez seule à diriger ? Une direction unique présente beaucoup d'avantages. Plus vous serez nombreux, plus vous risquez d'avoir des désaccords, voire des conflits. Connaissez-vous ce Rupert ?

— Tout le monde connaît Rupert Fenn-Richards.

— Ah, lui ! Vous auriez dû le dire. Car vous allez avoir besoin d'une liste d'évêques et autres sommités du même genre afin de conférer plus de lustre et de respectabilité à votre action.

— Seigneur !

— Cependant, si vous devez diriger seule cette organisation, je vous suggère de me prendre comme associé. Vous me mènerez toujours par le bout du nez, tante Emily. Il est fort improbable que je m'oppose à vos désirs. Tout ce que vous m'en dites me plaît. Et on a toujours besoin d'un avocat, vous savez.

— Il me semble donc que l'équipe idéale comprendrait, outre moi-même, Daisy Lane et vous.

— L'époux de Daisy Lane accepterait-il d'être membre bienfaiteur, histoire d'ajouter à notre prestige ? S'il pouvait enrôler quelques confrères supplémentaires, ce serait encore mieux.

— En fait, dit Emily, je connais moi aussi pas mal de personnalités de ce genre.

Finalement, tous les dîners qu'elle avait donnés allaient donc se révéler utiles.

— Quant à Rupert, il est si occupé que je doute qu'il puisse apporter une collaboration effective. D'ailleurs, si Daisy se marie, je suppose qu'elle-même sera invitée à renoncer à sa participation.

Emily ne se rendait pas compte du ressentiment qui vibrait dans sa voix.

Cedric éclata de rire et déclara :

— Voilà qui me donne le courage de risquer une autre suggestion. Je vous propose d'accepter comme membre actif ma fiancée, Fiona.

— Mais je ne la connais pas, objecta Emily déjà jalouse de son autorité.

— J'espère que nous allons bientôt y remédier. Seriez-vous d'accord pour déjeuner avec nous ? Demain, peut-être ? Elle est enthousiasmée par votre projet. Le peu que vous disiez dans votre lettre a suffi pour l'emplir d'excitation. Elle ne parle plus que de ça. Elle a déjà collaboré à des œuvres de bienfaisance dans l'East End, mais ce n'était rien auprès de votre merveilleuse idée.

— Imaginez qu'elle ne me soit pas sympathique ?

— Dans ce cas, dites non. Mais je vais la mener par le bout du nez. Vous verrez.

Il sourit de l'air heureux qu'on pouvait attendre d'un futur époux, et Emily se mit à rire.

— Oui, c'est ce que vous croyez maintenant !

— Je ne veux pas d'une femme qui reste chez elle à donner des réceptions et servir le thé.

Devant le visage mécontent d'Emily, il se hâta d'ajouter :

— Bien entendu, si elle proposait quelque chose d'aussi remarquable que vos soirées musicales... Vous ai-je dit qu'elle est musicienne ? Mais oui. Vous ne pouvez vraiment pas tout faire toute seule, tante Emily.

En fait, c'était exactement ce qu'elle avait eu en tête, même si elle rêvait aussi secrètement de voir les écoles de l'association fleurir dans toutes les villes du pays.

— Nous déjeunons demain ?

— Je vais m'installer dans un hôtel, déclara Emily. Cet endroit me donne la chair de poule.

— Pensez-vous que William ait pu prendre goût à jouer les fantômes ? Pour ma part, je l'en crois capable. Cela dit, vous savez que je vous délivrerais de cette demeure dans les trois jours si vous en manifestiez le désir. Fiona adorerait habiter ici. Vous ai-je dit qu'elle est issue d'une famille tout à fait aristocratique ?

Par-dessus la circulation, Emily regarda de l'autre côté du trottoir Cedric et Fiona qui semblaient se disputer violemment. Mais ils riaient. Ils étaient au centre d'un attroupement comprenant surtout des jeunes gens, lesquels gesticulaient en riant – pour les conspuer ? On aurait dit le chœur d'une comédie musicale où Cedric et Fiona jouaient le premier rôle. À moins qu'il ne s'agît d'un congrès de coiffeurs ? En se faufilant au milieu des voitures pour les rejoindre, Emily vit que les coiffures des jeunes filles obéissaient à deux modes distinctes. Certaines arboraient sur la joue une boucle raide évoquant les « épis » d'antan et couverte d'une telle couche de laque qu'elle paraissait en bois, déclinant toutes les nuances de bruns, blonds, châtains, noirs, et même gris dans un ou deux cas. L'autre coiffure, déjà familière à Emily, consistait en frisures descendant sur chaque joue, ce qui indiquait une prise de position en faveur des Turcs. Quand Emily arriva auprès du couple, Cedric avait passé son bras autour des épaules de Fiona et ils affrontaient un groupe hostile de jeunes filles frisées.

— Allons déjeuner, dit Cedric. La cuisine est excellente, ici.

Les adeptes des frisures s'écartèrent pour laisser Fiona entrer dans le Rahat-Loukoum, un restaurant turc. Elle était coiffée suivant l'autre mode.

— Je ne fais pas de présentations, déclara Cedric en enlaçant également Emily. Vous devez déjà être fatiguées d'entendre parler l'une de l'autre.

Le propriétaire, qui connaissait Cedric, leur désigna une table d'un geste et regarda d'un air désapprobateur les joues de Fiona.

— Allons, montre que tu es un esprit libre ! dit Cedric à Fiona qui essayait de rire mais était au bord des larmes. Méprise ces contingences !

— Il semble que je n'aie pas d'autre choix, répliqua Fiona en feignant de menacer du poing quelques clients qui blâmaient sa coiffure pro-serbe.

Cedric commanda du champagne, qui arriva sans tarder. Apparemment, tout le monde en buvait. À Longerfield, le champagne était réservé aux anniversaires et aux grandes occasions.

— J'ai tellement honte, tante Emily ! lança Fiona. Comment pourrez-vous me prendre au sérieux après une scène pareille ?

— J'ai pensé que tante Emily serait amusée de voir les gens célébrer la fin des empires en changeant de coiffure, dit Cedric. N'est-ce pas incroyable, tante Emily ? À côté du Rahat-Loukoum se trouve un autre restaurant, Le Dernier Mot. Pas plus tard qu'hier soir, des bagarres ont éclaté dans cette rue parce que des filles à frisures étaient entrées dans l'établissement serbe.

— Je me demande ce que diraient les Serbes ou les Turcs, observa Emily.

— Oui, ces histoires sont frivoles, vous avez raison. Mais n'oubliez pas que nous sommes la génération en surplus. Nous avons besoin de nous affirmer.

Un journal avait publié un éditorial disant que les jeunes hommes étaient nerveux car il n'y avait pas eu de guerre, de sorte qu'ils avaient le sentiment de ne pas avoir été mis à l'épreuve. « Comme on n'avait pas besoin d'eux, ils se sont retrouvés en surplus », écrivait l'éditorialiste. Aussitôt, les garçons s'étaient mis à porter des insignes et des boutons proclamant qu'ils étaient en surplus.

Tout en buvant du champagne comme si c'était un médicament, Fiona s'écria :

— Tante Emily... j'espère que cela ne vous ennuie pas que je vous appelle ainsi ? Je ne suis pas encore une Martin-White, mais je le deviendrai bientôt... Notre rencontre a bien mal commencé. Moi qui voulais tellement que vous me preniez au sérieux !

— Mais bien sûr qu'elle va te prendre au sérieux, plaisanta Cedric. Ne t'a-t-elle pas vue affronter les hordes hostiles des adeptes de la frisure ?

— Tante Emily, insista Fiona, je tiens à vous dire combien j'admire votre projet.

Sans lâcher sa coupe de champagne, dont elle buvait des gorgées revigorantes, elle essuya ses yeux humides et continua, les joues écarlates :

— Voyez-vous, cela fait des mois que je travaille dans l'East End, et la situation est si affreuse. On ne me croit jamais quand j'en parle. Il règne une telle pauvreté là-bas. Lorsque je vois ces malheureux enfants horriblement maigres, avec leurs côtes saillantes, je ne peux tout bonnement pas croire que dans un pays aussi riche que le nôtre...

Manifestement, Fiona avait déjà une certaine pratique des discours en public.

— Moi-même, l'interrompit Emily, je travaillais chez les plus pauvres parmi les pauvres, quand j'étais au Royal Free Hospital.

Mais rien ne pouvait arrêter Fiona dans son élan.

— Si je puis vous aider en quoi que ce soit, tante Emily, comptez sur moi. Quand Cedric m'a parlé de vos intentions, il m'a semblé que mes rêves les plus fous devenaient réalité.

Elle continua ainsi tandis que les serveurs apportaient leurs assiettes.

— Fiona, intervint Cedric. Permets-moi juste de dire à tante Emily qu'on mange vraiment bien ici...

— Oui, Cedric, je sais. Et certains habitants de l'East End que j'ai vus n'avaient pas fait un repas convenable depuis des mois.

Un serveur arrivant de la rue alla parler à un homme dînant près de la porte. Après avoir jeté un regard triomphal sur ce repaire d'ennemis, il sortit. Le dîneur à qui il avait parlé leva alors la main.

— Nous venons du Dernier Mot, le restaurant d'à côté. Mon ami a appris que la bataille du Kosovo s'est terminée hier soir par une victoire écrasante des Serbes.

— Il faudrait sans doute parler plutôt d'un match nul, lança Cedric à la ronde, car de nouveaux combats vont certainement commencer au Kosovo.

En l'entendant, plusieurs clients lui crièrent des invectives. Contrairement à la scène sur le trottoir, l'affaire paraissait très sérieuse. Plusieurs jeunes gens se levèrent à l'arrière du restaurant et se dirigèrent vers Cedric d'un air résolu.

— Bon Dieu ! s'exclama Cedric. Des lyncheurs !

Le propriétaire accourut, arrêta d'un geste le groupe menaçant et dit à Cedric :

— Pour votre propre sûreté, monsieur, vous feriez mieux de partir.

Et il pointa du doigt la boucle pro-serbe ornant la joue de Fiona.

Cedric se leva en entraînant Fiona, et Emily suivit leur exemple.

— Ce n'est pas grave, affirma-t-il. Je connais un endroit charmant pas loin d'ici.

Il enlaça ses deux compagnes et les conduisit hors de la salle du Rahat-Loukoum.

Sur le trottoir, les partisans de la Serbie dansaient en poussant des cris de joie.

— Non, Fiona, dit Cedric, ne t'en mêle pas. Tout le monde sait que tu es pour les Serbes.

Et il les mena à un restaurant qu'il connaissait en bas de la rue.

— Tante Emily, gémit Fiona. Je suis quelqu'un de sérieux. Je vous supplie de me croire.

Le lendemain, à l'hôtel d'Emily, Cedric déclara que Fiona était honteuse et désolée. Il espérait qu'Emily avait compris que Fiona – et il était ici pour le lui assurer – possédait tout le bon sens qu'on pouvait désirer.

— Cedric, répliqua Emily. Vous ne comprenez donc pas ? Quand j'ai élaboré mon projet, je pensais à moi-même, à ma vieille amie Daisy et peut-être à deux ou trois autres personnes. Mais voilà que vous entrez en scène, alors que nous ne nous connaissons que depuis peu, et maintenant c'est Fiona qui...

— Voyons, tante Emily, vous ne pouvez quand même pas songer à réaliser votre projet avec si peu de personnel. D'abord, vous aurez besoin d'une secrétaire.

— J'y penserai.

— N'attendez pas trop !

Elle reçut bientôt une lettre de Daisy l'informant que deux maisons étaient à vendre pour une bouchée de pain, non loin de celle où Emily et elle avaient vécu ensemble. Rupert les avaient achetées pour cette nouvelle entreprise. Cedric arriva aussitôt. Une fois encore, Emily ouvrit sa maison et ils s'assirent tous deux à l'immense table de la salle à manger.

— Alors, tante Emily !

— Daisy ne veut pas qu'on l'ennuie avec les questions matérielles, car elle va se marier. Il faut que vous vous chargiez de nous associer, Daisy, son cher Rupert, moi, vous...

— Et Fiona, j'espère ?

— D'accord.

— Vous ne le regretterez pas. C'est une fille merveilleuse. Je n'arrive pas à croire que je vais avoir la chance de l'épouser.

Les choses suivirent leur cours, et Emily se retrouva très occupée.

Et très seule. Daisy comme Fiona étaient prises dans le tourbillon des préparatifs de leurs noces.

Seule dans sa grande maison, Emily se regarda attentivement dans le miroir et se dit qu'elle n'était pas triste parce qu'elle n'allait pas se marier mais parce qu'il lui semblait n'avoir jamais été mariée, en réalité. Elle compara William et elle-même avec Daisy et Rupert – « mais eux, ils tiennent vraiment l'un à l'autre », chuchota-t-elle en trouvant bien sévère le visage qui lui rendait son regard. Elle pensa par contraste au visage de Daisy, laquelle était tout sourires ces temps-ci. Et quand elle songea au jeune couple de Cedric et Fiona, elle se retrouva bel et bien au bord des larmes. Elle essaya d'imaginer William se livrant à des plaisanteries et des taquineries comme Cedric – c'était impensable ! Ces deux couples, l'un dans l'âge mûr, l'autre dans la pleine jeunesse, étaient au cœur d'un bon-

heur qu'Emily n'avait jamais connu. Ce qui signifiait, reprocha Emily à son visage apparaissant si
morne dans la lumière reflétée par la glace, que
quelque chose n'allait pas chez elle. Nécessairement.
Cedric disait que Fiona était « si amusante ». Daisy
écrivait : « Je suis si heureuse, Emily, moi qui ne
m'y étais jamais attendue. »

Heureusement, le travail ne manquait pas.

Cedric passait la voir avec des documents, des
projets, des idées.

— Par chance, tante Emily, le futur époux n'est
pas censé faire grand-chose. Pauvre Fiona.

— Cedric, je reçois des lettres à chaque courrier.
Le personnel de nos écoles devra-t-il vraiment être
composé de jeunes mondaines ?

— J'espère que vous ne qualifiez pas Fiona de
mondaine, tante Emily.

— Regardez, Cedric.

Elle poussa vers lui une pile de lettres.

— Je vais emporter ces lettres. Je connais sûrement la plupart des jeunes candidates. Comptez
sur moi pour choisir celles qui conviennent.

Emily revint à la charge.

— Et nous n'avons certainement pas besoin
d'autant d'évêques, Cedric.

— On n'a jamais trop d'évêques. Nous nous
contenterons de prendre les plus chics pour notre
papier à en-tête.

Il lui demanda de rédiger un court texte où elle
dirait comment elle voyait leur projet dans cinq
ans, et dans dix ans.

— William vous a légué une belle somme, tante
Emily, commenta Cedric. Mais ce ne sera pas suffisant pour financer tous vos projets. Non, je vais
vous fignoler une fondation caritative. Il nous faudra des évêques, pour cela. Des archevêques

seraient encore mieux. Et peut-être un membre ou deux de la famille royale. Je vais vous dire qui pourrait s'en occuper. C'est Madge, la cousine de Fiona. Une vraie championne des œuvres de bienfaisance.

« Comme c'est bizarre, songea Emily. Il est question d'écoles et de livres pour les pauvres, et voilà que je passe soudain tout mon temps avec des ladies et des lords, sans oublier les thés avec des évêques. »

Daisy se maria enfin. Fiona fit de même, et bientôt la jeune fille devint le bras droit d'Emily, toujours présente, responsable, intelligente. Emily n'aurait pu rêver mieux.

Puis l'emménagement du jeune couple dans la demeure qu'ils avaient en vue tomba à l'eau et Emily leur loua sa maison, où elle garda une chambre. Cependant, elle préférait son appartement dans la maison de Beak Street.

Six mois plus tard, la première école Martin-White était ouverte et connaissait déjà un grand succès.

Après l'ouverture de la première école, Mary Lane se rendit souvent à Londres, même si elle était atterrée par le spectacle des enfants maladifs de l'East End.

— À la campagne, nous avons aussi de la pauvreté, disait-elle. Mais je n'ai jamais rien vu d'aussi affreux.

Lors de ses séjours, elle habitait chez Emily. Toutefois celle-ci devait beaucoup voyager, car d'autres villes réclamaient des informations sur les écoles Martin-White. Emily reçut bientôt un renfort d'importance puisque Daisy, à présent que le tourbillon du mariage s'était apaisé, vint fréquemment en observatrice et apporta toute l'aide qu'elle pouvait. Elle projetait de prendre rapidement sa retraite, tant elle trouvait les écoles fascinantes. Puis ce fut Harold qui prit sa retraite. Lui aussi fit des visites à Londres, quoiqu'il ne s'abstînt jamais de proclamer combien il désapprouvait cet endroit fébrile et hystérique. Il disposait d'un « antre » dans la maison de Daisy et Rupert, où il pouvait discuter des affaires du monde avec son gendre. Pas souvent, néanmoins, car Rupert était très occupé.

Mary Lane dit à Emily que « les deux épouses », ainsi qu'elle appelait Betsy et Phyllis, avaient créé une école qui marchait fort bien. Elle leur donnait des conseils en s'inspirant des écoles Martin-White, qui étaient maintenant au nombre de trois rien qu'à Londres.

Pourquoi l'établissement de Longerfield ne demanderait-il pas à être homologué comme école Martin-White ? La demande se heurta à un refus : le règlement des écoles stipulait qu'elles devaient compter dans leur personnel un enseignant Montessori.

— Tant pis, dit Mary. C'est une bonne petite école et je suis certaine que vous l'aimeriez, Emily. Vous devriez venir y jeter un coup d'œil.

Cependant elle n'insista pas. Emily aurait pu se demander pourquoi. En fait, il était arrivé un incident la concernant et les gens avaient estimé qu'il valait mieux qu'elle ne fût pas au courant. Il faut rendre hommage à leur discrétion : elle l'ignora toujours.

Bert ne pouvait souffrir Emily, même s'il aurait été incapable de dire pourquoi. Il s'était mis à tourner en ridicule ses histoires de souris, de chats, d'oiseaux, etc. Comme il l'imitait à ravir, les gens riaient en l'entendant déclamer :

— Et alors les mignons petits rats mangèrent tous les chats et bientôt les souris...

Ses moqueries étaient si venimeuses qu'elles déplurent aux amis d'Emily, qui le prièrent d'y mettre fin. Mais il refusa. C'est alors que se produisit un fait surprenant. En entendant les imitations plutôt méchantes de Bert, plusieurs enfants ne comprirent pas qu'il s'agissait d'une critique de leur bien-aimée tante Emily. Ils s'écrièrent aussitôt :

— Oncle Bert raconte des histoires ! Racontez-nous une histoire, oncle Bert...

Passablement vexé, Bert tenta de les chasser puis s'enfuit lui-même à l'autre bout de la ferme, mais dès qu'il reparut les enfants recommencèrent à crier :

— Oncle Bert, racontez-nous une histoire...

Phyllis, son épouse, s'exclama :

— Tu vas avoir du mal à t'en tirer, pas vrai, Bert ?

Alfred commença par rire en voyant l'embarras de cet homme maladroit et indolent, qui avait toujours paru esquiver les gens et les problèmes. Comment pourrait-il se dérober face à ces enfants dont deux étaient ses propres rejetons et qu'il connaissait tous depuis leur naissance ?

— Allons, dit Alfred à Bert, pourquoi n'essaierais-tu pas ? Ce n'est pas un public bien difficile.

Bert ne put se résoudre à recourir aux souris et aux chats. Toutefois il y avait maintenant des chevaux à la ferme, et il tenta d'inventer des histoires à leur sujet. Malheureusement, il n'était vraiment pas doué. Les enfants étaient indulgents. Ils s'asseyaient autour de lui, la bouche ouverte, les yeux pleins d'espoir à l'idée de retrouver la magie de tante Emily. Mais Bert n'y arrivait pas. Il en était tout bonnement incapable.

— Vous connaissez Grison, le nouveau cheval ? disait-il par exemple. Eh bien, nous l'avons acheté à Doncaster pour cinquante livres mais il ne les valait pas. Il est incapable de garder une allure régulière.

— Une histoire ! criaient les enfants. Nous voulons une histoire, oncle Bert !

Mary Lane sauva Bert en lui offrant des livres pour enfants qu'elle rapportait de Londres. Bert arrivait à l'école après le déjeuner et la sieste des petits, et il leur faisait la lecture. Au début, il ne pouvait s'empêcher de prendre un ton ironique devant la simplicité de ces histoires, mais les enfants s'en rendaient compte et réclamaient :

— Non, pas comme ça. Lisez correctement.

Tout se passait à merveille. Bert était encouragé à continuer par son épouse aussi bien que par Alfred et Betsy.

Puis, comme autrefois, il fit une « rechute », ainsi que Mary le raconta à Emily.

— Oui, tout marchait bien mais quelque chose l'a perturbé, nous ne savons pas quoi, et il est retombé. Betsy s'est de nouveau occupée de lui, mais cette fois Alfred l'a aidée. Bert et lui sont très proches, ils pourraient être frères. Quand il a découvert Bert ivre mort dans un fossé devant le pub, Alfred est devenu fou furieux. Betsy a dit à Bert qu'il devait retourner faire la lecture aux enfants. Certains d'entre nous se demandent pourtant si tous ces enfants en train de le harceler ne l'ont pas déstabilisé. Quoi qu'il en soit, Alfred et lui font la lecture chaque après-midi dans notre école.

— Alfred aussi ?

Emily avait du mal à suivre.

— Il s'agit d'empêcher Bert de se décourager, vous comprenez. Alfred va le chercher où qu'il soit dans la ferme et l'emmène à l'école. Il sélectionne les histoires et les lit aux enfants, en alternance avec Bert. Il arrive que Betsy se joigne à eux et fasse également la lecture. Tout cela fait que nous avons besoin de beaucoup de livres. J'aimerais bien que vous puissiez nous en donner. Les mêmes que ceux que vous utilisez dans vos écoles.

Emily ordonna à ses principaux fournisseurs d'envoyer un choix abondant de livres pour enfants à Longerfield, et elle s'y rendit en personne. Comme toujours, elle logea chez Mary. Elle dormit dans la chambre qu'elle avait si souvent partagée avec Daisy. Le petit chandelier d'émail bleu était à sa place habituelle et elle l'alluma pour regarder les ombres bouger sur le plafond bas, où un trou dans le bois ou une toile d'araignée suffisaient à lui inspirer des idées nouvelles, voire, au besoin, des histoires à raconter aux enfants. Était-ce la même araignée qu'elle apercevait là-haut, comme une tache minuscule au bord de sa toile ? Elle aimait à le penser. Elle aimait à s'imaginer que cette chambre, ce lit, étaient à elle. Depuis quelque temps, elle se retrouvait si souvent dans une chambre et un lit étrangers, au cœur d'une ville inconnue, qu'une simple toile d'araignée tendue dans un coin lui apparaissait comme l'assurance qu'elle aussi, Emily McVeagh, possédait en elle-même un élément stable sur quoi compter. Sa vie semblait n'avoir consisté qu'en une série d'accommodements en réponse à des pressions arbitraires.

Elle revit la salle à manger des Redway, où elle s'était trouvée autrefois pour juger des capacités musicales de Tom et de Michael. Cependant ils étaient tous deux absents aujourd'hui. Il n'y avait aucun enfant dans la pièce. Bien entendu, Mr Redway présidait. Ces temps-ci, Mary parlait de lui comme du « vieux Mr Redway ». Cela signi-fiait-il que Bert était le jeune Mr Redway ? Au moment de la dernière rechute de Bert, Mrs Redway avait décidé un beau matin qu'il était inutile de se lever. Depuis lors, elle restait au lit. Dans l'ensem-ble, les gens en étaient soulagés, mais cela faisait beaucoup de travail pour l'épouse de Bert, une belle brune aux joues rouges et au regard vif et inquisiteur. Assise à côté d'elle, la blonde Betsy était aussi jolie que corpulente et s'éventait en soupirant, car il faisait chaud en cette après-midi de juillet. Mary avait été invitée mais, Bert étant convaincu qu'elle avait « une dent contre lui », elle avait déclaré qu'elle ne pouvait venir. Elle savait que l'ambiance serait tendue et ne voulait pas empirer les choses.

Le thé était prêt, mais Emily nota que Phyllis attendit le signe de tête de Mr Redway pour com-mencer à servir.

Bert semblait agacé par cette formalité et ne ces-sait de répéter :

— Bon, venons-en aux faits.

Emily se doutait de quels « faits » il voulait par-ler, mais l'hostilité qu'il lui témoignait la gênait. Il n'avait pourtant pas l'air de quelqu'un d'agressif. Il portait une chemise sombre et ample, qui était à la mode car il s'agissait d'un « surplus de l'armée » en provenance de Vienne. Cependant il se compor-tait comme un vieux chien habitué à gronder après tout le monde. Elle n'imaginait pas à quel point il l'avait en aversion.

Alfred était toujours aussi grand et bien bâti. Il se tenait droit et arborait une veste que sa femme avait choisie pour son tissu, dont elle disait qu'il évoquait des plumes de grive, brun foncé avec des touches plus claires.

Les deux hommes avaient des bottes de soldat, qu'on pouvait acheter partout à cette époque pour quelques livres.

— J'ai un compte à régler avec vous, lança Bert à l'adresse d'Emily en refusant d'un geste thé, sucre et lait.

Emily était prête, grâce aux mises en garde de Mary.

— Très bien, dit-elle d'une voix aimable. Allons-y.

— Je veux une explication... Enfin, nous voulons une explication...

Il désigna hâtivement son épouse et Betsy.

— Nous désirons savoir pourquoi vous n'acceptez pas l'école de Longerfield dans votre organisation.

— Ne vous avait-on pas mis au courant quand vous avez posé votre candidature ? commença Emily en essayant de ne pas se laisser démonter par la violence de l'hostilité de Bert. Un enseignant Montessori doit obligatoirement figurer dans le personnel d'une école Martin-White.

— Mais vous avez votre mot à dire, non ? Ne s'agit-il pas de votre argent ? demanda Bert en se penchant vers elle, les poings serrés.

— Vous savez, si nous n'avions que mon argent, nous ne pourrions faire marcher que quatre ou cinq écoles. Ce n'est pas tout de créer des établissements. Il faut les entretenir, payer des salaires et ainsi de suite.

— Et alors ? Et alors ? insista Bert comme si elle n'avait donné aucun argument valable.

— Nous avons actuellement quinze écoles, et plusieurs en préparation. Mon argent ne saurait y suffire. Il a fallu créer une fondation, ce qui implique qu'on ne peut en faire à sa tête...

Emily ne put s'empêcher de montrer son impatience face à ces limitations.

— Sans un minimum de règles, n'importe qui pourrait s'autoproclamer « école Martin-White ».

— N'importe qui ! s'exclama Phyllis avec colère.

— Au moins, nous avons le plaisir de savoir ce que nous sommes, renchérit Betsy.

Bert sourit d'un air triomphant. Emily resta effondrée sur sa chaise, aussi blessée par cette opposition soudaine que par ce qu'elles avaient dit.

— Attendez une minute ! s'écria Alfred. Emily...

Il pouvait bien s'adresser ainsi à elle : après tout, ils se connaissaient depuis un quart de siècle.

— Vous nous avez apporté une foule de livres...

— Oui, mais je les ai payés de ma poche, dit-elle à Alfred en ignorant les autres qui lui apparaissaient en cet instant comme des ennemis.

— Vous voulez dire que votre précieuse fondation ou je ne sais quoi ne pourrait pas casquer pour quelques livres ? brailla Bert.

— Non, répondit Emily. Mais je les ai payés moi-même. Et j'ai fait en sorte que la librairie vous en envoie d'autres.

— Eh bien, Emily... commença Alfred.

Elle comprit qu'il essayait délibérément de la soustraire à la fureur de Bert.

— Je vais vous faire une requête à titre privé. Peut-être vous souvenez-vous de mes fils ? Ils aiment lire, mais il leur faudrait plutôt quelque chose comme *Bulldog Drummond*, ou Henty, ou Edgar Wallace. Les fées et les petites bêtes ne sont plus pour eux. J'avoue que j'apprécie ce genre de livres, moi aussi. *Tarzan*, par exemple. Et j'ai toujours eu un faible pour Zane Grey.

— Je vais m'en occuper, assura Emily en le regardant avec un sourire reconnaissant. Cela va de soi. D'ailleurs, nous songions à élargir notre choix en incluant même des livres pour adultes. Quand nous créons nos petites bibliothèques, les adultes nous demandent toujours si nous n'avons rien pour eux.

— Et voilà ! s'exclama Alfred. Je ne suis donc pas le seul. Nos fils seront enchantés, n'est-ce pas, Betsy ?

— Bien sûr, dit Betsy qui savait qu'elle faisait partie, comme si souvent dans le passé, d'un plan pour tirer Bert d'affaire.

— À présent, continua Alfred, il est temps que nous allions jeter un coup d'œil aux chevaux. Pas vrai, Bert ?

Et il prit son ami par le bras pour le faire lever.

— Si tu le dis, dit Bert d'un ton morne.

Il avait l'air vaincu et toute sa rage l'avait abandonné.

En sortant avec lui, Alfred lui donna un léger coup de coude. Bert lança par-dessus son épaule :

— Et merci pour les livres que vous avez apportés. Merci beaucoup.

Les deux hommes se dirigèrent vers les écuries.

Après le départ de Bert, les épouses se radoucirent et dirent à Emily :

— Nous allons vous montrer notre école, de toute façon.

— Nous en sommes très fières.

L'école était installée dans un cottage d'ouvrier agricole resté vide. Cette après-midi-là, elle était bien fréquentée, comme pouvaient le constater

Mary et Emily en se dirigeant vers le bâtiment par des chemins poussiéreux. Un frêne énorme l'ombrageait et des enfants de tous âges jouaient au frais. Le brouhaha était tel que les deux femmes se turent. Puis certains parmi les écoliers plus âgés reconnurent Emily et s'écrièrent :

— Vous venez nous raconter des histoires ? Vous voulez bien ?

Quand elles entrèrent dans le bâtiment, une foule d'enfants les entouraient.

En compagnie d'une trentaine d'élèves, Betsy et Phyllis étaient occupées à verser de la limonade de grosses cruches en porcelaine. Verres, tasses et gobelets de toutes sortes étaient mis à contribution. Emily songea que dans ses écoles il y avait toujours un conflit avec les administrateurs de la fondation – qu'elle surnommait collectivement les « aristos » – car ils voulaient acheter les tasses et les verres les plus chers alors qu'Emily et Fiona s'efforçaient de réduire les dépenses.

Après avoir reçu chacune un verre de limonade, Mary et Emily s'assirent sur le rebord de la fenêtre pour observer la scène. Ces enfants étaient très jeunes. Certains n'étaient que des bébés avec leur mère dans leur sillage. D'autres élèves, filles et garçons, se trouvaient dans une pièce voisine. Ils lisaient des histoires à leurs condisciples. Quant aux petits, Phyllis et Betsy se chargeaient de leur faire la lecture. Ceux qui avaient reconnu Emily se pressèrent autour d'elle, mais ces temps derniers elle n'avait guère la tête aux souris dans les garde-manger ou aux aventures des merles. Elle prit un livre dans la pile de ceux qu'elle avait apportés et leur lut les exploits d'un chaton nommé Thomas Sarcelle.

— Encore ! Encore ! crièrent-ils.

Elle continua tout en écoutant du coin de l'oreille les voix des grands qui lisaient à côté *Le Livre de la jungle*.

Certains des plus petits s'endormirent. Il faisait très chaud. Cette après-midi délicieuse suivait doucement son cours, que vint interrompre une jeune fille chargée de gâteaux, de biscuits et de lait de la ferme. Mr Redway arriva et s'assit à côté d'Emily et Mary pour regarder.

Il semblait à Emily que l'atmosphère détendue et amicale de cette école était précisément ce qui manquait à ses propres établissements. Entre deux lectures, elle déclara tristement :

— Les projets ne tournent pas toujours comme on l'aurait espéré.

— Que voulez-vous dire ? demanda Mary.

— Cette école vaut mieux que toutes celles que j'ai créées.

— Mais, Emily, comment pouvez-vous les comparer ? Vous voyez bien que nous nous connaissons tous, ici.

— Est-ce ce qui fait la différence ? Je me le demande. De plus, aucun enseignant n'a de diplômes, mais j'ai l'impression que Phyllis et Betsy s'en tirent très bien.

— J'apporte aussi parfois ma contribution, observa Mr Redway. Et n'oubliez pas Bert et Alfred.

— Je sens que j'ai manqué quelque chose. Notre organisation a un défaut.

Mary, qui avait vu toutes les écoles sauf les deux dernières ouvertes dans les Midlands, affirma :

— C'est absurde, Emily. Tout le monde essaie d'imiter les écoles Martin-White. Il faut que vous en ayez conscience.

Emily se tut, car elle ne savait comment exprimer son sentiment. Peut-être aurait-elle pu dire qu'elle avait trouvé ici une sorte de famille, où chacun était lié aux autres et où régnait une bienveillance – mais était-ce bien cela ? En fait, c'était ce qui lui avait manqué partout où elle avait vécu, sauf à Longerfield.

Emily aperçut Bert et Alfred qui s'avançaient parmi les enfants massés près de l'arbre. Dès qu'il la vit, Bert rebroussa chemin, et Alfred le suivit.

— Bert est bizarre, non ? dit-elle à Mary non sans malaise.

— Oui, très, approuva aussitôt Mary. Nous nous demandons tous ce qui se serait passé si Alfred et Betsy – et aussi Phyllis, bien sûr – n'avaient pas été si merveilleux avec lui.

Comme il se faisait tard, les enfants les plus petits partirent avec les plus grands. Phyllis, Betsy et deux filles venues de la ferme se mirent à desservir la limonade et le lait. Emily et Mary firent mine de les aider.

— Non, sauvez-vous ! dirent les « épouses » à Emily. Mais nous espérons que vous n'avez pas été trop choquée par nos manières campagnardes.

Emily les assura qu'elle n'avait aucun sentiment de ce genre, mais elle était incapable de dire en fait ce qu'elle ressentait.

Elle et Mary quittèrent l'école et traversèrent l'ombre profonde du frêne, où quelques enfants jouaient encore. Bientôt elles baignèrent dans la lumière dorée du couchant.

— Il semble que pas mal de cottages soient vides, remarqua Emily.

— Avec les nouvelles machines, on n'a plus besoin d'autant de personnel dans les fermes.

Elles virent ces fameuses machines alignées dans un grand champ, où elles projetaient des ombres noires et nettes.

Plus loin s'étendait une vaste mare, où une douzaine de chevaux se tenaient dans l'eau qui leur arrivait jusqu'aux jambes, voire jusqu'aux flancs.

— La ferme des Redway emploie deux fois moins de gens qu'avant, reprit Mary. Et c'est la même chose dans toutes les exploitations des environs.

Elles s'arrêtèrent pour regarder les chevaux heureux de s'ébattre dans l'eau fraîche, puis reprirent leur chemin à travers des champs rouges de poussière.

— Les plaisantins disent qu'il y a plus de terre de Longerfield dans l'air que sur le sol.

— N'est-ce pas ennuyeux ? demanda Emily.

— De toute façon, il semble que nous n'y puissions rien. Cela préoccupe les vieilles gens comme moi, mais les jeunes ne paraissent même pas s'apercevoir de ce qui se passe.

Elles croisèrent plusieurs garçons, lesquels arboraient tous des insignes annonçant : « En surplus ».

Au dîner, la conversation tomba sur ces jeunes hommes qui s'en allaient à Londres chez des recruteurs pour s'engager dans les guerres en cours en Amérique du Sud, en Afrique et dans diverses régions d'Asie.

— Au moins, on ne se bat pas ici, observa Mary.

Les parents de Longerfield craignaient pour leurs fils désireux de devenir soldats. Emily l'interrogea sur les garçons d'Alfred et Betsy.

— Ils sont encore un peu trop jeunes... mais plus pour longtemps.

Le lendemain matin, Mary appela Emily pour lui montrer par la fenêtre deux silhouettes sur l'allée. C'étaient des garçons grands et robustes, qui occupaient tout l'espace au-dessous des arbres. Avançant d'un bon pas, ils se renvoyaient l'un à l'autre une balle de cricket.

— Si vous étiez recruteur et que ces deux-là venaient vous voir en prétendant avoir dix-huit ans, vous le croiriez ?

— Oui, si cela me convenait, répondit Emily.

— Mais ils n'ont même pas seize ans. À force de s'occuper des chevaux, ils deviennent tellement musclés qu'ils paraissent plus vieux que leur âge. Leurs parents n'y peuvent rien. Bien sûr, ils adorent les chevaux.

Les choses s'étaient passées ainsi. Cela faisait des années que Bert demandait à son père d'élever des chevaux, qui étaient sa passion. Mr Redway répondait qu'il n'avait pas envie de se mettre ce souci sur le dos alors que l'agriculture était de toute façon en crise.

Puis Alfred déclara à Mr Redway qu'avoir des chevaux ferait du bien à Bert.

— Vous comprenez, ce serait un domaine à lui, dont il s'occuperait lui-même.

Il n'avait pas besoin d'insister sur le fait que Bert n'avait aucun rôle déterminé dans la ferme. Comme Bert le disait lui-même en plaisantant, heureusement qu'il avait fait des enfants, pour montrer qu'il était bon à quelque chose.

On remit en état des écuries abandonnées et on installa un terrain de courses. Dès lors, il devint impossible d'empêcher les garçons de se consacrer aux chevaux et à leurs besoins. Certaines filles n'étaient pas moins fascinées par eux.

Cependant il arriva à Alfred de déclarer que la réalisation du rêve de Bert lui valait quelques nuits blanches. À force de travailler pour les chevaux, de les nourrir et de les entraîner, tous les garçons de la ferme devenaient de plus en plus vigoureux, comme des valets d'écurie, ce qu'ils étaient en réalité.

— Pauvre Alfred, pauvre Betsy ! déclara Mary. Tout le monde les plaint. Une bonne partie de nos jeunes gens sont déjà partis faire la guerre, et plusieurs filles se sont engagées comme infirmières.

Ce soir-là, tandis que le soleil s'épanouissait en rougeoyant sous son voile de poussière, Mary tendit un chapeau à Emily et elles allèrent voir les chevaux. Il sembla à Emily que tous les gens qu'elles connaissaient se trouvaient ici, massés derrière les barrières ou occupés à conduire les chevaux à la grande mare.

Alfred attendait à l'endroit où les chevaux arrivaient après un galop. C'était un homme imposant, qui n'avait rien d'un poids léger. Il se tenait à côté d'un grand cheval noir, qu'il venait de monter et dont il caressait l'encolure et les oreilles. Ses yeux étaient fixés sur un homme à cheval qui se dirigeait vers eux à toute allure dans un nuage de poussière. Emily s'aperçut qu'il s'agissait de Bert. Jusqu'alors, elle avait toujours vu ou entendu une ombre de désapprobation sur le visage ou dans la voix des gens qui parlaient de lui. Jamais elle n'aurait imaginé qu'il pût être ainsi souriant, à l'aise, sûr de lui. En approchant d'Alfred, il fit faire volte-face à sa monture, sauta à terre et enjamba d'un bond la barrière afin de le rejoindre.

— Record battu, dit Alfred. Bravo ! Alors, tu vas à Doncaster la semaine prochaine ?

— Ce serait aussi bien, répliqua Bert en s'inclinant légèrement, d'un air ironique, à l'adresse des garçons d'écurie, des enfants et des quelques parents qui l'applaudissaient.

C'était donc là Bert, se dit Emily. Qui aurait cru qu'il pourrait un jour être ce héros savourant les cris d'approbation du public ?

« C'est exactement ce qui m'est arrivé, songea-t-elle alors. D'un seul coup, j'ai découvert que je savais raconter et les enfants ne me lâchaient plus... "Encore, Emily. Continuez votre histoire !" »

Elle regarda Bert en souriant, réconfortée par la chaleur de sa propre approbation pour lui. Il l'aperçut et s'inclina aussi dans sa direction.

Mais quand il fixa ses yeux sur elle, son expression devint ouvertement moqueuse. C'était à cause de sa tenue : elle devait prendre le train dans une heure et était habillée pour Londres, pas pour Longerfield. Elle portait une veste et une jupe en lin bleu foncé, et sa ceinture et son col blancs étaient rougis par la poussière. Elle essaya de les brosser, ce qui ne fit qu'empirer les choses.

Bien qu'elle eut l'air embarrassée, elle ignora Bert et déclara à Alfred :

— Je n'oublierai pas ce que vous avez dit. Je vous ferai envoyer directement les livres.

— Merci, lança-t-il en lui souriant à sa manière franche, qui lui donnait l'impression qu'il s'adressait vraiment personnellement à elle.

C'était là cette bienveillance qu'elle cherchait en vain partout sauf ici, qu'elle avait toujours regrettée sans même le savoir.

Alfred était un homme bon, et digne de confiance. Son visage s'assombrit et ses yeux se troublèrent car il regardait maintenant ses deux garçons si grands déjà, qui faisaient tellement plus que leur âge. Tous deux menaient un cheval par la bride. Ils enfourchèrent leurs montures d'un bond, bien qu'elles ne fussent pas sellées, et s'éloignèrent en se contentant de s'agripper aux rênes.

Cette fois, les yeux d'Alfred étaient pleins de larmes.

— Enfin, dit-il en s'efforçant de parler d'une voix ferme, je suppose que Mary vous a parlé de nos soucis. Il n'est guère réconfortant de savoir que la plupart des parents ont les mêmes inquiétudes, dans les environs.

Il franchit une petite porte et se hissa d'un bond sur sa monture imposante.

— À bientôt, j'espère ! dit-il à Emily.

Et il s'éloigna au trot, accompagné de Bert.

Comme toujours, Emily quitta Longerfield avec tristesse. Elle se surprit à penser qu'elle pourrait se retirer là-bas, acheter une petite maison près de chez Mary afin de n'avoir plus jamais à repartir. Prendre sa retraite : elle était elle-même stupéfaite d'avoir de telles idées. La fondation marchait si bien, des foules de gens leur proposaient leurs services, leur donnaient de l'argent... Mais c'était justement le problème. Emily McVeagh avait été indispensable pour lancer l'entreprise, mais à présent tout pouvait très bien continuer sans elle. Fiona ne serait pas moins efficace... Elle allait tout de suite se rendre chez Fiona. Il lui semblait que la jeune femme était un vrai cadeau du destin. Emily avait son appartement de Beak Street, et pouvait toujours séjourner chez Daisy, mais elle avait perdu sa chambre dans sa propre maison. Même si Fiona n'avait rien dit, il était évident qu'elle avait besoin de cette chambre pour la nounou, qui devait commencer son travail ce jour même. Fiona avait mis deux enfants au monde, apparemment sans le moindre effort, et cela n'avait rien changé à sa collaboration avec Emily. Elle ne pouvait toutefois plus se passer d'une nounou. Emily voulait voir comment les choses fonctionnaient. Du reste, elle adorait assister au coucher des petits.

Elle alla droit à la chambre des enfants, qu'elle avait jadis partagée avec William. Fiona était assise près d'un feu brûlant avec entrain. Sa première petite fille s'accrochait aux barreaux de son lit pour regarder sa mère allaiter le nouveau bébé.

Emily voulait connaître l'opinion de Fiona sur ce qui s'était passé à Longerfield. Elle se disait que la jeune femme lui permettrait d'y voir plus clair. En fait, Fiona était tellement en accord avec elle sur tous les sujets qu'Emily avait besoin d'avoir, en quelque sorte, sa confirmation pour pouvoir affronter les critiques « des aristos et des évêques », dont la plupart semblaient d'ailleurs apparentés de près ou de loin à la jeune femme.

Elle regarda Fiona qui tenait le bébé avec tant d'assurance. Son sein blanc, rond et gonflé semblait révéler un aspect nouveau chez elle, qu'Emily ne connaissait pas. La jeune ambitieuse lui était familière, avec son intelligence pleine de vivacité, son impatience face aux revers et aux obstacles. Cette chair si douce évoquait d'autres capacités. Emily lui parla de sa visite à Longerfield, en prenant son temps et en observant le visage de Fiona. Son expression lui montra qu'elle avait tout de suite saisi ce qu'avait dit Emily. Celle-ci n'eut qu'une fois dans son récit l'impression de ne pas réussir à se faire comprendre : quand elle évoqua le moment où elle était assise dans l'école avec tous ces enfants et avait eu le sentiment d'une plénitude, qu'elle aurait aimé partager avec Fiona.

La jeune femme ne la quitta pas des yeux pendant qu'elle parlait. Alors qu'Emily arrivait au terme du récit de sa visite à l'école, Fiona prouva qu'elle avait perçu ce que son amie n'avait pas dit, ou senti qu'elle aurait peut-être aimé en dire davantage, en déclarant :

— Il faudra que je vous accompagne à Longerfield, un de ces jours, car vous en revenez toujours si... satisfaite.

— Satisfaite ?

— Oui. Mais un autre point me paraît important. Chaque fois que nous installons une bibliothèque pour une école, on nous réclame des livres pour adultes.

Emily lui énuméra les romans qu'Alfred avait demandés, en ajoutant quelques-uns auxquels elle avait songé depuis.

— Il semble bien que nous devrions avoir un budget séparé pour ce genre de livres, observa Fiona.

— Les bibliothèques ne manquent pas, mais si nous pouvions en créer chez nous des petites ou même simplement proposer des listes d'ouvrages, j'ai le sentiment que les gens sauraient quoi demander dans les bibliothèques municipales. Ils ne savent pas ce qui existe, vous voyez, ce qui est disponible.

— Je connais la personne qu'il nous faut ! s'exclama Fiona. Elle meurt d'envie de travailler avec nous. Elle s'appelle Jessie et je vais lui en parler. Non, elle ne veut pas être payée.

— C'est un des avantages des aristos, dit Emily.

— Travailler... les pauvres. On voit partout des femmes perdre la tête, chercher à tout prix à travailler.

Le bébé sembla tomber doucement du sein de sa mère, auquel il était resté attaché comme une bernique à son rocher. Il reposa étendu sur les genoux de Fiona, les mains recroquevillées, les yeux fermés. Fiona baissa les yeux sur son nourrisson repu. Des gouttes de lait s'échappaient de son sein gonflé. Une chatte noir et blanc miaula à côté du feu. Ramassant prestement une soucoupe posée par terre, Fiona y fit tomber un peu de lait. Elle reposa la soucoupe près de la chatte, qui parut aussi ravie que le bébé. La petite fille dans son lit s'affaissa en arrière et resta couchée, silencieuse, en plissant ses yeux ensommeillés.

— Tout le monde est rassasié, déclara Fiona. La chatte était avec nous bien longtemps avant Rosie. Comme elle était jalouse, j'avais peur qu'elle ne fasse du mal à la petite. Un jour que j'avais fini d'allaiter, la chatte a sauté sur mes genoux et léché mon sein. Depuis, je lui donne des soucoupes de mon lait et elle n'est plus jalouse.

— Je me demande si elle se prend pour un bébé ou un chaton.

— Il ne faut pas que Miss Burton me voie lui donner mon lait, en tout cas.

Prenant une voix prétentieuse, elle déclara :

— « Cette chatte va avoir des idées de grandeur. Ce n'est pas raisonnable. » Elle a déjà dit à la cuisinière que j'étais une vraie bohème, mais qu'elle pensait pouvoir me ramener à la raison.

— Je regrette que vous ne puissiez m'accompagner en Écosse, dit Emily.

— Moi aussi. Enfin, le règne de la nounou ne sera pas éternel.

On frappa à la porte. Une grande femme imposante entra et dit à Fiona :

— Donnez-moi le bébé. Je vais le garder cette nuit. S'il se réveille, je lui donnerai un biberon. Quant à vous, il faut vous coucher de bonne heure. Vous ne tiendrez pas le coup si vous ne dormez pas.

C'est ainsi qu'Emily découvrit l'austérité du règne de la nounou. Miss Burton prit dans ses bras le bébé endormi, couvrit d'une couverture la petite fille puis s'en alla, tandis que Fiona bâillait à la lueur du feu.

On frappa derechef. Cette fois, c'était la cuisinière.

— Le dîner est servi, annonça-t-elle.

Elle connaissait Emily, à qui elle dit :

— J'ai mis un couvert pour vous, madame.

Les deux femmes descendirent l'escalier.

Dans la salle à manger, où une petite table ronde complétait l'énorme table de l'époque d'Emily, Cedric bâillait dans un fauteuil.

— Nous avons l'ordre d'aller nous coucher, Cedric, déclara Fiona.

— Tante Emily, dit-il, merci de nous avoir laissé votre chambre. Si nous n'avions pas Miss Burton pour veiller au grain, je ne crois pas que nous pourrions survivre.

Il s'assit à table, à côté de Fiona. Le repas fut servi, cependant les convives manquaient d'appétit.

— Je n'ai pas besoin de manger, affirma Cedric, mais il faut que la pauvre Fiona fasse un effort.

— Toi aussi, tu dois faire un effort, dit Fiona. Je suis sûre que Miss Burton ne tolérerait pas que tu ne touches pas à ton assiette.

Il avala quelques bouchées avant de battre en retraite sur le canapé vert qu'Emily avait tant aimé autrefois. Il resta assis à bâiller. Fiona mangea comme si Miss Burton la surveillait et termina sa sole aussi consciencieusement qu'un médicament. Puis elle rejoignit Cedric, qui l'enlaça.

— Je suis certain que vous avez déjà compris la situation, tante Emily, dit Cedric. Si nous voulons un troisième enfant, Miss Burton est absolument indispensable.

— Et vous voulez un troisième enfant ?

— Ce n'est pas encore décidé, répondit Cedric en embrassant Fiona.

Emily eut l'impression que Miss Burton n'aurait pas approuvé ce baiser, ni ceux qui suivirent.

« Ils ne sont pas trop fatigués pour flirter, songea-t-elle. Si les couples mariés se mettent à se conter fleurette... Enfin, ce n'était certes pas le cas pour William et moi. »

— Cela dit, reprit Cedric, si nous n'avons pas assez d'énergie pour monter nous coucher, est-il vraisemblable que nous en ayons assez pour un troisième enfant ?

Fiona murmura quelque chose. « Une plaisanterie », pensa Emily. Cedric éclata de rire et fit une remarque qui bravait manifestement l'honnête, mais qu'Emily ne saisit pas vraiment.

Les deux jeunes gens semblaient s'assoupir dans les bras l'un de l'autre, tout en échangeant des baisers. C'est alors que survint Miss Burton, qui les considéra d'un œil sévère.

— Vous avez vraiment besoin d'aller dormir un peu, tous les deux, déclara-t-elle.

Elle ajouta à l'adresse de Fiona, d'un ton comminatoire :

— Vous allez perdre votre lait.

— Et moi, qu'est-ce que je vais perdre ? s'enquit Cedric avec sérieux. Bon. Lève-toi tout de suite, Fiona.

Il la hissa sur ses jambes et elle resta appuyée contre lui, déjà à moitié endormie.

— C'est bien, dit Miss Burton.

Elle fit un signe de tête à Emily et sortit.

— Bonne nuit, Emily, murmura Fiona.

— Bonne nuit, chère tante Emily, dit Cedric.

Et le jeune couple quitta la scène.

Emily jugea que le sommeil n'était pas leur priorité immédiate.

Après avoir trouvé un taxi, elle se rendit à Beak Street et resta étendue sans dormir, en réfléchissant au moyen de faire parvenir rapidement à Alfred les livres qu'il voulait.

Dès qu'Emily entendait parler d'un conteur ou d'une conteuse quelque part, elle allait les voir sur-le-champ. C'est ainsi qu'elle se rendit dans un village près de Stirling, où vivait un certain Alistair McTaggart. Le voyage était long et elle eut le temps d'abattre de la besogne dans le train. Elle n'avait aucune idée de ce qui l'attendait. Certains vieux conteurs se comportaient comme s'ils étaient les gardiens d'un trésor dont les réserves pouvaient vite s'appauvrir si l'on y puisait sans discernement. D'autres acceptaient des invitations à aller dans des écoles raconter des histoires aux jeunes enfants. Le dénommé Alistair était un homme de haute taille, maigre et moustachu, qui déclara d'emblée que rien n'était plus important que d'initier les enfants à la grande tradition. Il était célèbre dans la région, familier de nombreux pubs et convié à maints *ceilidhs* et autres réunions folkloriques. Il proposa à Emily de l'accompagner le soir même dans un pub voisin où il devait se produire.

Du coup, elle allait devoir passer la nuit à Stirling, même s'il lui avait offert un lit dans une pièce guère plus grande qu'un placard, qu'il qualifiait de chambre d'ami, à côté de la pièce principale de son logis. L'étroitesse des lieux ne faisait pas peur à Emily, mais elle s'était dit qu'ils rentreraient tard du pub, qu'il – ou elle – risquait d'avoir trop bu, et que probablement... En fait, le taxi qui devait la ramener à Stirling fut annulé car il était plus que tard et ils étaient tous deux passablement ivres – ils avaient chanté et raconté des histoires jusqu'à l'aube.

Sur l'insistance d'Alistair, elle avait raconté une histoire inspirée par la chatte de Fiona, sauf que le lait dissipant la jalousie était devenu du lait de vache. Elle fut heureuse de s'effondrer sur le lit de son cagibi puis de savourer un énorme petit déjeuner écossais avec Alistair. Il l'invita à rester encore un jour ou deux, mais elle devait retourner à Londres. Elle *devait* partir ? Pourquoi donc ?

Elle parla à Fiona de ce conteur prodigieux, qui tenait en haleine pendant des heures le public d'un pub surpeuplé avec son répertoire de contes traditionnels. Fiona s'arrangea pour faire le voyage et entendre Alistair McTaggart à l'œuvre dans l'école Martin-White d'Édimbourg. À cause de ses enfants, il lui était difficile d'accepter de prolonger son séjour même pour une nuit, aussi reprit-elle à contrecœur le chemin de Londres et de ses devoirs.

Quelque temps plus tard, elle eut une conversation avec Emily. Après avoir dit combien elle avait apprécié Alistair McTaggart et le moment qu'elle avait passé à le regarder et l'écouter avec les enfants, elle déclara d'un ton négligent qu'il lui avait semblé fasciné par Emily – ce fut le mot dont elle se servit. Emily eut-elle conscience que Fiona avait voulu en dire davantage ? Elle parut sur ses gardes et évita le regard de son amie, qui ajouta très bas, de sorte qu'Emily put feindre de n'avoir rien entendu :

— Il vous aime beaucoup, Emily. Vraiment beaucoup.

Emily avait parfaitement entendu, mais elle resta silencieuse, les yeux baissés – avait-elle rougi ? Puis elle lança en riant :

— Eh bien, moi aussi, je l'aime beaucoup.

Encouragée, Fiona demanda :

— Avez-vous déjà songé à vous remarier, Emily ?

— Vous savez, Fiona, tous les mariages ne sont pas comme le vôtre avec Cedric.

— J'en suis consciente, croyez-moi ! s'écria aussitôt la jeune femme. Je connais ma chance.

— Cedric aussi a de la chance, non ?

— Pas autant que moi.

Emily lui fit comprendre qu'elle avait besoin d'en entendre davantage, et Fiona satisfit son désir avec obligeance en proclamant :

— Il n'est pas facile de trouver un homme bien.

Emily n'avait-elle pas éprouvé elle-même la justesse de cette remarque ?

— Quand je compare avec mes amies, tante Emily, croyez-moi, je me rends compte de mon bonheur.

Fiona continuait de la regarder d'un air interrogateur. Elle ressemblait à une petite fille sérieuse, d'autant qu'elle arborait maintenant deux nattes blondes. Au départ, elle ne se coiffait ainsi que chez elle, mais dès la naissance de son premier enfant elle avait circulé partout avec ses nattes et même de petits nœuds. C'était plus commode : elle n'aimait pas beaucoup les coiffures « turques » ou « serbes ».

En la voyant, ses amies décrétèrent aussitôt qu'une nouvelle mode était lancée. Les « nattes pour la paix » firent fureur, mais Fiona ne daigna pas leur donner son approbation.

— Vous savez, tante Emily, nous pensons – je veux dire, Cedric et moi pensons – qu'il serait prématuré pour vous de choisir la condition de vieille fille.

Emily ne put qu'éclater de rire, mais manifestement elle était troublée. Son visage avait une expression grave et elle finit par demander :

— Mais ne faut-il pas être jeune pour penser à se marier ?

Fiona paraissait en peine de répondre. Cependant elle songeait : « Tante Emily n'était pas vraiment vieille quand elle a épousé l'oncle William. » Et Emily se disait de son côté : « Quel que soit mon âge, je n'épouserais pas William aujourd'hui. » Elle était tout bonnement incapable d'expliquer à Fiona à quel point William l'avait déçue. Elle n'en avait jamais parlé à personne. Apparemment, Fiona discutait de son mariage avec ses amies. Pour Emily, ç'aurait été inimaginable.

— Vous n'avez pas assez réfléchi à la question, Fiona. Vais-je m'installer du jour au lendemain dans un village d'Écosse et renoncer à mon travail ?

Cette fois, Fiona se tut, en partie parce qu'elle venait de comprendre combien Emily lui manquerait.

Elle se hâta de déclarer que de nouveaux orages s'annonçaient avec les aristos. Emily et elle prenaient grand plaisir à leurs éternels conflits, au point de les inventer pour une bonne part. Le problème actuel venait de la réticence des aristos à dépenser autant d'argent pour inviter Alistair

McTaggart à « raconter des contes à dormir debout », pour reprendre leur expression, à Édimbourg, Glasgow et Stirling. Ils regimbaient toujours à donner de l'argent pour les conteurs, qu'ils essayaient d'éliminer des programmes avec un zèle aussi inlassable que surprenant. Fiona et Emily se battirent pour cette bonne cause. Emily n'oubliait pas que tout cet immense édifice d'écoles, de comités et de fondations avait commencé le jour où elle s'était mise à raconter de drôles de petits contes à une poignée d'enfants de Longerfield, après quoi ils l'avaient suivie en foule en l'implorant : « Racontez-nous une histoire. »

Ainsi fut close la discussion sur Alistair McTaggart. Toutefois il envoya des messages où il assurait qu'il attendait avec impatience la prochaine visite de Mistress McVeagh. Elle lui avait dit que son nom de famille indiquait certainement des racines en Écosse, de sorte qu'il l'appelait Mistress, à l'écossaise. Entre Fiona et Emily, il était tacitement entendu qu'Emily passerait à coup sûr plus de temps dans le Nord avec Alistair McTaggart si elle n'était pas si occupée. Comme le lui rappelait Fiona avec un sourire :

— Il vous adore, Emily. C'est vraiment de l'amour, vous savez.

Puis il téléphonait à Fiona pour lui annoncer qu'il espérait voir Mistress McVeagh lors du *ceilidh* de la semaine prochaine.

— Je compte sur vous, disait-il à Fiona.

Et la plupart du temps, Emily était au rendez-vous. Elle fut bientôt connue comme l'amie londonienne d'Alistair McTaggart, qui était elle aussi une authentique conteuse. Tout cela continua fort agréablement pendant un an, deux ans, trois ans – jusqu'au jour où Alistair appela Fiona pour lui dire qu'il n'était pas dans son assiette et lui demander si Mistress McVeagh ne voudrait pas venir s'occuper d'un pauvre malade.

Emily partit aussitôt et le trouva brûlant de fièvre, trempé de sueur, secoué de quintes de toux. Il était vraiment souffrant. Elle informa Fiona par téléphone qu'elle devait rester pour veiller sur Alistair, car elle avait déjà appelé le médecin et ce dernier avait estimé comme elle que Mr McTaggart était au plus mal. Une nuit, elle le découvrit à l'agonie, trahi par son cœur. Quand il fut mort, elle prévint la fille du défunt pour qu'elle s'occupe des funérailles. Elle-même repartit pour Londres en pleurant. Elle dut revenir toutefois en Écosse afin d'assister à la cérémonie.

Les gens qu'elle retrouva à cette occasion lui assurèrent qu'ils seraient toujours heureux de l'accueillir, et elle pleura de plus belle. Elle déclara à Fiona qu'elle ne faisait plus grand-chose d'autre.

— Et pourtant je n'ai rien d'une pleureuse ! protesta-t-elle.

À peine Alistair McTaggart venait-il d'être enterré que Daisy téléphona pour annoncer que son père était mort. Les funérailles auraient lieu la semaine suivante.

— Un malheur n'arrive jamais seul, proféra Emily.

Et ces deux morts n'étaient que le début de la série.

Dans l'ensemble, les écoles Martin-White avaient fait leur chemin sans grande difficulté. Aucun ennui grave ne s'était produit, en dehors d'un incendie – mais personne n'avait brûlé et l'assurance, informée par Cedric, avait payé les dommages. Il y avait eu aussi quelques soucis avec des clochards ayant élu pour abri une école en Cornouaille.

Cependant il sembla soudain qu'un quart de siècle de bile accumulée explosait pour souiller le nom, la réputation et même les objectifs des écoles Martin-White. Une enseignante tomba enceinte, et la presse eut vent de l'affaire avant qu'elle ait pu être discrètement étouffée. Les journaux se déchaînèrent : « Un loup déguisé en agneau », « Les écoles Martin-White protègent l'immoralité », « L'amour libre prospère dans la fondation Martin-White ».

Pour une raison ou pour une autre, la morale sévère de l'époque trouva un exutoire dans cette histoire d'une jolie fille nommée Ivy Smith, qui – comme des milliers d'autres avant elle, faisaient remarquer les esprits équitables – n'avait pas attendu d'avoir la bague au doigt pour tomber enceinte. En ce qui concernait la bague, le cas d'Ivy était désespéré : son soi-disant fiancé avait disparu. Il se trouva qu'Emily était alors en voyage en Écosse. Quant à Fiona, elle était en vacances à la campagne avec ses enfants. Daisy se contenta de renvoyer la jeune pécheresse en lui conseillant de s'adresser à un certain couvent. Quand elles l'apprirent, Emily et Fiona dirent à Daisy qu'elle était dure. Fiona alla jusqu'à la qualifier d'hypocrite.

— Nous ne pouvons tolérer des enfants illégitimes dans nos écoles, rétorqua Daisy. N'avez-vous donc pas lu les articles des journaux ?

Les administrateurs – évêques et aristos – en avaient aussitôt rajouté, pour reprendre l'expression de Fiona, et les avaient menacées de démissions, de scandales publics, de lettres au *Times*.

— Nous ne pouvons pas tolérer ça, insista Daisy.

Emily la soupçonna de prendre secrètement plaisir à ces événements. Les gens se souvenaient que Daisy Lane avait passé des années de sa vie à inspecter des jeunes filles en contrôlant non seulement leurs talents d'infirmière mais aussi leur comportement, leur réputation et leur rectitude morale.

— Nous ne pouvons rien faire, déclara Cedric qui désapprouvait totalement la façon dont on avait traité Ivy. De toute façon, nous pouvons être sûrs que la tempête finira par se calmer.

Puis un des journaux les plus avides de sensationnel publia un article sur le sort des jeunes filles recueillies par les religieuses du couvent. « On n'avait pas vu cela depuis Dickens », « Des conditions qu'on aurait jugées inacceptables dans un hospice de l'époque victorienne », et ainsi de suite.

Ivy, qui s'était rendue à Longerfield et était devenue amie avec les femmes de la famille Redway, fut tirée du couvent et invitée à enseigner dans l'école de Longerfield.

— Eh bien, dit Emily à Fiona avec cet humour acide qui n'était pas du goût de tout le monde, l'école de Longerfield compte enfin un enseignant Montessori dans son personnel.

À peine de retour à Londres après l'enterrement de Harold, Emily reçut une lettre de Betsy Tayler et Phyllis Redway, ainsi qu'un mot séparé de Mary Lane.

Emily, je ne crois pas que vous imaginiez le ressentiment, et je dirais même la colère, qu'ont provoqué le renvoi d'Ivy et sa relégation dans cet horrible couvent. Je m'y suis rendue en personne et j'ai écrit une lettre au *Times* sur les conditions qui y règnent. Il est honteux qu'un tel endroit puisse exister et – je suppose – recevoir de l'argent public. Je crois que ce couvent est une fondation caritative. Il me semblerait utile que vous veniez ici expliquer ce qui s'est passé. Je ne puis croire que vous ayez été assez cruelle pour condamner une jeune fille à entrer dans un établissement aussi abominable.

Emily écrivit en réponse à Mary qu'elle n'avait rien à voir avec le traitement infligé à Ivy. Elle comptait sur sa vieille amie pour transmettre ce message aux autres. Malgré tout, même si elle n'était pas personnellement impliquée, elle avait sa part de responsabilité dans cette affaire. Et il y avait encore autre chose qui la tracassait. Lorsqu'elle avait appris que cette fille était enceinte et dans l'incapacité de se marier, elle s'était surprise à penser : « Quel ennui ! Ça tombe vraiment mal. Comment imaginer que tous nos préparatifs puissent échouer à cause d'un bébé... » Ils étaient en train de négocier une extension significative des activités de la fondation en Écosse et au pays de Galles. Un scandale risquait fort de tout faire manquer. Des complications et des difficultés surgissaient soudain alors qu'il n'y en avait aucune auparavant. Un bébé. Rien qu'un bébé. Un « enfant de l'amour », comme on disait... Emily avait fulminé, mais elle avait gardé pour elle sa mauvaise humeur, qu'elle avait cachée même à Fiona. À présent, elle se sentait honteuse. Elle qui avait été folle des bébés de Fiona, comme elle le reconnaissait elle-même, voilà qu'elle regardait d'un œil sévère un enfant illégitime.

Le train de Londres devait avoir du retard : les gens qui attendaient Emily en étaient à leur deuxième, voire troisième, tasse de thé.

Qui étaient ces gens ? Pas Mr Redway, qui avait déclaré qu'il était trop vieux pour s'exciter à propos d'une petite sotte qui avait fait Pâques avant les Rameaux. Il s'était assis dehors sur un fauteuil devant les baies vitrées, bien emmitouflé car le vent était froid. Ivy en revanche s'épanouissait sur le devant de la scène, avec son bébé à côté d'elle dans un couffin. Mrs Redway était morte. Sans doute avait-elle rejoint son Créateur, après avoir répété pendant des années qu'elle était en route vers lui. Alfred était là, presque inchangé. Derrière lui, Bert était devenu un gros homme débraillé, qui tenait sa tasse de thé d'une main tremblante. Betsy, plus imposante que jamais, était assise près de Phyllis, la brune au nez fureteur. Si cette réunion avait eu lieu une semaine plus tôt, l'air suffisant des deux épouses aurait été insupportable. Mais la situation évoluait rapidement.

Ce qui n'avait pas changé, en revanche, c'était l'empressement d'Ivy à raconter son histoire.

— Oh, non, elle ne va pas recommencer ! avait gémi Bert.

Elle venait effectivement de donner son récital, mais ajouta en guise de conclusion :

— Bien sûr, je sais que Mrs Martin-White n'était en rien responsable. Elle était partie filer le parfait amour en Écosse.

Soudain furieux, Alfred lui lança d'une voix vibrante :

— Vous êtes mal placée pour parler ainsi, vous dont l'histoire d'amour n'a pas été une réussite.

— J'ai pourtant été aimée, riposta Ivy en prenant sa propre défense. Mon ami m'a même tellement appréciée qu'il m'a mise dans un beau pétrin avant de me planter là.

Elle se mit à glousser. Cette fille timide avait acquis lors de son expérience au couvent un esprit de rébellion et d'impertinence.

— Emily McVeagh est une vieille amie pour la plupart des gens ici présents, déclara Alfred. Nos liens remontent à avant votre naissance.

Les yeux brillants de colère, Ivy garda le silence. Ses deux principaux soutiens – les épouses – se turent également.

En tirant Ivy du couvent, elles lui avaient promis un foyer chez l'une d'elles.

Ivy était une petite brune aux formes rondes, que Bert avait définie comme une framboise écrasée. Elle portait des chandails rouges pelucheux et des jupes courtes.

Alfred avait averti Betsy :

— Non, elle ne peut pas venir vivre avec nous. Ne fais pas ça, Betsy. Je vais me retrouver au lit avec elle avant même de m'en être rendu compte.

Alfred était un homme excitable et Betsy une femme jalouse. C'était la première fois qu'il en était question aussi ouvertement entre eux. Mr Redway, qui n'avait peut-être pas vieilli à ce point, finalement, déclara qu'on voyait tout de suite qu'Ivy n'était pas farouche.

Comme aucune des deux familles n'était prête à accueillir Ivy, Mary Lane entra en scène. Elle était maintenant seule dans sa maison, ce qui ne lui plaisait nullement. Elle affirma qu'elle serait heureuse d'offrir un foyer à Ivy. Lors d'une rencontre avec Alfred, près de la mare où les chevaux se baignaient, elle lui dit :

— Ne vous en faites pas. Ivy sera mariée avant la fin de l'année.

— Cette fille est un problème, répondit-il à sa vieille amie. Je ne sais pas pourquoi, mais elle me met hors de moi.

Mary savait très bien ce que les hommes avaient contre Ivy. Renonçant à la remarque cinglante qu'elle avait au bout de la langue, elle le rassura :

— Tranquillisez-vous, Alfred. Tout se passera bien.

Les deux fils Tayler, qui étaient maintenant des hommes, étaient revenus d'un nouveau périple à l'étranger. Tom s'enticha aussitôt d'Ivy.

Père et fils eurent la conversation suivante :

— Tom, dit Alfred, cette fille n'a même pas vingt-deux ans. Tu pourrais être son père.

— Je sais, papa.

— Tu tiens vraiment à elle ?

— Oui.

— Dans ce cas, je vais te demander d'attendre un an. Michael et toi ferez d'abord le voyage que vous aviez prévu.

— Quelqu'un d'autre sautera sur l'occasion, objecta Tom avec un large sourire.

C'était exactement ce qu'Alfred espérait.

Ayant appris que leurs époux n'appréciaient pas plus Ivy que ces « vieilles chipies » de religieuses, Betsy et Phyllis devinrent moins belliqueuses. Même Emily, qui avait été à leurs yeux l'incarnation même de la cruauté, avait été excusée par Mary Lane.

C'est dans ce contexte qu'Emily était arrivée, en cette après-midi glaciale. Malgré ses cheveux en bataille et ses joues rougies par le vent revigorant, elle était en fait très fatiguée, ayant passé la matinée à se battre avec des représentants de diverses fondations écossaises.

— Brrr, lança-t-elle brusquement en se frottant les mains. J'avais oublié combien il peut faire froid à Longerfield.

Alors qu'elle tendait à s'épaissir avec l'âge, elle avait perdu du poids en soignant Alistair McTaggart et en affrontant ensuite tant d'épreuves. Elle portait un tailleur bleu foncé avec une fourrure de renard, redevenue récemment à la mode.

— Je me demande si c'est le renard que j'ai tué au printemps dernier du côté des bois, dit Bert.

— Une tasse de thé vous fera du bien, déclara Alfred en se tournant vers sa femme, laquelle s'affairait déjà devant le plateau à thé.

Emily examina l'assistance et comprit que la jolie fille près du bébé devait être la cause de tous ces ennuis. Elle s'adressa à elle en souriant :

— Eh bien, je suis Emily Martin-White. Voici donc l'auteur du délit.

Ivy répondit par un bref signe de tête.

— Tout va bien, Emily, dit Alfred. Mary nous a tout expliqué.

Après avoir songé pendant des semaines à Emily comme à un objet de haine, les deux épouses lui avaient rendu son statut habituel, celui d'une aînée impressionnante qui avait accompli des prodiges d'organisation.

— Mary m'a raconté que ces religieuses vous avaient enfermée dans une cellule avec du pain et de l'eau pour toute nourriture, dit Emily.

— Mais je leur ai rendu la monnaie de leur pièce, assura Ivy avec morgue.

— C'est vrai ! s'exclama Betsy d'une voix excitée.

— Et comment ! renchérit Phyllis.

— Les religieuses ne cessaient de nous répéter que nous étions des pécheresses, reprit Ivy. Elles nous donnaient de la nourriture infecte et nous faisaient laver tout le linge du couvent à l'eau froide, tout ça pour nous punir de nos péchés. Alors je leur ai cité cette parabole, vous savez, la femme adultère.

— Je la connais, déclara Emily, laquelle avait été à l'église tous les dimanches de son enfance.

— Jésus a dit aux hommes qui allaient la lapider : « Que celui d'entre vous qui n'a jamais péché lui jette la première pierre. » Et avant de prononcer ces mots, il s'est penché et a écrit quelque chose avec son doigt dans la poussière. J'ai dit à sœur Perpetua : « Vous êtes-vous jamais demandé ce qu'il a écrit ? » Et elle m'a giflée. Et je lui ai rendu sa gifle. C'est pour ça qu'elles m'ont enfermée.

— Bravo ! approuva Emily en riant.

— Elles m'ont mise au pain sec et à l'eau, alors que j'étais enceinte.

En ajoutant ce dernier détail, Ivy donnait l'impression de renchérir inutilement sur des griefs déjà fort nombreux.

— C'était très incorrect, dit Emily.

Ce mot la hantait. Pendant les longues heures qu'elle avait passées à se débattre avec les représentants des fondations – aujourd'hui l'Écosse, hier le pays de Galles –, ceux-ci avaient répété qu'il n'était pas correct que des établissements aussi exemplaires que les écoles Martin-White emploient des filles-mères.

Elle avait bien vu comme ces porte-parole de la charité publique prenaient plaisir à seriner : « Pas correct. Pas correct. »

À présent elle accordait à son tour en silence que c'était incorrect, très incorrect, en se répétant ce mot comme une de ces phrases ou de ces chansonnettes qui vous harcèlent sans pitié, jusqu'au moment où elle se révolta intérieurement – « Ça suffit, laissez-moi tranquille. »

Alfred était en train de dire :

— Je suis heureux que vous soyez là, Emily, car nous avons besoin de vos lumières. Tous vos conseils seront les bienvenus.

Les deux fils Tayler, qu'on appelait encore les jumeaux, flânaient sur la pelouse s'étendant derrière l'endroit où était assis le vieux Mr Redway. Sachant leur présence requise pour cette discussion, ils attendaient que leur père les invite à entrer. Celui-ci leur fit signe d'un bras énergique, sans quitter son siège. Tom accourut et prit une chaise pour s'asseoir près de la jeune déshonorée, laquelle était rayonnante après toute l'attention qu'on lui avait prodiguée.

Le bébé se mit à pleurer. Ivy le prit dans ses bras et le berça tout en regardant Tom avec un sourire.

Elle n'était pas du tout certaine d'avoir envie d'être la belle-fille d'Alfred. Un point positif, c'était que chacun savait que, à la mort de Bert, Alfred prendrait la direction de la ferme et peut-être même en hériterait. Ivy avait décrété que Bert n'en avait plus pour longtemps. Toutefois, il y avait le problème de l'âge de Tom. Désirait-elle vraiment épouser un homme aussi vieux ? Bien sûr, il était séduisant et ses voyages en avaient fait un homme fort. Mais il n'était pas jeune. Ce n'était plus un jeune homme, au contraire de cet ouvrier agricole qu'elle avait remarqué et trouvé à son goût, et dont le souvenir ne la quittait pas...

— Vous connaissez mes fils depuis leur naissance, déclara Alfred. Que puis-je dire de plus ? Ils ont participé à plus d'une guerre à l'étranger. Ils sont allés jusqu'en Amérique du Sud, en Afrique. Mais c'est à toi de parler, Tom...

Tom prit le relais.

— Voyez-vous, quand on vit ici, on n'a aucune idée de ce qui se passe au loin. Nous n'avons rien d'extraordinaire, Michael et moi, nous avons juste reçu l'enseignement qui est habituel chez nous. Mais en arrivant dans un village au Transvaal, mettons, ou en Bolivie, on se rend compte qu'on sait beaucoup de choses que les autres ignorent. Dans un endroit de ce genre, on paraît un vrai puits de science. Tous les deux, nous avons donné des cours dans de nombreux domaines. Vous n'en reviendriez pas...

— Et si nous avions une infirmière avec nous, pour ne rien dire d'un médecin... l'interrompit Michael.

— Oui. Et pour résumer les choses en deux mots...

Alfred intervint :

— Nous allons fonder un bataillon. L'idée est de supplanter les recruteurs. À l'heure actuelle, quand un jeune veut quitter l'Angleterre, il est aussitôt la proie de ces gens.

— Le bataillon partira avec des médecins dans tous les endroits où cela pourra être utile. Et c'est ici que nous avons besoin de votre aide.

— Vous n'allez pas me demander ma signature ? dit Emily en souriant car ce qu'elle venait d'entendre lui avait beaucoup plu.

— Bien sûr que si, déclara Alfred. En fait, votre compétence nous est indispensable. Nous allons devoir lever des fonds, voyez-vous.

— Je peux vous dire ce que Cedric m'a dit – c'est notre expert. Dans la mesure du possible, contrôlez tout vous-même. Mais cela dépend de la somme dont vous disposez.

— Nous ne sommes pas riches. Cela dit, nous pouvons récolter pas mal d'argent dans la région. Personne n'a envie de voir son fils partir faire leurs sacrées guerres.

— Cedric est l'homme qu'il vous faut, assura Emily. Il réglera tout pour vous.

— L'essentiel, c'est que les jeunes puissent quitter l'Angleterre, dit Alfred. Savez-vous que nous sommes ridicules avec notre satané système de classes, nos stupides accès de moralisme...

Emily jugea inutile de redire qu'elle n'était pas responsable du récent scandale.

— On se moque partout de nous, continua Alfred. Nous vivons dans un petit pays mesquin et insignifiant, et nous ne cessons de nous congratuler parce que nous avons échappé à une guerre. Mais si vous voulez mon avis, une guerre nous aurait fait le plus grand bien. Nous sommes aussi mous et pourris qu'une poire qui a perdu sa fraîcheur.

Ses fils et son épouse commencèrent à applaudir ironiquement ce discours qu'ils avaient trop souvent entendu. Ils se moquaient en riant de la colère d'Alfred, qui s'exclama :

— Vous avez beau rire, je sais que j'ai raison. Si nous avions une guerre – pas pour trop longtemps, bien sûr –, nous perdrions notre insupportable assurance face à n'importe quel sujet.

Emily ne l'écoutait pas. Ivy berçait dans ses bras frais le bébé geignard. Elle souriait, si jolie, se sentant dans son élément dans son rôle d'héroïne. « Quel tableau ! » songea Emily, en regardant les mains minuscules du bébé agripper le chandail de laine de la jeune femme.

Qu'ils étaient mignons... Elle sentit son cœur se serrer. Pourquoi ? Cette tristesse était sans motif, elle en était certaine.

La vue de cette jeune mère et de son enfant tout petit allait une nouvelle fois faire pleurer Emily, si elle n'y prenait garde.

— Je sais que j'arrive à peine, mais vous n'imaginez pas quelle journée j'ai derrière moi, s'excusa-t-elle. Ces gens m'épuisent... Surtout, Alfred, n'oubliez pas de contacter Cedric. C'est indispensable. Non, je vais y aller. Il faut que je me sauve.

Elle donna force accolades et poignées de main.

Puis elle fut de nouveau dans le vent, qu'elle pouvait rendre responsable de ses yeux et de ses joues humides. Après avoir pris congé de Mr Redway, elle s'éloigna.

Elle ne se rendit pas chez Mary, car Daisy était là-bas. La mère et la fille ne s'entendaient guère – en était-il jamais allé autrement ? Emily n'avait pas envie d'assister à une petite conversation aigre-douce.

Daisy prétendait qu'Ivy était récompensée pour sa mauvaise conduite. Ce n'était pas juste. Elle allait vivre dans cette maison et recevoir les soins de Mary. Tout le monde penserait que ce qu'elle avait fait était merveilleusement astucieux. Emily savait que Daisy ne pensait pas vraiment ce qu'elle disait. Elle n'était ainsi qu'avec sa mère. De même, Mary n'était pas aussi sévère en réalité qu'on aurait pu le croire en l'entendant accuser sa fille de dureté, etc.

Emily marcha jusqu'à la gare et entra dans la salle d'attente. Quelques voyageurs attendaient le train de Londres.

Elle s'assit dans un coin et éclata en sanglots.

Quand Alistair était mort, elle avait pleuré en pensant : « Bien sûr, il est normal de pleurer la disparition d'un ami. » Mais cette fois, c'était différent. Elle pleurait parce qu'il avait fallu qu'Alistair quittât ce monde pour qu'elle comprît combien elle tenait à lui. Comment était-ce possible ? Il devait y avoir un défaut en elle. Cet homme l'avait aimée. À présent, elle s'avouait qu'elle aussi l'aimait. Pendant les cinq années qu'avait duré leur relation, il lui avait demandé de cent façons différentes de rester avec lui. Il lui avait écrit de délicieux messages. Et elle ne pouvait effacer le fait qu'il leur aurait été si souvent possible de passer la nuit ensemble – mais elle paraissait incapable de franchir ce pas. Pourquoi ? Elle l'ignorait. Elle était un mystère pour elle-même. Elle n'était certes pas la première femme à rester ainsi à pleurer misérablement sur un banc, le cœur brisé. Mais verser de telles larmes de rage, pleine d'une authentique colère contre soi-même – peut-être est-ce là un phénomène moins courant.

Entre deux trains partant pour la capitale ou en venant, le chef de gare retournait à la salle d'attente où une jeune fille officiait près de la bouilloire remplie d'eau. Ils bavardaient tous les deux, en s'interrompant de temps en temps pour saluer des gens qu'ils connaissaient parmi les voyageurs patientant dans la salle.

Alors qu'elle se tenait la tête dans les mains, Emily aperçut une tasse de thé glissant dans sa direction. Le chef de gare déclara :

— Je sais qui vous êtes. Je suis désolé de vous voir si triste.

Il sortit un flacon de ce qui semblait bien être du whisky, et le lui tendit par-dessus sa tasse de thé. Elle le remercia d'un signe de tête.

— Ma nièce a travaillé dans votre école de Bristol, poursuivit cet homme plein de gentillesse. Elle lui doit tout. Vous avez fait là une œuvre magnifique.

Emily se sentit réconfortée par le thé et le whisky, et elle sourit à son sauveteur. Il lui dit de ne pas bouger quand elle entendrait le train, car il viendrait la chercher lui-même. Effectivement, il la conduisit sur le quai en la prenant par le bras. Après avoir trouvé le chef de train, il lui montra Emily et lui chuchota quelques mots qui assurèrent à sa protégée un voyage confortable jusqu'à Londres.

De retour à Beak Street, elle téléphona à Cedric.

— Vous voilà donc de nouveau parmi nous, Emily ! s'exclama-t-il aussitôt.

— Cedric, j'ai quelque chose à vous demander.

— Je sais quoi. Je suis télépathe, vous savez – non, c'est Fiona. Vous allez me demander combien d'argent vous avez.

— Oui, c'est vrai. Comment Fiona a-t-elle deviné ?

— Eh bien, fort de ma prescience extralucide, j'ai consulté votre compte en banque. Il n'est plus ce qu'il était au temps où William vous a légué une coquette petite somme, mais qui est votre conseiller financier ? Oui, c'est moi, Cedric. Et vous êtes à peu près aussi riche maintenant qu'à l'époque.

— Merci, Cedric. Je pensais qu'il me restait nettement moins.

— Fiona et moi avons aussi discuté de vos intentions. D'après elle, vous songez sans doute à donner à chaque jeune femme en péril une grosse somme, suffisante pour mettre la main sur un mari. Quant à moi, j'ai supposé que vous vouliez ouvrir un foyer. Ai-je raison ? Dans ce cas, vous avez assez d'argent pour acquérir une belle maison et engager le personnel adéquat...

— Dont j'exclurai soigneusement toutes ces horribles bigotes tyranniques...

— Vous ferez bien. C'est ce que j'ai dit à Fiona.

— Je ne croyais pas être aussi prévisible.

— Vous êtes délicieusement prévisible, Emily. Comme les preux chevaliers d'antan, vous voulez redresser tous les torts que vous trouvez sur votre chemin. Cela dit, vous n'avez pas assez d'argent pour créer un empire tel que les écoles Martin-White. Vous pouvez néanmoins mettre sur pied, mettons, trois foyers dignes de ce nom. J'imagine que vous n'avez pas envie de recourir aux évêques et aux aristos ?

— Surtout pas. Ce sera mon argent et je serai seule à décider.

— Qui le ferait mieux que vous ?

— Avez-vous eu quelque communication extra-lucide à propos d'Alfred Tayler et de son bataillon du Bon Samaritain ?

— Alfred m'a téléphoné pour se renseigner. S'ils lèvent eux-mêmes leurs fonds, ils n'auront besoin que d'un comptable. J'en aurai un à lui recommander. Avez-vous trouvé un nom pour vos foyers ?

Emily lui raconta comment Ivy Smith avait cité la parabole de la femme adultère et avait rendu la pareille à la religieuse qui l'avait giflée.

— Très bien, dit Cedric. Malgré tout, vous ne pouvez prendre comme nom La Première Pierre, même si l'on y pense tout de suite. Fiona a déjà suggéré Fille perdue, en référence au poème de Hardy. L'ennui, avec ce genre d'entreprise délicate, c'est qu'on est fatalement tenté de choisir un nom franchement grivois. Mais vous pleurez, Emily ?

— Oui, je ne peux pas m'en empêcher.

— Avez-vous songé à prendre de vraies vacances ?

Elle ne put répondre tout de suite. Depuis qu'elle connaissait Alistair, elle avait pris l'habitude d'aller faire un séjour chez lui quand elle avait besoin de repos.

Elle réussit enfin à articuler :

— Je suis complètement stupide, Cedric, et je viens seulement de m'en rendre compte.

— Heureusement, la plupart d'entre nous ne souffrent pas autant en comprenant leur stupidité, ma pauvre Emily.

— L'ouverture du premier foyer va me donner beaucoup d'occupation. Je n'aurai pas le temps de songer à ma propre sottise.

Ce n'était pas tout à fait vrai. La vision d'Ivy câlinant son bébé obsédait Emily et déchirait son cœur, déjà accablé de chagrin.

Emily avait eu une mère, elle aussi, mais elle était morte. Toute sa vie, Emily avait répété : « Je n'ai pas vraiment eu de mère, elle est morte quand j'avais trois ans. » Emily Flower, sa mère, avait été considérée comme un tel désastre qu'il ne restait pas même une photographie d'elle. Emily Flower n'avait songé qu'aux frivolités et aux plaisirs... Attendez un peu : elle avait eu trois enfants à la suite et avait péri en mettant au monde le troisième. Cela lui laissait-il vraiment du temps pour s'amuser ? Mais une autre question s'imposait à Emily, du coup. Sa mère l'avait-elle jamais tenue dans ses bras, bercée et câlinée comme elle avait vu Ivy le faire avec son bébé ? Emily avait-elle envie d'y penser ? Elle devait au moins décider si vraiment elle voulait y penser. En tout cas, elle ne voulait pas que le chagrin surgisse de l'abîme obscur où il demeurait et s'empare de son cœur comme lors de la mort d'Alistair.

Elle devait admettre qu'alors qu'elle était assise chez Alfred en face de cette fille souriant d'un air de défi, son bébé dans les bras, elle, Emily, avait eu envie de la tuer. Vraiment. Mais pourquoi ? Elle n'avait certes jamais éprouvé un tel sentiment avec Fiona et ses bébés.

— Vous ne devriez pas vous faire trop de souci pour Ivy Smith, dit Cedric. Si jamais quelqu'un est capable de se tirer d'affaire, c'est bien elle.

— Quand elle a voulu se tirer d'affaire avec nous, ça n'a guère été une réussite, n'est-ce pas ?

— C'est vrai. Elle a failli faire éclater la fondation Martin-White. Mais c'était la faute de notre chère opinion publique anglaise, pas la sienne.

— Probablement.

— Pourquoi ne viendriez-vous pas me voir dans la matinée pour que nous mettions tout bien au point ? Vos pleurs ne me gênent nullement. Vous pourrez pleurer autant que vous voudrez.

ALFRED TAYLER mourut à un âge très avancé. On avait toujours vécu vieux dans sa famille.

EMILY McVEAGH vit des gamins qui torturaient un chien et alla leur faire des remontrances. Ils s'en prirent à elle. On estima que sa crise cardiaque était davantage due au choc moral qu'elle ressentit qu'au coup qu'elle reçut à la tête. Elle avait soixante-treize ans. Des centaines d'assistants se pressèrent à ses funérailles.

ÉCLAIRCISSEMENT

On peut se trouver avec des vieillards, ou même des gens en passe de prendre de l'âge, sans jamais soupçonner que derrière ces visages banals se cachent des continents entiers d'expérience. Pour le comprendre, mieux vaut être vieux soi-même ou faire partie de ces enfants perspicaces, dont la sensibilité a été aiguisée par la nécessité de se montrer vigilant, et qui savent qu'un coup d'œil ou un geste insignifiant peuvent constituer autant de mises en garde ou de récompenses. Deux personnes âgées peuvent échanger un regard ou se contenter de dire : « Vous souvenez-vous... » pour indiquer un souvenir qu'il vaut encore la peine de conserver trente ans après. Même un ton de voix, une inflexion chaleureuse ou irritée, peut signifier dix ans d'amour ou d'inimitié. En écrivant sur leurs parents, même des enfants ou des descendants attentifs peuvent passer à côté de trésors.

— Ah, oui, c'était durant cet été où j'habitais à Doncaster avec Mavis.

— Comment ça ? Tu ne m'en avais jamais parlé !

En écrivant sur les vies imaginaires de mon père et de ma mère, je ne me suis pas contentée d'extrapoler ou d'amplifier des traits de caractère, je me suis fondée également sur des inflexions, des soupirs, des regards mélancoliques, des indices aussi infimes que ceux dont se servent les traqueurs émérites.

Il est arrivé plus d'une fois à mon père d'observer en riant, à propos de telle ou telle amie de sa jeunesse :

— Mais j'aimais encore mieux sa mère.

De là est sortie l'intimité d'Alfred avec Mary Lane.

Bert était son ami d'enfance, le compagnon de ses jeunes années. Ils s'amusèrent beaucoup, en partageant des distractions d'adolescents et aussi en se rendant ensemble aux courses.

— Oh, j'aimais tellement les chevaux ! disait mon père.

Il entendait par là les animaux eux-mêmes.

— Bert et moi, nous allions à Doncaster aussi souvent que possible. Malgré tout, je me méfiais. J'aurais pu facilement me laisser emporter par cette ambiance, ces chevaux descendant la ligne droite à toute allure avec leur robe luisant au soleil, leur odeur, leur croupe sur laquelle la main glissait. Mais Bert était moins prudent, là comme ailleurs. Il fallait que je le tienne à l'œil. Il ne faisait pas assez attention à lui.

Un jour à Banket, en Rhodésie, je ne me souviens plus pourquoi, nous avons reçu la visite d'une Danoise. C'était une grande femme rieuse, au teint coloré. J'étais toute petite à l'époque. Je me rappelle que j'étais assise sur ses genoux, serrée dans ses bras, et que je pensais : « Elle m'aime bien, mieux que ne m'aime ma mère. » Et je suis presque certaine que mon père l'appréciait beaucoup. C'est de cette après-midi si lointaine qu'est sortie Betsy, l'épouse d'Alfred. Je me suis plu à lui donner une compagne aimante et chaleureuse.

William, le mari d'Emily McVeagh, sort de la petite photo du grand amour de ma mère, qui était toujours visible sur sa coiffeuse. Étrangement, le cadre en cuir abritait une coupure de journal, non un portrait de photographe ou un cliché pris par un ami. Pourtant elle parlait de lui comme s'ils avaient dû se marier. Il avait un visage sensible, circonspect, à l'image de ces acteurs parfaits pour les rôles d'amoureux trop timides pour avouer leurs sentiments ou si marqués par la mort prématurée de leur premier amour qu'ils en restent à jamais incapables d'aimer une autre femme. Même quand j'étais enfant, je me disais en regardant ce visage : « Eh bien, il aurait été difficile de beaucoup s'amuser avec lui. » Par « s'amuser », j'entendais le genre de distractions dont mon père parlait en évoquant le Londres d'avant-guerre.

Daisy était depuis toujours la grande amie de ma mère. Jusqu'au jour où, après des décennies de lettres entre l'Angleterre et l'Afrique, la Rhodésie du Sud et Londres, elles se retrouvèrent et découvrirent, je suppose, qu'elles n'avaient pas grand-chose en commun. La véritable Daisy ne se maria pas, mais elle appartenait à cette génération de femmes qui ne trouvèrent pas de maris car ils avaient été tués lors de la fameuse guerre qui devait être « la der des ders ».

Dans leur jeunesse, Alfred et Emily avaient tous deux excellé à tirer le maximum de la vie londonienne. Ils allaient au théâtre – mon père adorait le music-hall, tandis que ma mère avait un faible pour les concerts. Ils soupaient au Trocadéro et au café Royal. Quelle énergie ils avaient, l'un comme l'autre : cricket, tennis, hockey, pique-niques, bals, soirées...

Cedric et Fiona, le jeune couple ami d'Emily, m'ont été inspirés par les couples qui se liaient d'amitié avec ma mère bien qu'elle fût plus âgée qu'eux. Elle eut toujours des admirateurs, plus jeunes et parfois beaucoup plus riches qu'elle, qui appréciaient son énergie, son humour, sa perspicacité, son style de vie impétueux. Elle attirait aussi les admirations masculines. Le seul endroit dans l'existence imaginaire de ma mère où j'aie pris de sérieuses libertés, c'est son amitié avec Alistair. Il l'aimait mais elle ne le savait pas, ou peut-être ne voulait pas le savoir. Pour ce passage, j'ai songé à la période suivant la mort de mon père, où mon frère et moi essayâmes de la convaincre de se remarier.

Nous agissions en partie par égoïsme : nous n'avions aucun remords de chercher à écarter de nous sa redoutable énergie. Cependant nous nous faisions aussi du souci pour elle. Elle avait passé de longues années à soigner son mari, sans rien d'autre dans sa vie que cet homme très malade, qui avait besoin d'elle à tout instant. À présent, d'autres hommes voulaient l'épouser. Ses prétendants étaient sérieux, impressionnants – un directeur de banque, qui lui aurait certainement convenu à la perfection, ou encore un riche fermier. Elle aurait pu être enfin débarrassée de ses soucis d'argent, avoir des vacances dignes de ce nom, jouir d'une compagnie. Toutefois elle accueillit nos tentatives non seulement sans enthousiasme, mais comme si ce que nous suggérions était hors de question.

— Mais pourquoi ? demandait mon frère.
— Pourquoi pas ? insistais-je de mon côté.

Son incompréhension finit par nous réduire au silence. Comment pouvions-nous lui proposer quelque chose d'aussi impossible, d'aussi inconcevable !

— Comment pourrais-je épouser quelqu'un d'autre que votre père ? D'ailleurs, je dois me consacrer à mes enfants.

Lesquels étaient adultes et menaient leur vie bien loin d'elle.

Nous allâmes jusqu'à discuter du problème, mon frère et moi, alors que nous n'avions pas vraiment l'habitude de parler sentiments.

— Pourquoi ne veut-elle pas en choisir un ? s'étonna mon frère. Untel, par exemple, c'est un type très bien, n'est-ce pas ? Et pourquoi pas Derek ? Ou Charles ? Je crois qu'il l'aime, tu sais.

(Harry rougit en prononçant ces mots extravagants.)

— Pourquoi ne pourrait-il pas enfin lui arriver quelque chose d'heureux ?

Mais non. On aurait vraiment cru que nous lui suggérions de s'accoupler avec King-Kong.

— Tu sais, essaya encore mon frère d'un air horriblement gêné, tu sais, mère, je crois que Charles t'apprécie beaucoup.

— Vous êtes vraiment bizarres, vous deux, dit ma mère avec brusquerie.

Extrait de
The London Encyclopaedia,
sous la direction de Ben Weinred
et Christopher Hibbert,
1983

Royal Free Hospital,
Pond Street, Hampstead, NW3

Cet établissement fut fondé par William Marsden, un jeune chirurgien, qui conçut l'idée de la gratuité d'accès aux hôpitaux après qu'il eut trouvé une jeune femme à l'agonie sur les marches de l'église St Andrew à Holborn et ne put la faire admettre dans aucun hôpital londonien, car tous exigeaient une lettre de recommandation d'un souscripteur. Le 14 février 1828, Marsden rencontra des membres de la Société des cordonniers dans le Gray's Inn Coffee House, où ils résolurent de fonder le premier hôpital acceptant des malades sans exiger de paiement ou de lettre de souscripteur. L'établissement ouvrit ses portes le 17 avril 1828 sous l'égide du roi Charles IV et avec le duc de Gloucester comme premier président. Depuis lors, il a toujours bénéficié de la faveur royale. À l'origine, il occupait une petite maison en location au 16, Greville Street, Hatton Garden, et ne comptait que quelques lits. Bien qu'appelé familièrement « The Free Hospital », son nom officiel était London General Institution for the Gratuitous Care of Malignant Diseases. En 1837, quand la reine Victoria devint sa protectrice, elle demanda qu'il se nomme à l'avenir le Royal Free Hospital. Durant sa première année, 926 patients furent soignés dans cet hôpital gratuit. La seconde année, leur nombre s'éleva à 1551. En 1832, plus de sept cents malades du choléra y reçurent des soins. Une surveillante et une infirmière furent engagées pour toute la durée de l'épidémie. En 1839, on acheta une nouvelle maison et le nombre de lits passa de trente à soixante-douze.

L'enthousiasme grandissant du public rendit nécessaire l'emménagement dans des locaux plus vastes. En 1843, l'hôpital fut transféré sur Gray's Inn Road, à l'emplacement de l'ancienne caserne du régiment des chevau-légers. Le bail fut signé le 31 août 1843. L'hôpital s'agrandit sur ce nouveau site. L'aile dite Sussex fut inaugurée en 1856, en mémoire du duc de Sussex. En 1877, on commença à y donner des cours et l'établissement devint ainsi un des premiers hôpitaux londoniens à accueillir des étudiants. L'aile Victoria, comprenant un service de consultation externe, fut ajoutée en 1878. Le bâtiment dit Alexandra Building fut inauguré par le prince de Galles en 1895. Parmi les nombreux bienfaiteurs de l'institution, on comptait Lord Riddel, sir Albert Levy, des francs-maçons et plusieurs des corporations de la City. En dehors du principe d'avant-garde qui fut à son origine, le Royal Free apporta une contribution essentielle à deux autres aspects fondamentaux du travail dans les hôpitaux, en ouvrant son enseignement aux femmes en 1877 et en instituant une assistante sociale en 1895.

L'accession des femmes aux études de médecine constitua l'épisode le plus important de l'histoire de l'hôpital. En mettant ses installations à la disposition d'étudiantes, l'établissement marquait l'aboutissement triomphal du combat pour la reconnaissance des femmes que menait depuis plusieurs années un petit groupe de pionnières aussi courageuses que déterminées, sous la direction d'Elizabeth Garrett Anderson et de Sophia Jex-Blake. Jusqu'en 1894, tous les membres externes et internes de l'équipe médicale avaient été des hommes, mais cette année-là Miss L. B. Aldrich-Blake fut engagée comme anesthésiste honoraire. L'année suivante, elle fut la première femme à obtenir son diplôme de chirurgie à Londres. Elle fit par la suite une carrière remarquable de chirurgienne au sein de l'hôpital. En 1901, des femmes furent admises dans l'établissement comme médecins départementaux.

En 1921, il devint le premier hôpital d'Angleterre à posséder un service d'obstétrique et de gynécologie. Entre 1926 et 1930, l'Eastman Dental Hospital, consacré aux soins dentaires, fut construit d'après les plans de Burnet, Tait et Lorne. Le Royal Free fut considérablement endommagé pendant la Seconde Guerre mondiale et perdit un grand nombre de lits.

En 1948, avec la création du National Health Service, le Royal Free devint le centre d'un groupement d'hôpitaux comprenant le Hamsptead General Hospital, l'Elizabeth Garret Anderson Hospital, le London Fever Hospital (Liverpool Road), le North West Fever Hospital (Lawn Road), auxquels s'ajoutèrent par la suite les hôpitaux de New End et de Coppetts Wood. L'Elizabeth Garrett Anderson Hospital se sépara plus tard de ce groupement, tandis que les hôpitaux de Hampstead General, North West Fever et London Fever s'intégrèrent dans la maison mère et son école de médecine pour former le nouveau Royal Free Hospital, qui fut édifié sur son emplacement actuel d'après les plans de Watkins, Gray, Woodgate International. Le premier patient fut admis en octobre 1974 et l'hôpital fonctionna à plein régime à partir de mars 1975. Il fut inauguré officiellement par la reine le 15 novembre 1978. Il compte maintenant 1070 lits, dont 852 dans le nouveau bâtiment, 144 au New End Hospital (New End, NW3) et 74 au Coppetts Wood Hospital (Coppetts Road, Muswell Hill, N10).

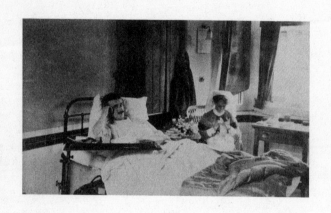

SECONDE PARTIE

ALFRED ET EMILY : DEUX VIES

« Et vaguement, elle percevait une des grandes lois de l'âme humaine : quand l'être reçoit un choc violent qui ne tue pas le corps, l'âme semble guérir en même temps que le corps. Mais ce n'est qu'une apparence. Il n'y a plus que le mécanisme de l'habitude reprise. Lentement, lentement, la blessure de l'âme commence à se manifester, comme une meurtrissure d'abord légère, mais qui, à la longue, enfonce toujours plus profondément sa douleur, jusqu'à remplir l'âme entière. Et quand nous croyons que nous sommes guéris et que nous avons oublié, c'est alors que le terrible contrecoup se fait le plus cruellement sentir. »

D. H. Lawrence,
L'Amant de lady Chatterley.

J'ai écrit sur mon père sous des formes multiples : dans des fragments, longs ou brefs, et dans mes romans. Il apparaît toujours nettement, sans ambiguïté, pleinement lui-même. On peut écrire une vie en cinq volumes ou en une phrase. Celle-ci, par exemple. Alfred Tayler, un homme sain et robuste, fut grièvement blessé durant la Première Guerre mondiale, s'efforça de vivre comme s'il n'était pas handicapé puis fut vaincu par diverses maladies et lorsque arriva la fin prématurée de son existence il implorait : « Vous abrégez bien les souffrances d'un vieux chien, pourquoi ne pas faire pareil avec moi ? »

Cette phrase laisse dans l'ombre des faits remarquables. À Kermanshah, en Perse, il se rendait à cheval à la banque où il travaillait. Je l'ai vu descendre au fond d'un puits de mine rudimentaire dans un seau, d'où sa jambe de bois dépassait et heurtait au passage les parois rocheuses. Lors des courses entre pères, dans l'école de mon frère, il s'élançait en clopinant. Il grimpa à un arbre escarpé pour atteindre une cabane que mon frère et moi avions bâtie dans les branches. Il parcourait la brousse de son pas pesant, non sans faire des chutes, et il escaladait les mottes énormes des champs labourés.

Il appelait l'engin lui permettant d'accomplir ces prouesses sa « jambe de bois », dont un double était posé contre un mur dans la chambre de mes parents. Récemment, la société Burroughs & Wellcome a exposé des exemplaires de sa production passée et présente au British Museum. C'est ainsi que j'ai découvert dans une vitrine, comme une pièce de musée, la jambe de bois de mon père. Elle consistait en un tube évasé en bois où l'on introduisait le malheureux moignon et qui reposait sur une jambe et un pied en métal, le tout étant fixé par d'épaisses courroies. Le moignon était glissé dans des chaussettes spéciales en laine, dont le nombre pouvait atteindre la dizaine suivant le temps qu'il faisait et l'état du membre amputé. Quand il faisait chaud, les chaussettes provoquaient des démangeaisons pénibles. Lorsque mon père fut atteint de diabète et perdit du poids, il combla le vide avec des couches de laine. Le ministère de la Guerre fournissait la jambe de bois et la remplaçait quand elle était usée. On pouvait porter sur le pied des chaussettes et des chaussures ordinaires. Le genou était flexible, en métal. Cet engin n'avait rien à voir avec les jambes artificielles d'aujourd'hui, qui sont légères, bien conçues et capables de tout faire.

Mon résumé en une phrase ne dit rien du diabète, qui fut traité à l'insuline mais sans la subtilité qu'on met en œuvre de nos jours.

En lisant ce que j'ai écrit sur mon père, en me remémorant ses propos, je constate un fait frappant. La médecine a dans l'ensemble tellement progressé qu'il serait sans doute impossible à la plupart des gens d'imaginer combien elle était déficiente à l'époque où mon père fut blessé. Il disait que, sur son lit d'hôpital, des visions d'horreur le hantaient.

— C'étaient des images insoutenables, vraiment atroces. Je me réveillais en hurlant.

Ma mère, qui le soignait, confirmait :

— Je redoutais le sommeil.

Ces mots évoquent une névrose post-traumatique, en un temps où ses symptômes n'avaient pas été identifiés mais n'en existaient pas moins. Une expression telle que « commotion du soldat » suggère bel et bien un traumatisme. Le médecin, que mon père qualifiait de « chic type », laissait entendre que son patient avait eu de la chance d'échapper à ladite commotion.

Aujourd'hui, il existe certainement des médicaments pour traiter ce qui m'apparaît comme une très grave dépression.

— Je me trouvais comme enfermé dans un nuage noir. Impossible d'en sortir. Vois-tu, tous ces hommes de ma compagnie qui ont été tués ou blessés, c'étaient vraiment des types merveilleux. Je ne pouvais m'empêcher de penser à eux. Mon cœur était comme pris dans un étau. J'avais l'impression d'un poids affreusement lourd et froid...

Les gens qui ont fait l'expérience du chagrin peuvent témoigner qu'il serre le cœur et l'accable d'une douleur glacée.

Mais il n'était pas question de médicaments. Est-ce qu'on ne prescrivait pas du bromure ? En tout cas, il n'eut pas l'air de faire beaucoup d'effet à mon père.

À notre époque, s'il avait souffert d'une névrose post-traumatique ou d'une sérieuse dépression, la douleur aurait été émoussée par quelques pilules miraculeuses.

En repensant à cette vie qui fut la sienne, il me paraît maintenant évident que mon père était fortement déprimé en cette période où il déclinait avec une lenteur affreuse. Il est bien connu de nos jours que les vieillards sont sujets à d'épouvantables dépressions. On lui aurait évité le pire grâce à des médicaments. À l'époque, cependant, personne n'émit l'idée que mon père souffrît de cyclothymie ou d'un autre type de dépression nécessitant une prise en charge médicale.

Pendant tout ce qui lui restait de vie, mon père dormit mal. Il rêvait à ses anciens camarades et pleurait leur perte. Bien sûr, le chagrin s'affaiblit avec le temps. Pourtant, attablé devant son petit déjeuner, il déclarait à ma mère :

— J'ai de nouveau rêvé de Tommy.

Ou de Johnny, ou de Bob.

— Il me racontait une blague...

Il avait bien raison ! Les soldats morts à la guerre ne devraient jamais devenir des fantômes courroucés exhibant leurs misérables blessures. C'était un vrai boute-en-train, manifestement, ce Tommy, Johnny ou Bob, et je crois qu'il devait son humour aux dessins de Bairnsfather, très appréciés dans notre maison. Le vieux Bill, archétype du soldat anglais, n'était pas porté sur les plaintes et les lamentations, même plongé dans l'eau jusqu'à la taille au fond d'un trou d'obus ou occupé à échapper tant bien que mal aux projectiles sous une lune étincelante. « La bonne vieille lune brille aussi pour *lui* », proclamait la légende d'un dessin où une jeune fille aux cheveux flottants regardait à la fenêtre de sa chambre, en Angleterre, le clair de lune auquel son amant essayait désespérément de se soustraire, recroquevillé sous le feu des obus. « La bonne vieille lune brille aussi pour... » devint une des phrases favorites de notre famille, enfants compris.

Un exemple. La lune illumine la colline et nous contemplons à nos pieds le grand champ de maïs ondulant dans la clarté, où son étendue verte brille par intermittence. On voit également des silhouettes s'agiter à certains endroits du champ.

— Des voleurs, dit mon père ravi de cette scène si prévisible.

Il prend à témoin la nuit, l'univers :

— À quoi rime d'aller dépouiller des épis de maïs au clair de lune ?

— Ils devraient savoir que la bonne vieille lune brille aussi pour nous, dit ma mère.

Ou encore, mon frère est en pension au loin et ma mère se lamente de son absence :

— La bonne vieille lune...

— Je t'en prie, arrête avec cette rengaine ! s'exclame mon père exaspéré par sa tendance à la sentimentalité.

Elle n'avait jamais compris que ses élans lyriques l'embarrassaient. Nous, les enfants, nous les trouvions abominables. Pourtant certains épanchements sentimentaux peuvent constituer comme un antidote. Ma mère était émue, sa voix se voilait de larmes. Elle était vraiment sincère. Mais si la sentimentalité est insupportable, n'est-ce pas pour la fausse sensibilité qu'elle révèle ? Ma mère pouvait pleurer parce qu'Oates sortait sous la neige – « Ce sera peut-être mon tour un jour » – ou en entendant la sonnerie aux morts grésiller dans notre radio qu'on avait tant de mal à maintenir sur une longueur d'ondes. Néanmoins, quand il fallait accomplir un acte aussi horrible que tuer d'une balle un chien malade ou noyer des chatons, elle le faisait, les lèvres serrées, le visage dur. Elle qui se plaignait sans cesse de la froideur de mon père.

Quand elle tomba malade, peu après son arrivée à la ferme, elle se montra d'un sentimentalisme intolérable. Ce qui m'amène au cœur du problème le plus difficile que je m'efforce ici de comprendre.

Rien de ce qu'elle racontait d'elle-même ou que d'autres disaient d'elle, aucun des faits qu'on pouvait déduire de sa jeunesse extraordinaire, si riche d'activités et de succès, ou de sa carrière d'infirmière, sur laquelle nous avions le témoin le plus fiable en la personne de mon père, ou des années qu'elle passa en Perse, aussi mondaines qu'agréables, rien de tout cela ne s'accorde avec ce que ma mère est devenue.

Rien ne correspond, comme si elle n'était pas une femme mais plusieurs.

Dans mon enfance, ma mère m'inspirait une pitié éperdue, même quand je faisais des plans pour m'échapper (mais comment ? dans la brousse ? pour aller où ?). Je la plaignais car elle ne gardait pas précisément le silence sur ses souffrances. Et c'est ici que nous abordons la question de savoir quand Emily McVeagh en vint à s'apitoyer sur son sort, à se plaindre et se lamenter. Je ne crois pas que c'était dans sa nature. Et pourtant quelque chose en elle devait expliquer ces larmes complaisantes qu'elle versa sur elle-même lorsqu'elle eut une « crise cardiaque » et s'alita.

Considérons un moment cette femme débordant de santé et d'énergie, qui emmena seule deux enfants de trois et cinq ans de Téhéran à Londres, puis en bateau jusqu'au Cap et Beira, puis enfin en train jusqu'à Salisbury, qui aida son mari invalide à choisir une ferme dans une région sauvage, ignorée des cartes et jamais exploitée par l'homme, qui fit bâtir une maison dans des matériaux dont elle n'avait jamais entendu parler, la meubla à la manière des « colons » en teignant des sacs de farine pour en faire des rideaux et en fabriquant tables et armoires avec des caisses de paraffine, le tout de ses propres mains, après quoi son mari et elle attrapèrent à deux reprises la malaria. Peut-être tenons-nous là un début d'explication ? La malaria est extrêmement débilitante. Et une fois installée dans cette maison faite d'herbe et de terre, en la comparant avec ce qu'elle avait espéré, en prenant conscience qu'elle était coincée, elle avait eu une crise cardiaque et s'était alitée.

Cette femme était infirmière. Pendant des années, elle avait exercé dans l'un des principaux hôpitaux du monde. Elle avait soigné les blessés d'une guerre mondiale. Et voilà qu'elle se retrouvait manifestement en proie à une angoisse affreuse, à une véritable panique en voyant qu'elle était prise au piège, qu'il n'y avait pas de porte de sortie. Une crise cardiaque. C'est ce qu'elle déclara. Elle resta allongée sur son lit pendant que mon père se chargeait de défricher la brousse, d'acheter des machines, d'employer de la main-d'œuvre, toutes activités auxquelles il ne connaissait rien, tout en s'occupant des deux enfants avec l'aide d'une veuve alcoolique prétendant jouer les gouvernantes. Cela ne ressemblait pas à ma mère. En fait, elle n'était plus elle-même. Elle appelait ses enfants et leur disait :

— Pauvre maman, pauvre, pauvre maman.

Encore aujourd'hui, je ressens la même indignation qu'à l'époque. J'étais outrée, furieuse, enragée, et bien entendu pleine d'une pitié éperdue pour elle. Était-elle malade ? Assurément, même s'il ne s'agissait pas d'une maladie cardiaque. Elle était malade et elle avait changé. C'était là l'essentiel. Et nous, qu'étions-nous censés faire ? L'embrasser ? La serrer dans nos bras ? Mais elle ne se contentait pas d'exiger que nous la plaignions et pleurions avec elle. Elle ne s'arrêta pas là.

Le directeur d'une scierie installée à cinq kilomètres de là était un admirateur de ma mère. Il lui fabriqua une sorte de pupitre portatif qu'elle pouvait poser sur son lit afin de lire. Je me souviens de cet homme comme d'un de ces hommes qui la trouvaient merveilleuse. Elle entreprit de nous convoquer près de ce pupitre et de nous donner nos premières leçons. Je ne me rappelle pas sur quoi, tant j'étais échauffée et en colère.

— Tu dois veiller sur ton petit frère, dit ma mère d'une voix écœurante de sentimentalité.

Veiller sur mon petit frère était depuis toujours mon fardeau, mon devoir, ma responsabilité, ma fierté. Pourquoi se mettait-elle brusquement à insister sur cette évidence ?

Elle nous raconta plus tard qu'elle était restée alitée pendant un an, mais cela ne dura pas si longtemps. Se sentit-elle obligée de sortir du lit à cause de la gouvernante alcoolique ? Ou parce que cette femme avait un fils de douze ans intenable, qui battait les chats et nous tyrannisait ?

Toujours est-il qu'elle se leva, et j'ai peine à imaginer ce que cet effort lui coûta. Elle disait adieu à la vie qu'elle avait espéré trouver dans cette colonie – quelque chose comme la vallée Heureuse au Kenya (mais si elle avait connu ladite vallée Heureuse, elle en aurait été dégoûtée). Derrière le rideau liberty, une malle abritait les robes du soir, les gants, les plumes, les chapeaux. Dans un sac caché quelque part se trouvaient les cartes de visite qu'elle avait fait imprimer spécialement pour cette vie.

Cependant le piano trônait dans la salle de séjour, dont les fenêtres avaient la forme de hublots, et elle jouait. Elle jouait toute sorte de musique – mais j'ai grandi dans la conviction que l'accompagnement idéal pour Chopin et Beethoven était le martèlement sourd des tambours indigènes.

Avec le recul, je comprends qu'elle se soit effondrée en voyant ce qu'elle avait été et ce qu'elle était devenue. Cette femme geignant dans son lit, implorant notre pitié, ce n'était pas elle.

Mais voilà que je me retrouve en avance ou à côté par rapport à ma propre destinée. C'est qu'il est impossible de comprendre le Temps en restant à l'intérieur de ses frontières. De ses frontières connues – c'est là le problème. J'ai fêté mon cinquième anniversaire sur un navire allemand au milieu de l'Atlantique. À sept ans, j'ai été envoyée dans un couvent. Cela fait deux ans, peut-être un peu plus. Il faut que je fasse entrer dans cette période ce qui suit. Un omnibus conduisit la famille à Salisbury, où les enfants demeurèrent pendant que mes parents se mettaient en quête d'une ferme. Pas dans une belle voiture rapide, mais dans un cabriolet attelé à un poney. Une fois qu'ils eurent trouvé la ferme, malles et enfants les suivirent dans un chariot couvert semblable à ceux qu'on voit au cinéma.

En attendant que la maison soit bâtie et les terres délimitées dans la brousse, notre famille logea chez les Whitehead, qui possédaient une petite mine. Il ne faut pas bien longtemps pour construire des murs de terre et un toit de chaume. Et nous eûmes droit à la malaria – deux fois chacun.

À présent, je dois introduire Biddy O'Halloran, laquelle était censée aider ma mère à s'occuper de ses deux enfants. Aujourd'hui, elle serait une jeune fille au pair. Mes parents la considéraient tous deux comme une source d'ennuis et de contrariétés. Les Parques vigilantes ont dû bien rire en voyant la situation. Biddy était une fille moderne, un concept alors attaqué ou défendu avec virulence. Elle fumait, se coiffait à la garçonne et portait du rouge à lèvres, ce que ma mère ne tarderait pas à faire mais qu'elle trouvait en attendant des plus choquants chez Biddy. Le problème, c'était que mes parents avaient passé en Perse les fiévreuses années de l'après-guerre. Ils avaient manqué le jazz, le charleston, les filles coupant leurs cheveux avec le même *élan*[1] qu'elles mettraient plus tard à brûler leurs soutiens-gorge. Les robes montèrent jusqu'aux genoux, voire plus haut. Les femmes juraient et buvaient, et exigeaient d'être libres de se conduire comme les hommes.

Mon père était lui aussi consterné par Biddy O'Halloran. On voyait sans cesse arriver des jeunes hommes attirés par cette nouvelle venue dans la région. Beaucoup désiraient se marier. C'était indispensable si l'on voulait réussir une carrière de fermier. Mon père alla jusqu'à frapper un garçon qui demandait à parler à Biddy.

— Vous voulez dire Miss O'Halloran, je pense ? avait-il lancé. Mais je suis ici *in loco parentis*. Elle est sous ma responsabilité.

Avait-il des motifs plus ténébreux ? Mon père trouvait-il Biddy « sympathique », comme mon frère et moi disions dans notre langage d'enfants sages ? Ma mère était-elle jalouse de la jeune fille ?

---

1. En français dans le texte.

Durant ses années en Perse, Emily Tayler n'avait fait que s'amuser, au point que mon père avait protesté :

— Je n'avais pas pensé épouser une créature aussi frivole.

En Angleterre, l'existence avait été plus austère. Mais il y eut la traversée en bateau. Elle s'entendit à merveille avec le capitaine, tandis que mon père était malade sur sa couchette. La vie en mer semblait faite pour ma mère. Elle adorait les jeux sur le pont, les bals, les déguisements, tout. Et manifestement le capitaine allemand l'admirait. Elle fut certainement la reine du bal, avec cette malle remplie de robes délicieuses, mais ensuite ce fut la ferme, cette impertinente de Biddy, et tout se gâta très vite.

Je dois à Biddy un des souvenirs qui m'ont le plus marquée.

À la mine, les enfants – mon frère, moi et les Whitehead – dormaient dans une grande hutte. Quatre lits munis chacun d'un long voile blanc : la moustiquaire. Le sol en terre battue était recouvert de nattes en fibres de coco. Le toit était en chaume.

Biddy entre dans la hutte. Elle tient une bougie et regarde autour d'elle en se demandant où la poser. Près de mon lit, une petite table de nuit – une caisse de paraffine peinte. Elle pose le bougeoir dessus et la flamme de la bougie brûle à un centimètre de la moustiquaire, laquelle pourrait s'embraser comme une allumette ou une fusée de feu d'artifice. Ma mère entre juste après Biddy. Elle voit ce qu'a fait la jeune fille. Avec lenteur, comme pour ne pas risquer de provoquer un courant d'air susceptible d'attiser la flamme, elle s'approche, soulève doucement le bougeoir et va le poser sur une table, loin de la zone dangereuse. Ses mains sont crispées sur sa gorge, son visage est livide. Quand elle s'assied ou plutôt s'effondre sur une chaise, elle tremble comme une feuille. Si la flamme avait embrasé ma moustiquaire, le feu aurait aussitôt gagné les trois autres. Rien n'est plus inflammable que cet abri léger de coton blanc. L'incendie serait passé des moustiquaires au toit de chaume au-dessus de nos têtes, et la hutte brûlant avec violence aurait mis le feu à toutes celles qui l'entouraient.

— Que faites-vous là ? demande ma mère à Biddy d'une voix cassée, presque inaudible.

Elle croit entendre les flammes rugir et les enfants hurler, il lui semble que le toit s'effondre sur nous, que des cris s'élèvent des autres huttes...

Ces visions d'horreur se communiquent à moi : je suis déjà consciente du danger et me méfie du feu. Je me mets à crier.

— Qu'est-ce qui ne va pas ? s'exclame aussitôt Biddy.

Elle aurait pu aussi bien tortiller une mèche de ses cheveux avec un doigt chargé de bagues ou chanter quelques notes d'une charmante ballade irlandaise. Cependant la voix de ma mère, pour ne rien dire de mes pleurs, l'avertit qu'il y a un problème.

— Il n'est rien arrivé, finit-elle par lancer d'un ton effronté.

Effectivement.

Mais dans l'imagination de ma mère, tout était en train d'arriver. Elle resta assise à regarder fixement Biddy, et c'est cet instant que je n'oublierai jamais. Elle est déconcertée, incrédule. Ses lèvres sont pâles. Entre les habitants intelligents et prévoyants de ce monde et ceux qui sont dépourvus d'imagination s'ouvre un abîme où nous tomberons peut-être tous un de ces jours. Ma mère ne peut comprendre que Biddy – ou qui que ce soit d'autre – puisse agir ainsi.

— Je crois que je vais aller me coucher, dit Biddy.

Elle sort rejoindre sa hutte. Ma mère reste assise, silencieuse, puis elle enfouit son visage dans ses mains tremblantes et éclate en sanglots convulsifs, incontrôlables.

— Oh, mon Dieu, oh, mon Dieu !

Biddy n'était pas très maligne avec les enfants. Elle raconta à mon frère que s'il ne fermait pas la bouche des sauterelles sauteraient dedans et dévoreraient son estomac. Elle me dit qu'un arbre risquait de sortir de moi comme celui de *Jack et le haricot géant*. Mon frère hurla et eut des cauchemars. L'arbre me parut invraisemblable. Toutefois j'avais atteint cet équilibre merveilleux de la petite enfance qui me rendait capable d'y croire sans y croire. L'arbre était impossible – mais il aurait été si amusant qu'il existât...

Biddy s'en alla et ma mère s'alita. Plus tard, Biddy épousa en Irlande un fils cadet et apparut dans les rubriques mondaines des journaux. C'est vers cette époque que je place la gouvernante alcoolique et son pitoyable rejeton, dans lequel il est si aisé aujourd'hui de voir la victime d'un mariage en faillite. Ma mère se fit envoyer les cours par correspondance édités par le gouvernement. Chaque semaine, les leçons arrivaient par train. Puis j'allai passer un trimestre dans un endroit charmant rempli de personnes agréables. Il semblait que j'y étais depuis des années. Puis je séjournai dans une famille installée près d'une école primaire, l'Avondale Junior School, mais c'étaient des gens méchants et stupides. Ce séjour dura très longtemps. Puis on m'envoya en pension au couvent. Deux ans seulement avaient passé, et encore maintenant je n'arrive pas à tout caser. Tant de gens, d'événements, de drames, la malaria, les travaux de la maison. J'appris à lire sur un paquet de cigarettes : « Regarde, je sais lire ! » Et le couvent. On ne devrait pas exiler loin de chez eux des enfants de sept ans. Cela ne leur fait aucun bien.

Mais même si je me rappelle distinctement les moments difficiles, la femme ivre partageant ma chambre, ma mère éternellement alitée, je me souviens mieux encore d'un délice de mon enfance qui commença à peu près à l'époque où ma mère quitta son lit.

Elle nous racontait des histoires. « Encore... Encore, s'il te plaît, continue... S'il te plaît, encore... » Elle inventait de véritables épopées dont les héros étaient les souris de la réserve, les rats, les chats, les chiens, les poulets de la basse-cour. Ces histoires tournaient souvent autour de la tour d'œufs dans la réserve, que rats et souris convoitaient et dont ils savaient faire rouler des œufs afin qu'ils se cassent et leur deviennent accessibles.

Quelle extraordinaire conteuse ! Elle nous faisait aussi la lecture, et c'était également merveilleux, mais rien ne valait ses propres créations.

Nous sommes maintenant en 1924. Sur le quai, deux petits personnages regardent leurs bagages qui s'élèvent l'un après l'autre et se balancent au-dessus du flanc du navire. Ma mère les comptait un à un ; elle ne parvint jamais à croire que d'autres fussent aussi efficaces qu'elle : « À garder pour la traversée », « Ne pas garder pour la traversée ». À la veille de s'élancer vers leur avenir, ils se doutaient aussi peu de l'existence qui les attendait que les premiers voyageurs se rendant à Jamestown ou plus tard les pionniers du *Mayflower* cinglant vers la côte est de l'Amérique.

Ces malles et ces valises contenaient tout le nécessaire pour la vie qu'ils imaginaient. Mon père avait un attirail complet pour le cricket : il n'avait presque pas joué en Perse, mais cette fois il allait dans une colonie anglaise et le cricket ne pouvait manquer à l'appel. Une malle abritait un équipement de cavalier, qui n'était pas destiné à des chasses au cerf ou au renard, comme en Angleterre, mais simplement aux besoins d'un gentleman qui préférait toujours aller à cheval plutôt qu'à pied. Ses jambes artificielles étaient rangées dans un long coffret en bois. La vie imaginaire de ma mère était plus variée. Pour commencer, une malle renfermait une douzaine de volumes reliés en cuir rouge foncé : toutes les partitions de Liszt, Beethoven Chopin, Grieg, sans oublier la musique populaire, les chansons de music-hall et les ballades qu'on chantait autour d'un piano dans sa jeunesse édouardienne. Une autre malle – « À garder pour la traversée » – était remplie de robes, écharpes, gants, chapeaux, boas, bas argentés, chaussures brochées d'or.

L'ancienne infirmière emmenait son passé avec elle : cathéters, poires à lavement, stéthoscopes, verres gradués. Ces appareils occupaient le fond de la malle, laquelle abritait également l'outillage de maçon dont mon père se moquait si cruellement. Pourquoi s'était-il encombré de ce fatras pour aller en Afrique ?

Elle emportait également une caisse, ou une valise, contenant tout le nécessaire pour faire cours à des enfants : crayons, craies, livres. Cette plénitude, ce trésor céleste, se trouvait donc dès le début à la ferme.

Par où commencer ?

Jardin de poésie enfantine, Stevenson.
La Maison de l'ours Winnie, tout A. A. Milne.

Des albums et des recueils de textes pour enfants. Des livres de lecture de toutes sortes.

C'était la provision qu'elle avait emportée avec elle. À la ferme, elle commanda d'autres livres pour nous. Elle déployait sur la table de la salle à manger le papier à lettres de Croxley, des stylos, un encrier, et elle écrivait avec soin de longues listes d'ouvrages. Elle les adressait à diverses librairies londoniennes, les timbrait, puis le boy prenait l'enveloppe et partait en bicyclette pour Banket, où il la mettait à la poste. Banket ressemblait à bien d'autres postes de brousse de la Rhodésie. La poste était l'édifice le plus important. On y trouvait aussi une épicerie pour les Blancs, une autre pour les Noirs, un boucher. L'« hôtel » consistait en une véranda de brique aménagée en salle à manger avec une demi-douzaine de tables et quelques chaises, ainsi que deux chambres. Il y avait aussi la gare. Et un vrai bar, mais réservé aux Blancs. Se souvenant de la catastrophe qu'avait constituée la découverte de l'alcool pour les peuples de l'Amérique, les autorités interdisaient aux indigènes de boire autre chose que leur propre « kaffir beer ». Ce qui devait bientôt devenir un problème politique.

La lettre partait en train pour Salisbury, où elle était portée à la poste et reprenait le train pour Beira ou Le Cap. Un bateau convoyait le précieux courrier jusqu'à Londres. La lettre était lue. Les

196

libraires faisaient de gros paquets de papier brun attachés avec d'épaisses ficelles. Les paquets partaient en bateau pour Beira ou Le Cap, et faisaient en sens inverse tout le voyage : le train pour Salisbury et la gare, encore un train pour Banket, où ils attendaient dans le bureau de la station que le boy, ou parfois ma mère, vienne les chercher. Quelle joie c'était ensuite de les découvrir sur la table de la salle à manger, ou sur le second lit de ma chambre. Quand je revenais de l'école pour les vacances, ils m'attendaient. Ma mère ne les ouvrait jamais. Et mon frère ? Ça ne l'intéressait pas.

Il y avait un *Journal des enfants*, publié à Londres, contenant des articles d'actualité adaptés pour les enfants, des poèmes, des nouvelles de Walter de la Mare et Eleanor Farjeon. C'était une merveille – des heures de plaisir à chaque numéro. À cette époque, on faisait des découvertes importantes en Égypte et à Our, en Irak. Des magazines retraçaient l'histoire des fouilles, qu'illustraient des photos des trésors. Ma mère les commanda et pendant des jours les pièces au plafond de chaume furent illuminées par les images de Toutankhamon et Néfertiti, les splendeurs du tombeau du jeune pharaon, les objets d'or trouvés à Our.

Alice au pays des merveilles
Le Jardin secret
Le Vent dans les saules
Struwwelpeter
Récits tirés d'Homère
Mythes grecs pour les enfants
Les Sagas pour les enfants
Black Beauty

Biffel le Bœuf – une histoire sud-africaine sur le sort d'un bœuf pendant l'épidémie de rinderpest. Que de larmes j'ai versées !

Jock, chien du veld
Kim
Histoires comme ça
Le Livre de la jungle
Le Mouron rouge
Huckleberry Finn
Peter Pan
La Vie de Cecil Rhodes
La Vie de Florence Nightingale
La Vie de Wilberforce
Les Trois Singes royaux et les *Poèmes* de Walter de la Mare
Longfellow
Les *Contes* de Beatrix Potter
Oncle Rémus
Les Jeunes Visiteurs, de Daisy Ashford

Sambo le petit Noir, mais comme ce personnage ne ressemblait en rien aux Noirs qui m'entouraient, que ce soit dans son aspect, son langage ou son habillement, ce ne fut qu'une fois adulte que je me rendis compte que ce pantin était censé être humain. Il ne faut pas qu'une caricature soit trop éloignée de son modèle.

Il y avait des livres pour enfants venant d'Amérique, dont certains étaient destinés spécialement aux filles :

Louisa May Alcott : *Les Quatre Filles du docteur March*, *Le docteur March marie ses filles*, *Le Rêve de Jo March*
L. M. Montgomery : *La Maison aux pignons verts*, *Anne d'Avonlea*, *Anne dans sa maison de rêve*

Gene Stratton Porter : *Une fille de Limberlost*, *Laddie*, *Le Gardien des abeilles*
Harriet Beecher Stowe : *La Case de l'oncle Tom*
Susan Coolidge : la série des aventures de Katy

Et aussi ces écrivains américains dont l'œuvre ne visait pas spécifiquement un public enfantin, et dont le plus marquant était Ernest Thompson Seton. Il écrivait sur les animaux et je possédais plusieurs de ses ouvrages. *Lobo le loup* était son meilleur livre, le plus mémorable, mais il y en avait d'autres sur des chiens de prairie, un ours, un cerf, un renard argenté.

Jack London : *L'Appel de la forêt*, *Croc Blanc*, *Le Peuple de l'abîme*, *Le Loup des mers*
Les *Poèmes* de Tennyson
La Légende d'Arthur et de la Table ronde
Hans Christian Andersen
Les contes des frères Grimm
Charles Kingsley : *Les Bébés d'eau*

Bizarrement, j'avais aussi reçu un merveilleux livre de contes de fées du Brésil, dont les illustrations d'un romantisme déchaîné me grisaient.

Nathaniel Hawthorne : *La Légende du cavalier sans tête*
Tom Bunyan : *Le Voyage du pèlerin*

La bibliothèque, consistant en caisses de paraffine laquées de noir, contenait tout Dickens, Kipling dans ses reliures souples de cuir rouge, tout Walter Scott, Ruskin. Et des romans en vogue en 1924, comme *Les Amants de la forêt*, de Maurice Hewlett, et un ouvrage aujourd'hui oublié de H. G. Wells, *Jeanne et Pierre*, qui traitaient tous des problèmes d'éducation.

Ce flot de livres entrant dans notre maison en ressortait parfois, car ma mère se plaignait – quoiqu'elle en fût au fond ravie – que les gens la prissent pour une sorte de bibliothécaire. Mon père s'inscrivit à un cercle de lecture en Angleterre afin d'avoir des livres sur la Grande Guerre en Europe. Ouvrages écrits par des généraux, les mémoires de, les vies de, les années de guerre de... Toutes sortes de livres, mais très peu – cela devait venir plus tard – écrits par des femmes. Un ouvrage relatait les aventures d'une femme combattant en Russie, déguisée en homme et parvenant à s'en tirer ainsi jusqu'à la fin de la guerre. Un autre évoquait deux femmes soignant les blessés serbes, et un autre les VAD (Voluntary Aid Workers), un corps de volontaires à l'œuvre en France.

Ces livres de guerre partaient du constat qu'il existe deux types d'anciens combattants : ceux qui ne peuvent s'empêcher de raconter leur guerre et ceux qui n'en disent jamais rien. Cette dernière catégorie peut sembler improbable, mais j'ai rencontré aux États-Unis un homme qui s'occupait – et s'occupe toujours – d'accompagner des soldats de la Seconde Guerre mondiale sur les lieux où ils avaient tant souffert. Il avait découvert ainsi une chose incroyable. Les épouses de ces hommes venaient avec eux, et il s'avérait qu'elles n'avaient aucune idée de ce qu'ils avaient enduré. En fait, elles en entendaient parler pour la première fois en se retrouvant avec leurs maris aux endroits où tout s'était passé.

Mon père appartenait à la première catégorie. Dès mon enfance, j'avais compris que son besoin obsessionnel de parler des tranchées était pour lui une façon de se débarrasser de ces horreurs. J'ai donc eu droit aux tranchées dans toute leur violence. Chars d'assaut, fusées éclairantes, obus et obusiers, rien n'y manquait. Pendant toute mon enfance, j'ai eu l'impression que la nuée sombre dont il parlait était sur moi et m'accablait. Je me souviens que je me bouchais les oreilles, accroupie dans la brousse. « Non, je ne veux pas. Arrête, je n'écouterai pas. » La voix de ma mère ? J'aurais pu écouter, mais c'était au-dessus de mes forces. Le destin de parents qui ont besoin à tout prix d'être entendus par leurs enfants, de leur transmettre une part de leur être, risque fort de se solder par un échec. Le besoin de mon père était, en quelque sorte, légitime. Les tranchées – oui, il fallait bien que j'accepte ce désastre. Mais ma mère aussi avait besoin d'être écoutée. Avec elle, cependant, je m'efforçais d'oublier cette urgence. Ce n'est que plus tard, beaucoup plus tard, que j'ai compris que les épreuves qu'elle avait vécues pendant la guerre la dévastaient de l'intérieur, exactement comme les tranchées ne cessaient de ronger mon père.

Durant toutes les années de la guerre, ma mère soigna les hommes blessés dans les tranchées. Ceux qui pouvaient être sauvés étaient transportés dans des postes de secours locaux avant d'être envoyés en train à Londres ou dans d'autres villes anglaises. Après les grandes batailles, tous les hôpitaux de Londres étaient en état d'alerte pour accueillir les foules de victimes arrivant en ambulance, en camion, voire en charrette. On les déposait le long des couloirs, dans le moindre espace disponible.

— Nous n'avions pas de place, tu comprends, se lamentait-elle. Nous ne savions où les mettre. Les lits n'étaient pas assez nombreux. Ils étaient si jeunes, vois-tu, si horriblement jeunes, ces pauvres garçons. Ils agonisaient. Certains étaient déjà morts en arrivant. Nous faisions ce que nous pouvions. Nous transformions les couloirs en salles de soins. Mais ils mouraient, tu sais, et nous étions souvent impuissantes. C'était ça le pire. Parfois, nous ne pouvions rien faire. Les médicaments ne manquaient pas, encore que nous ayons frôlé la pénurie une ou deux fois. Je me rappelle qu'un jour nous avons été à court de morphine, ç'a été abominable. C'était vraiment une abomination, tu sais...

Et ainsi de suite, les horreurs s'enchaînaient pendant un an, deux ans, trois ans. Sœur McVeagh et sa vaillante troupe d'infirmières.

— Il nous arrivait d'être si fatiguées que l'une de nous s'affaissait et s'endormait pendant qu'elle soignait un malade.

Le récit continuait. Elle avait prodigué ses soins à son époux, Alfred Tayler, qui faillit mourir durant l'opération où on l'amputa d'une jambe, et ainsi de suite. Sans répit.

— C'était ça le plus dur, tu comprends ? On avait l'impression que ça ne finirait jamais. À peine avions-nous donné toutes nos forces après une bataille, comme celle de Passchendaele, il y avait une autre bataille et les blessés recommençaient à affluer. Je crois encore les entendre crier : « Madame l'infirmière ! Madame l'infirmière ! » Oui, je les entends toujours. « Je souffre tant, madame l'infirmière ! Oh, comme je souffre ! »

Et ma mère – je maintiens qu'elle aurait pu devenir actrice – imitait avec un réalisme horrible les voix des malheureux implorant qu'on leur donne de la morphine. Après toutes ces années.

— Le pire, tu sais, le pire, c'était quand ils appelaient leur mère. Ce n'étaient que des enfants, en fait. Je me souviens d'un petit gars de seize ans. Il avait raconté qu'il avait dix-huit ans, mais en réalité... Il est mort en appelant sa mère, et moi...

Et sœur McVeagh, après toutes ces années, pleurait en se souvenant qu'elle avait fait semblant d'être sa mère.

— Je lui ai dit : « Oui, me voici. » Oh, et quand j'y pense...

Elle y pensait, et même beaucoup. Il arrivait que deux vagues d'horreurs de la guerre convergent, et les « Pauvres garçons ! » de ma mère s'élevaient en contrepoint à la litanie des tranchées.

Ma mère comme mon père étaient donc accablés par ce fardeau de souffrance, et ne venez pas me dire, de grâce, qu'une telle douleur, endurée pendant des années, ne laisse pas des traces terribles.

Il m'a fallu des années, oui, des années, pour comprendre que ma mère n'avait pas de blessures visibles, pas de cicatrices, mais qu'elle était tout autant que mon pauvre père une victime de la guerre.

En repensant à ce passé, il est aisé d'y voir maintenant une série d'expériences parallèles : les livres, les récits de guerre, les souvenirs, puis les maladies, aussi bien physiques que mentales. Et plus fort que tout, le fait de vivre dans la brousse. Quel dommage qu'on ne puisse dire à une enfant, une adolescente, qui se sent aussi prisonnière qu'une fille vivant dans une banlieue loin de toute distraction : « Regarde-toi un instant. Réfléchis. Tu as à ta disposition toute la littérature mondiale écrite pour les enfants. Tu peux t'initier à la dernière guerre à travers les livres, sans compter le témoignage vivant de tes parents. Tu écoutes la BBC et tes parents parlent de la politique européenne. Et quand tu sors de ta chambre, tu peux aussi bien tomber sur un porc-épic faisant sa promenade du soir que sur un koudou ou un des énormes serpents de la brousse. Si tu lèves les yeux, tu vois planer au-dessus de ta tête d'innombrables faucons. Combien d'enfants sur cette terre... » Et ainsi de suite.

Dix ans après leur arrivée à Banket – c'est-à-dire peu avant qu'on ne diagnostique le diabète de mon père et que commence sa descente d'abord lente puis accélérée vers la maladie grave et la mort – la ferme était dans une situation critique. Nous étions en plein marasme, en train de perdre notre temps dans une impasse. Rien ne marchait, et c'étaient déjà les discours du genre : « Mais quand nous reviendrons en Angleterre... »

Comment expliquer cet échec ?

Il est si tentant de tirer des conclusions rétrospectives ! Rien n'est plus satisfaisant que le *bien sûr* qui s'impose après coup. *Bien sûr* si vous faites ceci, voilà ce qui va arriver...

Il est si facile maintenant de comprendre que ça ne pouvait pas marcher.

C'était entièrement leur faute, mais comment auraient-ils pu s'en rendre compte ? Il faut d'abord être capable de se voir soi-même dans le contexte des événements, d'envisager cette famille et cette maison, alors qu'on est plongé dans le mythe et les perspectives des « Si seulement... » ou des « Si nous avions su... »

Lors d'un congé, mes parents étaient venus de Perse pour visiter l'Exposition impériale. Le stand de la Rhodésie du Sud présentait d'énormes épis et proclamait : « Devenez riche avec le maïs ! » Vous voulez dire que ces idiots ont cru ce que racontait l'affiche d'un stand dans une exposition ? Mais beaucoup d'idiots l'ont cru, et ils sont partis cultiver du maïs et ont fait fortune. Pendant la guerre, on pouvait gagner des millions avec le maïs que les gouvernements achetaient pour nourrir les soldats et les animaux.

Cependant les gens qui avaient ainsi réussi passaient déjà à la culture du tabac, qui devait elle aussi leur rapporter gros.

Mon père, toutefois, n'avait pas envie de faire fortune. Il voulait juste gagner assez d'argent pour retourner en Angleterre et réaliser son rêve en achetant une ferme dans l'Essex, le Suffolk ou le Norfolk afin de devenir un fermier anglais. Le rêve de ma mère était différent. Elle pensait que diriger une exploitation en Rhodésie lui permettrait de mener la même existence trépidante qu'en Perse, pleine de mondanités et de distractions. Et c'est ici que j'ai le plus de mal à accorder cette « créature frivole » avec la mère que j'ai connue, toujours malade, patiente, consciencieuse, attentive aux besoins des autres comme il convenait pour une dame de l'époque édouardienne.

Le gouvernement de la Rhodésie du Sud invitait d'anciens militaires à venir acquérir des terres et des fermes dans le pays grâce à des prêts du Crédit foncier. Cette opération se faisait sans aucun mystère et personne, en dehors évidemment des Noirs vaincus à la guerre, n'eut jamais l'idée de s'interroger sur son bien-fondé. En installant à demeure des Anglais, on entendait implanter la civilisation blanche et élever le niveau des Noirs. Les Romains pensaient de même, et ç'a été le programme de tous les empires à toutes les époques. Mes parents croyaient en l'empire et en ses bienfaits.

Quel était donc l'obstacle qui devait les empêcher d'être exactement comme leurs voisins et de faire fortune dans le tabac ?

C'était eux-même, leur nature.

Pour commencer, la ferme était trop petite pour pouvoir rapporter vraiment. Il s'agissait une exploitation hétérogène, aux productions diverses : tournesols, arachide, coton, un peu de maïs, un peu de tabac. Pourquoi choisirent-ils cette ferme plutôt qu'une autre des immenses étendues de la brousse ? À cause de la colline sur laquelle s'élevait la maison, d'où l'on voyait à des kilomètres à la ronde.

Quand ils arrivèrent dans la colonie, la saison des pluies allait commencer. Octobre était brûlant.

À Salisbury, la famille fut logée dans une ferme à la périphérie de la ville, dans une « pension ». L'endroit s'appelait Lilfordia. C'était la propriété d'un dénommé Boss Lilford, qui devint plus tard un ami de Ian Smith et fut détesté des Noirs. Comment mes parents se représentaient-ils une « pension » ? Comme une coquette maison du Suffolk ? Il s'agissait d'une dizaine de huttes éparpillées sur un terrain couvert de sable rosé, qu'entourait une haie de poinsettias et d'hibiscus. Comme ils ignoraient l'un et l'autre absolument tout de l'Afrique, ils ont dû être conseillés par un fonctionnaire du gouvernement.

Imaginez la scène. Dans l'une des huttes de terre, ma mère était assise sur une chaise semblable à celles qu'elle fabriquerait d'ici quelques semaines, à partir de caisses de paraffine auquel s'adjoignait éventuellement, si l'artisan était ambitieux, un siège de paille. Mon père avait déjà eu des entretiens au Crédit foncier et au ministère de l'Agriculture.

Ma mère portait une de ses robes liberty.

— En achetant des vêtements, souvenez-vous que le temps n'est pas toujours clément. Mieux vaut choisir du coton et du lin, sans oublier une veste en laine pour les nuits, qui peuvent être froides.

Il se pourrait que le père du fonctionnaire soit arrivé avec la Colonne des pionniers, trente ans plus tôt. Peut-être était-il lui-même un ancien militaire, comme mon père. Il est également possible qu'il soit venu d'Afrique du Sud, comme tant de Rhodésiens, dans l'espoir d'échapper aux « troubles » sévissant dans le Rand, où grèves, bagarres et émeutes étaient endémiques.

Son travail consistait à initier Mrs Tayler aux problèmes de l'agriculture. Il est peu probable qu'il fût ou ait été lui-même un fermier.

— Eh bien, Mrs Tayler, quelle sorte de ferme recherchez-vous ?

Ce jeune homme n'avait aucune idée de ce qui l'attendait.

D'abord, que voulait ma mère ? Vivre avec des gens « sympathiques », du même genre que nous, « de notre milieu » – autant d'expressions dont on usait volontiers à l'époque, sans aucun embarras. En d'autres mots, des membres de la bourgeoisie, qui partageraient les goûts musicaux de ma mère et dont les enfants seraient pourvus des livres que tout enfant devait lire. Employa-t-elle une expression comme « des gens comme nous » devant ce colonial ? Elle en était capable. Si elle l'a fait, il a dû être horriblement vexé.

— Voyez-vous, Mrs Tayler, cette colonie n'est pas vraiment faite pour ce genre de choses, a-t-il peut-être dit ou laissé entendre. Vous allez devoir simplement tenter votre chance.

Cependant c'était la principale exigence de ma mère pour sa vie en Rhodésie du Sud, son vœu le plus cher. Même si l'on ne pouvait avoir les mêmes conditions qu'au Kenya – dont elle ignorait absolument tout –, on devait certainement pouvoir trouver partout des « gens comme nous » ?

Des bourgeois, amateurs de musique, s'intéressant à la littérature et à la politique – en bons conservateurs, bien sûr. Et n'oublions pas l'art.

A-t-elle réellement prononcé ces mots ? C'est peu probable. L'art ? Elle avait emporté avec elle un livre énorme sur les impressionnistes, auquel je devrais plus tard tant d'heures de plaisir. Mais elle se rendait sûrement compte qu'il y avait peu de chances que ce jeune homme eût jamais entendu parler des impressionnistes.

— Mon époux aimerait monter à cheval dans les environs de la ferme, a-t-elle sans doute dit.

Est-ce ce fonctionnaire de Salisbury qui en fait a décidé pour eux ? Rappelez-vous ce *kopje* sur lequel la maison devait être construite. Ils avaient tellement besoin de conseils, mais je ne crois pas qu'ils en aient reçu.

La zone du district où nous habitions était peu propice aux chevaux, car la terre y était lourde – c'étaient en partie de ces sols rouge et noir dont la fertilité est célèbre. Dans ce district, l'équitation était réservée à la région du veld au sol sablonneux. Personne n'avait de chevaux autour de nous, mais pendant un moment il y eut deux ânes et mon père en montait un. Pendant un moment.

L'espoir de rencontrer des « gens sympathiques » fut aussitôt déçu. Les voisins étaient tous des Écossais ancrés dans la classe ouvrière et ma mère ne pouvait les définir comme « de notre genre ». Ils la trouvaient snob, absolument étrangère à leur monde.

Les soirées musicales attirèrent une demi-douzaine de personnes dans tout le district. Ils étaient sympathiques, mais c'étaient aussi des victimes de la guerre. Deux d'entre eux avaient des jambes de bois, un autre était amputé du bras. À quoi s'ajoutait une veuve de guerre.

La taille trop réduite de l'exploitation était un problème. En plus, l'eau manquait. Il n'y avait pas de rivière, et pendant des années il fallut se débrouiller avec trois puits des plus insuffisants.

Quand ils se rendirent compte que la ferme n'était pas rentable, mes parents n'étaient plus en mesure de retourner en Angleterre.

Mon père n'avait que sa pension de guerre. Les mille livres qui constituaient son capital avaient été engloutis en achetant du matériel pour la ferme.

Qu'auraient-ils fait en Angleterre ? La crise qui n'allait pas tarder à éclater répondit à cette question. Ma mère approchait de la cinquantaine quand mon père fut atteint de diabète.

Dix ans après les débuts de la ferme, l'équilibre affectif s'était modifié dans notre famille.

Tout d'abord, mon frère. Ma mère était convaincue que je serais un garçon, elle n'avait même pas choisi de nom pour une fille. Lorsque mon frère vint au monde, elle fut en extase devant lui, ce qui bien sûr ne m'échappa pas.

« C'est mon bébé ! » Il n'y avait rien à y redire quand il était petit, mais elle continua à l'appeler bébé. Harry, son bébé. Jusqu'au jour où il lui dit, à l'âge de sept ans :

— Je ne veux pas que tu m'appelles bébé.

— Mais tu es mon bébé ! gémit-elle pour plaisanter, sûre de son bon droit.

Toutefois mon père intervint.

— Arrête de parler ainsi, commanda-t-il. Ce n'est pas juste pour lui.

Mon frère tint bon. Comme elle s'obstinait à l'appeler son bébé, il feignait de ne pas l'entendre, ne lui répondait pas. Et mon père, si rarement intransigeant dans les histoires de famille, se montra cette fois irrité et inflexible.

Ma mère avait perdu son bébé. Mon père n'avait pas encore succombé à la maladie. Cependant, j'étais là, moi, et c'est alors que commença le combat entre ma mère et moi.

Tant de pages ont été écrites sur les mères et les filles – un certain nombre sont de ma plume. Rien n'a vraiment changé dans ce domaine, comme l'illustre le vieux dicton : « Elle s'est mariée pour échapper à sa mère. » Il me semble que *Les Enfants de la violence* fut le premier récit où un conflit mère-fille était décrit sans aucun ménagement. C'était un livre cruel. Le referais-je aujourd'hui ? Mais ce texte faisait partie de mes efforts pour me libérer. Je dirais que *Les Enfants de la violence* était mon premier roman écrit dans un style direct et autobiographique. Mon premier livre, *Vaincue par la brousse*, était le premier de mes *vrais* romans.

J'ai assisté récemment à la scène suivante. Une actrice avait eu une fille puis un fils. Cette dernière n'avait jamais vu sa mère qu'en femme au foyer, enceinte ou allaitant son bébé, nantie de kilos superflus. C'était sa propriété, *sa* mère. Puis l'actrice retourna sur les planches pour jouer une pièce où elle jetait tous ses feux dans le rôle principal. Le soir de la première, elle emmena sa petite fille. La mère était heureuse de retrouver ce qu'elle considérait comme sa vraie personnalité de femme élégante, séduisante, bien habillée. Assise au premier rang avec son père, la petite fille resta silencieuse, le visage tendu. Après la représentation, un ami bien intentionné lui demanda :

— Tu n'as pas été fière de voir combien ta mère était merveilleuse sur la scène ?

Comme si ses sentiments refoulés pouvaient enfin s'épancher, elle s'écria :

— Elle ? Oh, ce n'était rien, rien du tout. Elle n'est pas extraordinaire, *en réalité*.

La rivalité originelle se montre ici au grand jour, sans faux-semblant.

Je détestais ma mère. Je me rappelle très bien l'apparition de ce sentiment, qu'il est aisé de faire remonter à la naissance de mon frère. Ces mains rudes, impatientes, s'affairant sans gentillesse : j'avais peur d'elles. Et j'avais peur de ma mère, mais surtout de ses forces inconscientes.

J'avais six ans lors de ma première tentative d'évasion. S'enfuir au milieu de la brousse n'a rien à voir avec une fugue dans une grande ville ou un village. Je courus au milieu de la nuit sur le sentier menant à la piste plus importante qui conduisait au poste. Il y avait des animaux dans la brousse, des léopards sur les *kopje*, sans oublier les serpents. Je pleurais et criais de fureur. Je n'avais pas d'argent. Je savais que quand j'arriverais – si jamais j'arrivais – on ne me laisserait pas monter dans un train. Terrifiée, je finis par rentrer docilement à la maison et me couchai sans que personne n'eût rien remarqué. Ce ne fut pas la dernière fois. Ces tentatives étaient des appels au secours, comme lorsqu'on se taillade les poignets ou qu'on fait une overdose. La réaction de ma mère consistait à téléphoner aux voisins afin de leur raconter mes exploits en riant avec attendrissement.

— Elle est allée jusqu'au tournant des Matthew, cette petite sotte !

Jamais il ne lui serait venu à l'idée qu'elle pouvait être fautive. Ce qui m'amène à un vaste sujet, dont je crois qu'il n'a pas souvent été abordé. La médecine et les médicaments ont connu une évolution extraordinaire, mais un changement encore plus important a eu lieu dans les conceptions populaires en matière de psychologie. L'expression « appel au secours » fait partie du vocabulaire ordinaire décrivant les relations entre parents et enfants. Je suis certaine qu'il a toujours existé des « enfants à problèmes », et même des parents à problèmes, mais ce n'est que récemment que cette notion est entrée dans les rubriques des journaux sur l'éducation et sert couramment de critère de jugement.

Mes fugues et la critique virulente qu'elles impliquaient étaient rendues insignifiantes par le rire de ma mère.

Alors que je n'étais guère plus âgée, je lui déclarai qu'elle n'était pas ma mère, laquelle était en fait le jardinier persan – j'avais gardé de lui le souvenir d'une présence gentille et, surtout, juste. Bien sûr, je savais qu'un homme ne pouvait être une mère, mais cette impossibilité était pour ainsi dire annulée par l'urgence de mon besoin. J'en reviens toujours à cette faculté merveilleuse qu'ont les enfants de connaître les faits sans les connaître, de sorte qu'ils peuvent croire à un conte de fées tout en sachant au fond d'eux-mêmes qu'il n'est pas vrai. C'est là une aptitude importante, enrichissante et salvatrice, et un enfant risque fort d'avoir des problèmes s'il ne la possède pas.

Je déclarai à ma mère que je la détestais. Bien des enfants le disent sans qu'il en arrive aucun dommage. Rien ne pouvait affecter ma mère car elle n'était plus qu'une mère, à présent. C'était tout ce que le destin lui avait concédé.

Haïr sans haïr – nous revoilà en plein double jeu mental. Quand je fus envoyée en pension, je regrettai amèrement la maison. Si ma mère ne me manquait pas, comment expliquer cette nostalgie ? C'était que je pensais à la ferme, aux chiens, à mon père, plus tard à mon frère, quand il fut là. Les semaines paraissaient si longues ; alors, je savourais chaque instant de mes vacances – et, pourtant, je n'arrêtais pas de me disputer avec ma mère.

Et tout continua ainsi. Certains diraient que ce n'était rien d'autre que la vie de famille, mais je rêvais de partir, de m'échapper, de m'en sortir.

Puis j'atteignis ma treizième année et un événement heureux se produisit, le meilleur qui me fût arrivé. J'attrapai la rougeole et fus confinée avec une dizaine d'autres filles dans une maison vide, sans surveillance. Nos médicaments et nos repas nous étaient apportés de l'hôpital, et une infirmière venait à peu près chaque jour nous examiner.

À cette époque, la quarantaine pour la rougeole durait six semaines. Nous avions donné notre parole d'honneur que nous n'approcherions aucune personne non autorisée.

Vers la fin, certaines filles rongeaient leur frein, mais quand on est affaiblie et couverte de boutons on n'a guère envie d'être vue. Quelques-unes allaient s'allonger en maillot de bain sur la pelouse et ignoraient avec hauteur les quolibets des garçons venant parfois s'accouder aux clôtures. Cependant des panneaux postés tout autour du jardin avertissaient les imprudents : « Quarantaine pour rougeole. Défense d'entrer. » Quelle période délicieuse ce fut ! Un isolement parfait, une paix sans oppression. J'entrevoyais un état qui pourrait être le mien, celui de la vie tout entière. Nous recevions du courrier. Ma mère m'écrivait chaque jour pour me dire qu'elle organisait des cours particuliers, préparait des leçons à suivre en telle ou telle matière. Ses lettres me mettaient en fureur. Un jour, elle apparut derrière la clôture et se mit à gesticuler : elle avait apporté des paquets de nourriture. Mais nous étions gavées par les excellents repas qu'on nous livrait. Nous n'avions aucun besoin de gâteaux et de confiseries.

Comme toujours, quand je voyais ma mère telle qu'elle était en réalité, une femme solitaire et malheureuse, à l'apparence maladive et aux yeux implorants, je ressentais une pitié éperdue pour elle et j'aurais voulu, oui, j'aurais tellement voulu qu'elle s'abstienne de venir en ville, d'envoyer des provisions, d'écrire des lettres. Nous étions censées faire des devoirs et recevions régulièrement des exercices de toutes sortes, mais je ne me souviens pas que nous en ayons fait aucun. Nous restions là, oisives, à essayer chacune les vêtements des autres – qu'on n'imagine pas les tenues bien conçues d'aujourd'hui : nous n'avions guère qu'une robe, un chemisier, un pantalon. Nous discutions, nous paressions, nous rêvions. Parmi toutes les chances que j'ai eues dans ma vie, cet accès de rougeole occupe une place privilégiée. Il fallut bien qu'il se termine, toutefois. De retour au collège, j'eus une conjonctivite. Mes yeux rouges me valurent d'innombrables plaisanteries, mais cela n'avait rien de drôle. J'avais l'impression de devenir aveugle. Puis les vacances arrivèrent et je quittai le collège à jamais, sans en avoir conscience ni comprendre pourquoi. Je sentais simplement que j'étais à bout.

Le retour à la ferme n'aurait pu être pire, comme pour contrebalancer la félicité parfaite de ces jours d'isolement et de liberté. Je déclarai que mes yeux étaient abîmés et que je ne pouvais pas lire, mais je lisais toujours autant.

On venait juste de diagnostiquer le diabète de mon père, qui était très malade. À cette époque où l'on découvrait la maladie, il n'y avait pas de traitements efficaces. Ma mère était sans cesse souffrante. Elle avait des « névralgies », des « migraines », des « palpitations ». Tous deux avaient des placards entiers de spécialités pharmaceutiques. Je fus atteinte de diverses affections mal déterminées et j'aurais pu passer ma vie comme eux, obsédée par ma santé, si je n'avais eu un nouveau coup de chance. Une société de bienfaisance envoya en vacances les enfants des colons et j'échappai aux misères de cette maison pour me retrouver dans une magnifique région montagneuse, chez une vieille femme de quatre-vingts ans, grand-mère Fisher, qui était plus alerte que n'importe lequel de ses pensionnaires. J'oubliai la maladie.

Quand je dus rentrer à la ferme, mon départ n'était plus qu'une question de temps.

À présent, j'observe les luttes des adolescents avec une sympathie sans borne. Leurs efforts pour être eux-mêmes paraissent souvent pathétiques, stupides, malencontreux. La plupart ne savent pas plus ce qu'ils font que moi à l'époque. Pourtant il faut qu'ils essaient, qu'ils se battent et deviennent libres.

Je devais absolument me libérer. Mes conflits avec ma mère étaient épiques. Autour de quoi tournaient-ils ? Leurs prétextes importaient peu auprès de la panique de ma mère en voyant que je lui échappais.

« Tu ne me laisses pas vivre à travers toi, tu m'empêches d'être toi. Tu me fais mourir. »

Et moi : « Non, je ne veux pas. Laisse-moi partir. Je refuse... » Tout ce qu'elle avait pu projeter pour moi, je le refusais.

Au cours de ces quelques mois, elle avait décidé que je serais une grande pianiste (comme elle-même aurait pu le devenir) – mais je n'étais pas douée. Une grande chanteuse – mais je n'avais pas de voix. Une grande artiste...

Je m'abandonnais un moment à rêver follement, puis je retrouvais mon bon sens et faisais remarquer non sans brutalité : « Mais je n'ai pas de talent. »

Étais-je en train de lui expliquer qu'*elle* n'avait pas de talent ? Que voulais-je dire ? Simplement que je refusais.

Elle en perdait la tête, la pauvre. Son mari était malade. Son fils bien-aimé, son « bébé », s'était depuis longtemps enfui loin d'elle. Et moi, je lui disais non, non et non.

En fait, elle ne manquait pas de talents. Je n'ai jamais rencontré quelqu'un d'aussi efficace, d'aussi doué pour l'organisation. Et tous ses dons, toute son énergie se concentraient sur cette seule jeune fille gauche et révoltée, qui ne pensait qu'à la quitter.

Je m'en allai bel et bien. Pendant deux ans, je travaillai comme aide maternelle. Mais elle ne me laissait pas en paix, elle submergeait de lettres mes employeurs pour leur expliquer comment se comporter avec moi.

Cette époque n'eut qu'un seul côté positif, pour moi. Alors que je relisais sans cesse les livres de mon enfance, perdue dans un rêve indolent, je me rendis soudain compte que depuis des années mes seules lectures sérieuses, pour adultes, avaient été des livres de guerre. Je me mis donc à commander moi-même des livres en Angleterre. Ainsi commença pour moi l'enivrante découverte de la littérature, une grande aventure qui n'a jamais cessé depuis. Malgré tout, c'est à ma mère que je dois mon initiation aux livres, à la lecture – à tout ce qui a été ma vie. Elle ne pouvait pourtant pas comprendre les ouvrages que je lisais désormais, car ils n'avaient joué aucun rôle dans son existence. Elle en était restée à H. G. Wells, Bernard Shaw et Maeterlinck, à quoi s'ajoutaient les mémoires de généraux et tous les textes imaginables sur la guerre.

Elle maniait d'un air soupçonneux les livres que j'avais commandés à Londres. Tout ce que je faisais lui paraissait un affront, une rebuffade. Et c'était vrai, que je le voulusse ou non.

Poètes et écrivains proclamaient avoir été transformés par le choc de leur découverte des grands auteurs russes. Il en allait ainsi dans toute l'Europe. Je ne me rappelle pas comment j'ai pu être assez informée pour commander Tolstoï, Tchekhov, Dostoïevski, Tourgueniev et les autres, mais en tout cas j'en entendis parler, je les lus et je fus stupéfaite. Jamais d'autres livres ne me firent autant d'effet que ceux de ces géants. Je crois que l'éternelle complainte sur la mort du roman traduit simplement le fait qu'aucun de nous n'a écrit d'œuvre comparable à *Guerre et Paix*, *Anna Karenine* ou les livres de Dostoïevski. Ils constituent tout simplement le sommet et le joyau de la littérature. D'innombrables articles ont tenté doctement d'expliquer ce phénomène, mais pour ma part je me contente de le constater.

N'ayant personne pour me guider, je commandais des livres mentionnés dans d'autres livres. Et lentement, au cours des années trente puis pendant la guerre, où les paquets devaient échapper aux sous-marins allemands, je réunis une bibliothèque venue d'Angleterre. L'arrivée des colis était le moment le plus important de ma vie. Je passai des Russes aux Français : Stendhal, mon grand amour, et Balzac, Zola.

Les écrivains américains me donnèrent presque autant d'émotions que les Russes. Theodore Dreiser – même si personne ne semble plus le lire aujourd'hui, il a écrit quelques grands romans –, Steinbeck, Dos Passos, Hemingway – mais je lus ce dernier avec moins d'admiration. *Gatsby le Magnifique*, bien sûr, cependant je pense que Scott Fitzgerald n'est l'auteur que d'un livre. Faulkner, mais il vint plus tard. Quant aux écrivains anglais, je les connaissais déjà pour la plupart. Hardy avait toujours été un de mes favoris. George Meredith – lui aussi passé de mode –, Daniel Defoe, George Eliot, les sœurs Brontë, Jane Austen, et le merveilleux et extravagant *Tristram Shandy*. Qu'ai-je oublié ? Les poètes, mais ils m'étaient depuis longtemps familiers. Et Proust, une passion improbable, n'était certes pas le dernier sur ma liste. J'ai lu et relu *À la recherche du temps perdu*, consciente que ce texte était un antidote à ce que j'étais en train de vivre – la Rhodésie en guerre, les derniers sursauts de l'Empire britannique –, même si personne ne l'aurait cru possible à l'époque.

Virginia Woolf et D. H. Lawrence – mais ils n'étaient pas faciles à obtenir. Par exemple, j'ai lu *L'Amant de lady Chatterley* dans une édition expurgée. Les revues étaient *New Writing* et *Daylight*, qui ne paraissaient pas sans peine dans cette Angleterre où le papier était rationné.

Assurément, j'ai omis bien des œuvres, mais cette liste donne une idée de ce que lisaient les gens à l'époque, du moins quand ils lisaient. Je ne sais ce qu'elle vaut, mais j'ai l'impression qu'elle apparaîtra déjà comme un vestige d'un monde aussi bizarre que démodé.

Les lettres que m'envoyait ma mère étaient effroyables. Seule une folle pouvait les écrire. Elle m'accusait entre autres de m'engager dans la carrière de prostituée. J'avais déjà compris qu'elle était malade et je les déchirais dès leur arrivée. Sans doute était-elle sous l'influence de la ménopause. De nos jours, elle n'aurait pas souffert à ce point. Je ne puis que le répéter : la médecine moderne, avec toutes ses ressources, lui aurait porté secours.

Je savais qu'en la fuyant je sauvais ma vie, mais je n'imaginais pas combien pouvait être fort le besoin de s'emparer de l'existence d'un enfant pour la vivre à sa place. Ici nous devons revenir en arrière, au temps de ses conflits avec son père.

John McVeagh était un père idéal. Il donna à ses enfants tout ce qu'on pouvait attendre d'un père de l'époque édouardienne. Il les emmenait à toutes les manifestations publiques, telles que la visite de l'empereur d'Allemagne à Londres, les parades, les anniversaires royaux, les carrousels, la libération de Mafeking. La mémoire de ma mère était un véritable répertoire de cérémonies officielles. Elle avait fait ses études dans un collège renommé. Elle ne manquait pas un concert ni une pièce de théâtre. Elle jouait au hockey et au tennis, et était une brillante pianiste. Cependant il arriva un moment où cette fille idolâtrée déclara : « Non, je refuse. » Pourquoi cette révolte ? Contrairement aux usages du temps, John McVeagh souhaitait que sa fille si intelligente aille à l'université. Il fallait que ce soit elle, car son frère n'était pas assez doué. Son père avait concentré ses ambitions sur elle, qui réussissait tous ses examens et était toujours la première de sa classe. Mais elle lui dit non et s'en alla embrasser la carrière d'infirmière, ce qui amena son père à proclamer, sans se rendre compte de l'absurdité de ses paroles : « Ne remets plus les pieds chez moi », et : « Je ne te considérerai plus comme ma fille. »

Quelque chose ici paraît inexplicable. Le Royal Free Hospital formait des femmes médecins. Pourquoi ne décida-t-elle pas de suivre cette voie ? Son père aurait certainement été ravi. Mais je viens de répondre à la question : son père aurait été ravi, justement. Elle préféra donc devenir infirmière et « essuyer le derrière des miséreux ».

Mais pourquoi ? Je ne me souviens pas l'avoir jamais entendue dire rien d'éclairant à ce sujet. Elle n'aimait pas sa belle-mère, mais elle n'en parlait guère sinon pour déclarer qu'elle était froide et autoritaire. Il semble donc extraordinaire qu'Emily McVeagh ait pu tenir tête à son père et lui dire non. Toutefois la vraie question est sans doute dans l'attitude de ce père bourgeois idéal. Comment en vint-il à voir dans sa fille si douée celle qui le continuerait, le justifierait ?

Il est vraiment étrange qu'elle n'ait jamais expliqué ce fait. À moins qu'elle n'estimât qu'il n'exigeait aucune explication.

Qu'on songe à cette petite fille soumise, obéissant en tout à son père, redoutant de le décevoir. Elle se tient au garde-à-vous devant lui et attend l'éloge ou le blâme – ma mère me jouait cette scène afin que je la voie face à ce père sévère et puissant. Cela continua longtemps, elle s'améliorait sans cesse, volait de succès en succès. On lui déclara qu'elle pourrait faire une carrière de pianiste de concert si elle le souhaitait. Et soudain, la brillante Emily McVeagh arrêta tout. Elle dit : « Non, non et NON. »

La première épouse de John McVeagh, Emily Flower, mourut en le laissant seul avec trois enfants en bas âge, dont un fils décevant. Et il est probable que sa seconde épouse n'était pas précisément amusante. Mais il avait sa fille, cette créature intelligente qui venait à bout de tous les obstacles. Imaginons qu'elle soit allée à l'université, qu'elle ait réussi brillamment et récolté une brassée de lauriers. Qu'aurait-elle étudié ? Une matière qu'il aurait choisie pour elle. Était-ce cela dont il rêvait, pour que sa propre vie s'achève sur un triomphe ? Nous ne le saurons jamais. Quelles influences avaient pu amener Emily McVeagh à décider de devenir justement infirmière ? « Mais il n'y a pas d'infirmières dans notre milieu, Emily ! » Et c'était cette profession qu'elle avait choisie pour s'accomplir.

À présent, la propre fille d'Emily McVeagh lui disait non à son tour, déchirait ses lettres, s'enfuyait aussi loin d'elle que possible. Et sa tentative d'évasion culmina avec le recours immémorial des filles harcelées par leur mère : « Évidemment, j'ai fini par me marier pour lui échapper. »

Un groupe de femmes,
informel et décontracté

Passons maintenant directement aux années de la guerre, pour découvrir les problèmes d'un groupe de jeunes femmes – nous étions une quinzaine. Elles se distinguaient par leur engagement politique. Toutes étaient socialistes ou communistes, et c'était ainsi qu'elles se voyaient elles-mêmes. En rencontrant quelqu'un, elles annonçaient d'emblée : « Je suis membre du Parti », « Je me suis inscrite quand Hitler a attaqué l'Union soviétique. » Ou encore : « J'ai quitté le Parti lorsque Staline s'en est pris à la Finlande » (ou : « lors de la signature du pacte germano-soviétique »). Autre variante : « Je suis une communiste marxiste », voire : « Je sais que les marxistes ne peuvent être sionistes, mais je suis une marxiste sioniste. »

Ce qui frappait, c'était qu'elles étaient toutes cultivées – et même remarquablement, comparé à ce qu'on voit aujourd'hui. À notre époque où les esprits sont pourris par la télévision ou Internet, il n'est pas rare qu'un critique déclare avec une apparente fierté qu'il ne peut lire *Guerre et Paix* à cause de sa longueur, ou *Ulysse* à cause de sa difficulté. Dans le passé, aucun lecteur n'aurait eu l'idée de confesser son incapacité. Quand nous nous découvrions un problème commun, il nous semblait naturel de l'approcher à travers la littérature. Je ne me souviens pas d'un autre moment où nos réunions aient ainsi exclu les hommes, mais nous savions alors qu'ils n'auraient simplement rien compris.

Chacune de nous avait une mère qui lui posait problème. Et nous avions dépassé ce stade où une fille se contente de dire en roulant des yeux : « C'est ma mère, vous savez. » Il s'agissait d'une affaire sérieuse. Nous commençâmes par constater qu'à en juger par la littérature, les mémoires, les pièces de théâtre, on rencontrait auparavant des pères à l'autorité tyrannique, que redoutaient leurs fils et leurs filles. Qu'étaient-ils devenus ? Ils avaient été remplacés par des mères névrosées, qui faisaient perdre la tête à leurs filles. C'est ainsi qu'une mère, faisant apparemment une fixation sur les garçonnes des années folles, arborait jupes courtes et sautoirs pendillants, sans oublier un fume-cigarette en ambre d'au moins trente centimètres de long. Chaque matin, cette femme arrivait chez sa fille à l'heure du petit déjeuner et restait jusqu'au soir. La fille était mariée. Face à ce fait regrettable, la mère se contentait d'ignorer le mari en déclarant : « De toute façon, tu ne l'as épousé que pour m'ennuyer. » C'était un cas extrême.

Certaines d'entre nous étaient venues dans la colonie pour trouver un époux, comme c'était alors l'usage. Toutefois la guerre avait chassé les Rhodésiens vers le nord, afin de combattre Rommel et de survivre ou périr. La colonie était maintenant pleine d'Anglais de la RAF, mais elles avaient l'impression qu'en épouser un aurait un peu l'air d'une défaite. Elles recevaient d'Angleterre des lettres de leurs mères les implorant de dénicher un mari. Deux mères avaient suivi leurs filles jusqu'à

Salisbury. Manifestement, chacune estimait qu'il allait de soi que sa fille vivrait avec elle et l'entretiendrait. Quant à ma mère... non, ça suffit.

Se marier pour échapper à sa mère ? Quelle blague. Quand elle me rendait visite, elle changeait les meubles de place, jetait tous les vêtements qui n'étaient pas à son goût, harcelait les domestiques et donnait des ordres à la cuisinière.

— Pourquoi ne lui avez-vous jamais dit non ? me demanda le thérapeute auquel je finis par recourir des années plus tard.

— J'aurais eu l'impression de frapper un enfant, répondis-je.

Cependant, si je lui disais quelque chose comme : « Mère, il serait temps que tu acceptes le fait que je suis adulte maintenant », elle répondait : « Mais tu ne te doutes même pas à quel point tu es irrécupérable ! » Mon mari en riait. Je ne pouvais en appeler à mon père, qui était trop malade.

Comment expliquer la folie pitoyable de ces femmes ? Eh bien, nous avions la solution. Nos discussions étaient terriblement intelligentes, nourries qu'elles étaient d'innombrables exemples tirés de romans, mais je ne me souviens pas que nos analyses si perspicaces aient jamais changé en rien la situation. Nous savions quel était le problème. Il manquait à la vie de ces femmes un travail et des intérêts en dehors de nous, leurs filles tourmentées.

Et quand j'ai entendu déclarer en Angleterre, il n'y a pas longtemps, que les femmes ne devraient pas travailler mais rester chez elles à s'occuper de leurs enfants, je me suis demandé combien de femmes avaient envie comme moi de s'écrier : « Arrêtez ! Vous êtes fous. Vous ne savez pas ce que vous faites. Souhaitez-vous vraiment produire une autre génération de femmes incapables de laisser partir leurs enfants ? Est-ce cela que vous voulez ? »

Toutes nos mères avaient un potentiel remarquable. C'étaient même, dans un ou deux cas, des femmes exceptionnellement douées. Elles auraient dû devenir avocates ou médecins, siéger au Parlement, diriger des entreprises.

Chacune d'elles avait les mêmes mots pour déplorer son sort : « J'aurais dû être chanteuse... actrice... une grande artiste... une créatrice de mode... un mannequin... mais je me suis mariée. J'étais trop jeune pour savoir ce que je faisais. Les enfants sont la fin de tout. Ils rendent définitivement impossible tout ce qu'on aurait pu devenir. »

À présent, un nombre croissant de femmes décident de ne pas avoir d'enfants, et c'est un progrès magnifique.

Si vous voulez imaginer un destin pire que la mort – oui, ce n'est pas aller trop loin –, songez à une femme dénuée d'instinct maternel, par exemple au dix-neuvième siècle, ou à toute époque du passé ignorant la limitation des naissances. Il lui fallait se marier et avoir des enfants, car aucune autre voie ne s'ouvrait à elle. Une femme qui n'aurait jamais dû enfanter se retrouvait nantie de toute une nichée et n'avait aucune échappatoire, à moins d'être assez opiniâtre pour choisir d'être vieille fille.

C'était le genre de sujets dont débattait notre groupe de femmes. Nous étions très loin des féministes modernes. Nos discussions ne contribuaient guère à changer nos mères, même si elles nous aidaient à les supporter.

En repensant aux mères de ma génération, je frémis et je me dis : « Oh, plus jamais, mon Dieu ! Ne permets pas que cela puisse recommencer... » Puis je songe à ma mère et je sais que celle qu'elle était vraiment, la véritable Emily, est morte lors de la dépression qui s'est emparée d'elle peu après son arrivée à la ferme. Depuis longtemps, j'ai conscience que je n'ai jamais connu mon père tel qu'il était en réalité, avant la guerre. Mais il m'a fallu des années pour comprendre que je n'avais pas davantage connu la personnalité réelle de ma mère. La vraie Emily McVeagh était une éducatrice, qui me racontait des histoires et m'apportait des livres. C'est ainsi que je veux me souvenir d'elle.

Au cours de ce long déclin qui l'éloignait de ce qu'elle savait être sa nature véritable, il arriva plusieurs fois à ma mère de se résigner à l'idée que son destin se réduisait à la maternité. Son extraordinaire énergie se concentrait alors de plus belle sur moi, puisque mon frère lui avait échappé, et j'avais droit à de nouveaux projets pour mon éducation. Et n'imaginez pas que je ne lui en sois pas reconnaissante. Bien sûr, j'aurais pu lui faire remarquer – et je ne m'en privais pas – qu'il n'était peut-être guère utile de m'initier à l'agriculture si son ambition était de me voir étudier dans un « bon collège » en Angleterre.

Les études en Angleterre faisaient partie de ce que mon frère et moi appelions « s'évader de la ferme ». Nous le disions sans dérision, même si nous savions que ce n'étaient que des balivernes. Nous ne comprenions pas nos parents, car nous n'avions pas été pris au piège comme eux. Aucun tentacule visqueux n'avait surgi de l'abîme pour s'enrouler autour de nos chevilles et nous entraîner dans les profondeurs. Pour « s'évader de la ferme », il ne fallait pas vendre une bonne récolte de maïs ou de tabac, mais gagner le sweepstake irlandais ou trouver de l'or.

Je fus donc invitée à prendre soin « du début à la fin » d'une poule en train de couver, quand on ne me confiait pas la responsabilité d'élever un veau orphelin ou de me charger de nourrir les poulets pendant une semaine. « Il faut que tu connaisses la réalité des choses », insistait ma mère, les yeux étincelants. Comme disait mon père, elle était sur le sentier de la guerre. J'ai donc fait ces expériences, pour lesquelles je la remercie.

Mon veau noir

Notre jolie vache s'appelle Daisy Meuh.
J'aime notre vache si gentille.
Elle s'efforce de tout son cœur
De nous donner lait et crème dorée
À manger avec la tarte aux pommes.

Je pense que peu de gens au monde pourraient reconnaître cette vache si gentille.

Quand nous pensons à un troupeau de vaches, nous les imaginons plongées avec délectation jusqu'au ventre dans l'herbe et le trèfle délicieux d'une prairie anglaise.

Le troupeau de notre ferme africaine consistait en une demi-douzaine de créatures efflanquées, tourmentées par la sécheresse. À elles toutes, elles fournissaient juste assez de lait pour la maisonnée. En Angleterre, une seule vache serait plus que suffisante.

Cela dit, les vaches se gavant de trèfle avec délice ont disparu maintenant que nous les traitons si cruellement, en les enfermant et en les nourrissant à notre guise. Elles ne savent plus ce que signifie flâner dans l'herbe savoureuse ni respirer l'air frais. Leurs pis contiennent des litres de lait, et ce fardeau contre nature est si malsain qu'elles sont sans cesse au bord de l'effondrement. Ces malheureuses envieraient le sort de nos bêtes farouches et décharnées, dont l'existence leur semblerait paradisiaque en comparaison.

Un petit garçon gardait les vaches de la ferme, en tenant à l'œil chiens et léopards. Durant la pire saison, où le lait était si rare, ma mère lui demandait s'il n'en donnait pas à sa famille. Bien sûr qu'il le faisait, en attendant que les pluies reviennent et fassent pousser l'herbe.

Nos vaches étaient des lutteuses aux cornes acérées et aux yeux hagards, dont je me gardais d'approcher lors de mes promenades.

Ce n'étaient pas des vaches si gentilles qu'on dirait des animaux de compagnie, et leur lait suffisait à peine à fournir la famille en beurre. Rien à voir avec la crème somptueuse dont mes parents se souvenaient : « Évidemment, en Angleterre... »

Les génisses étaient conduites chez un voisin possédant un taureau, lequel n'avait rien à voir avec un champion de comice agricole, et elles revenaient prêtes aux saints devoirs de la maternité. Lorsqu'elles étaient usées par leur dure existence, après avoir eu peut-être deux ou trois veaux, les vaches étaient envoyées chez le boucher.

Un jour, on amena à la maison deux veaux, l'un noir, l'autre blanc et noir. Leur mère était morte en mettant bas et il fut décidé qu'ils seraient élevés par nous, les habitants de la maison sur la colline. Mon père trouvait cette idée aussi absurde que sentimentale, mais ma mère décréta que cette expérience nous ferait du bien. Par « nous », il fallait entendre mon frère et moi, cependant il ne participa pas à l'opération. Le veau noir, un mâle, était à moi et je devais m'occuper de lui.

Durant les froides journées de cette saison sèche, les seaux étaient presque vides. Néanmoins on en versa un peu dans une cuvette et je glissai mes doigts humectés dans la bouche du veau. Encore aujourd'hui, l'avidité avec laquelle il suça mes doigts m'apparaît comme le cri même du besoin le plus essentiel : « Laisse-moi vivre. Il faut que je vive. » Si j'étais dans un monde tellement dévasté par la guerre ou la famine qu'il ne resterait plus rien, en repensant à cette succion frénétique je serais forcée de croire que la vie finirait nécessairement par triompher. Le veau suçait avec tant de force que mes doigts étaient blancs, et ma mère s'exclama :

— Seigneur, il va les vider de leur sang !

Elle réprouvait son appétit. Cependant lui continuait : « Donne-moi du lait, encore, encore... »

Bientôt la cuvette fut vide et le veau donna des coups de tête à mes jambes, en essayant désespérément de faire venir le lait de sa défunte mère.

Nous envoyâmes un homme en bicyclette à l'épicerie et il rapporta des boîtes de lait en poudre. Nous offrîmes à l'animal le breuvage obtenu avec cette poudre, et bientôt il fut trop gros pour mes doigts et plongea son museau dans son bol pour boire, boire sans relâche. Son derrière et celui de sa sœur étaient maculés par la diarrhée, et mon père dit :

— Vous allez tuer ces veaux.

Toutefois les veaux s'adaptèrent et burent leur lait réhydraté. Il n'y en avait jamais assez, au moins pour Demi, mon protégé. Nous les avions appelés Demi et Daisy, d'après les jumeaux des récits de Louisa M. Alcott.

Je ne me souviens guère de ce que faisait Daisy, tant j'étais absorbée par l'espiègle Demi, tapi avec elle à l'ombre d'un arbuste en guettant mon apparition, qui signifiait l'arrivée du lait.

C'était un si joli petit veau, souple et lustré, au pelage d'un noir brillant. Sa queue s'agitait et son arrière-train frétillait dans sa joie de voir le lait. Qu'il était mignon, quelle merveille...

Il était aussi beau que les gants de soie noire qui... Oui, il peut sembler absurde d'entendre cette petite fermière mal dégrossie parler de gants de soie noire, mais ils existaient bel et bien. Sous le toit de chaume de la maison, poussée contre les murs de terre, se trouvait une malle-cabine « À garder pour la traversée » pleine de robes du soir et de châles. Le compartiment supérieur abritait des éventails, des écharpes, de petits sacs pailletés et des gants. Certains étaient en chevreau blanc – mais voici ceux de soie noire, avec leurs minuscules boutons de jais au coude. Ces gants auraient paru incongrus dans toutes les fêtes, excursions ou soirées que j'avais connues dans ma vie. Ils m'émerveillaient et je les vénérais comme la preuve que le monde ne se réduisait pas à notre brousse perdue au cœur de l'Afrique, qu'il existait d'autres perspectives. Leur soie souple et luisante abandonnée dans mes petites mains rêches, aussi fragile que la peau laissée par un serpent après la mue... Eh bien, ces gants possédaient de la même élégance noire et lustrée que Demi. Qu'avaient-ils en commun ? Il s'agissait à chaque fois d'un cadeau inespéré, comme la splendeur exubérante des lys épanouis en un jour après la pluie et tapissant le veld de fleurs qu'on croirait sorties d'une forêt vierge et non d'une Afrique dévastée par la sécheresse.

La sécheresse continuait, le lait se faisait de moins en moins abondant dans les seaux et l'élégant petit veau noir était en proie à une soif insatiable. S'il avait été dans le veld avec sa mère, il aurait été trop jeune pour goûter à l'herbe, mais le lait ne lui suffisait pas.

Ma mère essaya donc de compléter son alimentation en recourant à l'universelle farine de maïs, qu'elle mélangea avec un peu de lait. Les deux veaux apprécièrent cette mixture. Leur croissance fut rapide. Lorsque les pluies arrivèrent et que de l'herbe verte apparut parmi les touffes desséchées, ils se nourrissaient exclusivement de cette sorte de porridge délayé. On leur en préparait maintenant de pleines casseroles, qu'on mêlait d'eau et de lait.

Il faut convenir que ces veaux étaient de terribles casse-pieds, si délicieux fussent-ils. Ils s'introduisaient partout, comme les chiens avec lesquels ils s'allongeaient à l'ombre des arbustes. Il fallait nettoyer leurs excréments et les jeter dans le jardin. En s'engageant sur un sentier ou en franchissant une porte, on risquait de tomber sur un veau. Les chiens les considéraient comme des canidés honoraires. On pouvait voir un chien lécher l'oreille d'un veau ou son museau barbouillé de porridge. Ils se servaient de leurs crocs acérés pour tuer puces et tiques, et les veaux supportaient l'opération sans s'enfuir, même s'ils faisaient quelques bonds nerveux. Les chiens entraient et sortaient de la maison à leur guise, en ouvrant les portes battantes, mais les veaux n'y parvenaient pas malgré tous leurs efforts.

Ils grandissaient à vue d'œil. J'essayai de monter Demi. Je confectionnai des licous et des brides avec des couvertures découpées en lanières, pliées et repliées, mais il les cassa à ma première tentative, si bien que je me retrouvai par terre, couverte de bleus. Cela dit, il ne sembla pas m'en vouloir.

Cependant mon père disait que nous ne savions pas ce que nous faisions, et que nos deux protégés seraient rejetés par leurs semblables quand on les renverrait dans le troupeau. Nous leur préparions un sombre avenir, à eux qui étaient si familiers et paraissaient n'en faire qu'à leur tête.

Nous avions élaboré des biscuits pour chiens à partir de notre farine de maïs. Même si nous n'avions jamais entendu parler de la polenta, c'était exactement ça. Longtemps après, j'ai lu une évocation d'une famille italienne se rassemblant dans la cuisine pour la confection de la polenta. Dans notre propre cuisine enfumée, la marmite noire trônait sur le four à bois et l'eau bouillonnante répandait son odeur légèrement aigre tandis qu'on versait doucement la farine de maïs, brillant d'un éclat doré, avant de la remuer pour obtenir... cette farine aussi naturelle que savoureuse, qui n'avait rien à voir avec celle raffinée et insipide qui est en vogue de nos jours.

À la cuisson, les moules se garnissaient de graisse, ce qui ne se produit plus aujourd'hui. Le rôti de bœuf du dimanche donnait un jus merveilleusement gras, qu'on versait dans des bols sur environ cinq centimètres de gelée bien sombre, afin d'en faire des tartines. On pouvait aussi le mettre à profit pour la préparation des biscuits pour chiens. La bouillie de maïs était fondue dans la graisse, divisée en carrés avec un couteau, salée puis cuite au four. C'était un délice. Nous, les enfants, attrapions ce que nous pouvions au passage, de même que les domestiques. Les chiens attendaient dans la cuisine que la mixture refroidisse et les veaux venaient chercher leur part. On devait préparer en quantités sans cesse plus importantes ces biscuits si croustillants, au bon goût salé, et les veaux dévoraient la moindre miette qu'on leur donnait.

Il fallait voir veaux et chiens se bousculer pour avoir un morceau. Mon veau était déjà imposant, à l'époque, et il lui arrivait de renverser un chien.

— Ils vont devoir retourner dans le troupeau, déclara mon père.

Mais nous tergiversions – moi, du moins. J'aimais tellement mon grand veau aussi tyrannique que turbulent ! J'avais l'habitude de dormir en maintenant ma porte ouverte avec une pierre, malgré le risque de voir entrer les chiens ou même, comme cela arriva plus d'une fois, un serpent. Je ne supportais pas de voir cette porte fermée. De mon lit, j'apercevais au-dessus de la brousse les montagnes de la Dyke, colorées de bleu, de rose et de mauve, du côté où le soleil se levait.

Une nuit, je me réveillai et découvris mon veau, qui était entré dans ma chambre et semblait passablement embarrassé. Un lit vide s'interposait entre lui et moi, et il s'apprêtait à se frayer un chemin jusque dans la chambre de mes parents. Il fallut que je pousse à l'extérieur cette bête énorme.

— Cette fois, ça suffit, dit mon père. Nous ne pouvons tolérer que des troupeaux de bovins vagabondent dans la maison.

— Mais ce n'est qu'un... commença ma mère.

Elle allait dire : « un veau ». Mais ce n'était plus un veau.

Le jeune bœuf noir – il était presque adulte – dut repartir pour la plaine avec sa jolie sœur blanc et noir. Le troupeau ne sembla pas troublé par leur arrivée, mais eux furent très affectés. Mon veau ne devint jamais un taureau, car ses testicules étaient mal formés, et il était impossible de l'atteler. Il paraissait se rappeler un lieu élevé, où le vent soufflait, sans aucun rapport avec cette brousse où la chaleur était aussi féroce qu'un scorpion. Là-bas, les chiens ne vous traquaient pas, comme ici, mais léchaient vos oreilles et arrachaient les tiques d'un coup de croc. Là-bas, on recevait des caresses et force gâteries. Il refusait de porter le joug comme n'importe quel vieux bœuf de chariot. Puis sa sœur vêla, peut-être trop jeune, et ses deux petits moururent.

En somme, ce ne fut pas une réussite.

Quand je me promenais à travers la ferme, je cherchais des yeux mon veau. Un jour, j'entendis un fracas de sabots et vis s'approcher un grand bœuf noir doté de cornes acérées et semblant décidé à renouer une vieille amitié. Je courus vers la termitière la plus proche, qui heureusement était très haute, et je montai dessus. Le bœuf regarda en l'air, mais j'avais disparu.

Ces cornes... Autrefois, je frottais ces petites protubérances rugueuses sur le front que le veau inclinait vers moi. Ses cornes naissantes étaient incommodes. Se rappelait-il ce passé, alors qu'il agitait ces armes redoutables en mugissant avant de s'éloigner ?

Mon pauvre Demi n'était bon à rien. Pendant que j'étais au collège, il servit de festin aux ouvriers agricoles. On ne m'en parla pas et j'évitai soigneusement de poser des questions. Des années durant, lors de mes vagabondages solitaires, il m'arriva d'imaginer entendre un fracas de sabots et de voir cette bête énorme, gauche et affectueuse, se précipiter vers moi.

En mon for interieur, cependant, je me sentais appelée non pas à « un bon collège en Angleterre » mais à une vie tellement éloignée du monde de Banket, Rhodésie du Sud, qu'elle avait tout le prestige des utopies. Son essence était condensée dans la malle de fibre brune annonçant : « À garder pour la traversée », qui se trouvait derrière un rideau dans la chambre de mes parents.

Elle contenait des toilettes pouvant rivaliser avec toutes celles des rares magazines de mode que le hasard apportait chez nous. Je suppliais ma mère de me laisser les toucher, jouer avec elles en m'abandonnant à la nostalgie. Elle refusait : « Non, non. À quoi cela te servirait-il ? » Et elle ajoutait : « Tripoter mes vieilles robes ne t'apprendra rien d'utile. »

Un beau jour, à l'improviste, elle accepta enfin. Sans doute était-elle en proie à quelque déception nouvelle, qui lui disait que non, jamais elle ne porterait ces robes, ces boas duveteux, les chaussures brochées d'or, les manteaux du soir en satin dont le bas portait de lourdes bordures de strass ou de broderie.

Les robes étaient rangées dans le compartiment central de la malle, dont des mites s'envolèrent quand nous l'ouvrîmes.

— J'aurais dû mettre davantage de naphtaline, observa ma mère d'une voix très froide, presque indifférente, comme si elle ne s'apprêtait pas à voir tous les précieux rêves liés à ces robes disparaître dans des trous de mite.

Elle resta assise là, tandis que mes mains crasseuses et maladroites arrachaient avec avidité des couches de papier immaculé – enfin, il était un peu fané, à présent. J'étendis sur le sol une robe de dentelle vert cendré, à manches longues, dont le profond décolleté en V était orné d'une mousseline de soie d'un rose très pâle – ou couleur chair, je ne sais plus bien.

— Elle était prévue pour un dîner, murmura ma mère. En fait, je ne l'ai jamais portée. Elle était trop habillée pour la traversée.

Une robe pour un dîner ! Les gens portaient donc des vêtements conçus spécialement pour tel ou tel repas ?

— Elle aurait convenu pour un grand dîner, tu comprends, observa-t-elle de cette voix détachée, rendue sèche par les efforts qu'elle faisait pour refouler ses larmes.

La robe gisait par terre, au milieu des feuilles froissées de papier de soie.

En 1924, les jupes descendaient à mi-mollet. Depuis lors, elles avaient remonté jusqu'aux genoux avant qu'une nouvelle descente s'observe sur les robes au charme juvénile et plein de féminité. Je sortis un morceau d'étoffe glissante, que je déployai par-dessus la robe verte puis soulevai afin de l'examiner. Il s'agissait d'une tunique en mousseline bleu foncé, sur le devant et le dos de laquelle étaient cousues des paillettes bleu nuit.

— Je l'ai portée à la table du capitaine, dit doucement ma mère. Le dernier soir de la traversée. Elle a fait sensation.

Je tins la tunique à bout de bras. Elle était lourde.

— Regarde-moi ces paillettes magnifiques.

Des trous minuscules apparaissaient dans la mousseline. Les paillettes étaient lâches par endroits car les mites avaient rongé le tissu sur lequel elles étaient cousues.

C'était une robe à admirer, pas à aimer.

Ensuite venait une tenue bleu foncé, avec un corsage tout simple à l'encolure ronde, dont la jupe tombait des hanches dans un bouillonnement de tulle ou de mousseline, quelque chose comme ça. Les mites avaient fait du beau travail sur cette jupe.

— Il s'agit d'une toilette de bal, déclara ma mère. Mais depuis que je l'ai achetée, il n'y a pas eu de bal.

La robe suivante était en dentelle noire. La jupe là encore s'évasait à partir des hanches, par-dessus un bord vert émeraude. Les manches de dentelle remontaient juste au-dessus du coude.

— L'idée était de porter à un bras un bracelet sous la dentelle, m'expliqua ma mère.

— Je comprends.

Puis vint *la* robe, la merveille des merveilles, que je brandis devant moi pour qu'elle puisse la voir. Le corsage en mousseline d'un gris très pâle était décoré d'un fin réseau de perles de cristal. La jupe était d'un gris légèrement plus foncé, évoquant de l'eau plus que du brouillard, avec des motifs de cristal un peu plus lourds. Les bretelles du corsage étaient du même tissu orné de cristal. L'ensemble était complété par une petite veste, s'ouvrant largement pour révéler les motifs dessinés par les perles.

— Oh, oh, balbutiai-je d'une voix gémissante. Regarde, mais regarde...

Et elle regarda, en effet.

— Je ne l'ai jamais portée, dit-elle. Dès que je l'ai vue sur son cintre, j'ai su qu'elle était pour moi. Il me la fallait absolument. Je l'ai payée beaucoup trop cher...

Elle avança sa main – une main fine, élégante, usée par le labeur de la ferme – et caressa la robe.

Elle était criblée de trous de mite.

Une autre robe était en fine toile verte. Comme les autres, elle s'évasait à partir des hanches. Elle était bordée en bas d'une large bande de broderie blanche, qui ornait également le col et les manches.

Mais quand et où portait-on une telle toilette ? Ma mère lança d'une voix aussi sèche que la poussière en suspens dans l'air :

— Imagine ce que les gens diraient si je la portais à Banket !

— Mais pour quelle occasion est-elle prévue ?

— Pour une garden-party.

Une garden-party !

— Tu connais le parc de Salisbury ? Eh bien, représente-le-toi rempli de fleurs, d'arbustes et d'arbres anglais. Il y aurait de la musique, vois-tu, et une grande tente où l'on servirait du thé et des rafraîchissements.

Elle pleurait, à présent, et elle s'essuya les yeux.

Une robe en crêpe georgette, d'un charme délicat.

— Regarde ces couleurs d'automne, dit ma mère. On croirait un bois de hêtres en octobre ou novembre.

La jupe arrivait à mi-mollet et était brodée en points « à mouchoir », dont chacun était délimité par une perle brune.

— Je suppose que je pourrais la porter ici... si quelqu'un donnait une soirée. Non, pas vraiment.

Puis elle déclara :

— Je suis ridicule.

Elle se leva précipitamment.

— Il vaut mieux que je te les donne, assura-t-elle. Utilise-les pour te déguiser. Ou découpe-les, si le cœur t'en dit... ça m'est égal...

Et elle sortit en courant, pour trouver un endroit où pleurer à son aise, j'imagine.

Une robe lamée d'argent, dont le tissu consistait en entrelacer de fils noirs et argentés. Elle noircissait par endroits et exhalait une odeur de cadavre. Des perles de jais bordaient l'encolure et les emmanchures, mais elles se détachaient et se répandaient sur les autres robes et sur le sol, comme de minuscules fourmis noires.

C'est ainsi que je découpai bel et bien ces robes ravissantes. Quand je fus plus âgée et que j'eus pris quelques centimètres, je tentai de revêtir ce qui restait d'elles.

Toutefois elles ne correspondaient pas à ce que je voulais porter, car la mode des années vingt était alors tournée en dérision. Il fallut attendre les années soixante et la minijupe pour que ces robes à taille basse rentrent en grâce.

Lorsque j'en portais une drapée sur ma personne de douze ou treize ans, ou que mon frère et moi habillions pour plaisanter le chien dans la mousseline grise aux perles de cristal, ma mère regardait la scène avec sérieux et croyait me voir en uniforme de collégienne anglaise, car chaque année qui passait rendait la nécessité de « s'évader de la ferme » à la fois plus urgente et plus improbable.

Il arrivait à ma mère de rêver de Londres à voix haute, d'évoquer son enfance ou sa jeunesse occupées à aller avec des amis au théâtre, au Trocadéro, à des concerts, des pique-niques dans les parcs. Mon père l'accompagnait dans ses voyages imaginaires

– « Oh, imagine que nous soyons en cet instant à Picadilly !... Te souviens-tu du marchand de marrons ? » – cependant les paysages de ses propres rêves étaient très différents.

Souvent, on envoyait mon frère et moi, ensemble ou séparément, rejoindre mon père dans la plaine avec une bouteille de thé froid. Nous passions devant les ouvriers agricoles, que surveillait le « boss-boy », et nous trouvions mon père seul, les yeux fixés sur... Ce pouvait être un caméléon avançant sur une branche de sa démarche lente et chaloupée, ou des tisserins bâtissant leur nid sur l'eau, durant la saison humide, ou encore, dans une zone boisée appréciée des araignées, une toile tendue entre deux arbres et dont on apercevait dans un coin la propriétaire aux aguets, une redoutable créature noir et jaune.

Mon père était fasciné par les araignées, mais je restais prudemment derrière lui afin que la bête ne puisse me sauter dessus. Quand un insecte atterrissait sur sa toile, celle-ci se mettait à trembler et l'araignée se précipitait avec ses puissantes pattes noires pour l'attraper. En un instant, le papillon ou le scarabée étaient emprisonnés dans la toile gluante et placés à l'endroit où l'araignée viendrait plus tard.

— Songe à ce que ce papillon doit ressentir, disait mon père. Je me demande s'il peut voir l'araignée postée là-bas. Finalement, il vaut mieux que nous soyons tous tellement enfermés en nous-mêmes. Imagine que nous puissions éprouver les sentiments de ce pauvre papillon. Ce serait affreux.

J'aimais bien aller retrouver mon père, à pied ou en bicyclette. Il lui arrivait de déclarer qu'il viendrait déjeuner un peu plus tard, car il voulait continuer d'observer une araignée dans sa toile ou un oiseau nourrissant son petit. Lorsqu'il fut atteint du diabète, toutefois, il dut rentrer à la maison pour se faire une piqûre d'insuline et une analyse d'urine, debout près de la petite lampe à alcool, en tenant l'éprouvette au-dessus de la flamme.

— Il m'arrive de penser qu'il n'a pas vraiment envie de quitter cette ferme, disait ma mère en apprenant qu'il ne rentrerait pas déjeuner tout de suite à cause d'une araignée.

Il n'était pas évident d'approvisionner mon père en insuline. Elle était fabriquée quelque part en Afrique du Sud. Les fabricants en expédiaient un paquet vers le Nord, et quelqu'un venait le prendre à la gare de Salisbury afin de le mettre dans un autre train, en partance pour Banket. Quand le paquet était arrivé au bureau de poste, le postier nous téléphonait que la précieuse substance était là. Un serviteur venait le chercher à bicyclette, à moins que notre famille ne se déplaçât pour l'occasion. Il n'y avait pas de réfrigérateur. Avant que les fermiers n'eussent les moyens d'en acheter un, beaucoup se servaient d'une sorte de coffre-fort, dont les côtés étaient grillagés. On le plaçait dans une caisse de désinfectant afin de tenir à distance les fourmis. Il restait dans un endroit à l'ombre, et du charbon de bois était glissé entre le grillage et les parois. De petites conduites en étain percées de trous faisaient le tour du sommet de ce coffre et étaient remplies d'eau, laquelle s'égouttait à travers le charbon. En dehors des journées les plus chaudes, ce dispositif maintenait effectivement une certaine fraîcheur. Malgré tout, l'insuline était toujours un souci.

Quand mes parents s'installèrent enfin à Salisbury, le diabète devint beaucoup plus facile à gérer car ils disposaient d'un réfrigérateur.

Mon père n'était plus en état de passer des heures dans la plaine à surveiller et contempler ce qui s'offrait à ses yeux. Avec le temps, il se plaisait plutôt à rester assis devant la maison, le regard toujours aux aguets. Il regardait les feux de brousse se propager lentement sur les collines, à une dizaine de kilomètres de là. Ou bien il renversait la tête en arrière et observait le ciel. J'avais la permission de rester avec lui la nuit, de même que mon frère, car « c'était bon pour nous ». Allongés comme lui sur nos chaises longues, nous comptions les étoiles filantes, qui étaient fréquentes. Les constellations resplendissaient et paraissaient si proches.

— Regardez, voici la Croix du Sud, et Orion... la Grande Ourse, les Pléiades...

Ma mère répétait qu'il était temps que nous allions nous coucher, mais mon père lui disait de nous laisser tranquilles. La lumière des astres l'émerveillait. Si le clair de lune brillait, c'était lui qui nous retenait sur nos chaises, ensorcelés.

— Tu ne verras jamais une chose pareille à Picadilly, ma vieille, déclarait mon père à ma mère. Parfois tout me paraît en valoir la peine, à cause de ces nuits. Quand je me réveille le matin, il m'arrive de penser à la nuit qui va venir et où je m'assiérai ici...

— En valoir la peine ! s'exclamait ma mère à voix basse.

Que disait-il là ? Que le long supplice de leur vie dans cette ferme était justifié par la lune, les étoiles... Oui, c'était bien ce qu'il disait. Et il est même probable qu'il le pensait.

Mon frère et moi parcourions à bicyclette toutes les pistes indigènes à travers la brousse, parfois à des kilomètres de notre maison. Nous avions une prédilection pour les collines qu'on appelait à l'époque les Ayrshire Hills et que nous savions fréquentées par des léopards. Cependant, durant toutes ces années passées à écumer la région, tout ce que nous vîmes de ces fauves fut la queue de l'un d'eux disparaissant dans une grotte. En revanche, nous découvrîmes des peintures des Bochimans, auxquelles personne ne faisait attention en ce temps-là. De nos jours, ces petites silhouettes pleines de vie sont très en vogue et donnent lieu à toutes sortes d'interprétations. Elles se trouvaient sous des surplombs de roche, juste face à nos yeux ou plus en hauteur. Nous regardions en l'air dans l'espoir d'apercevoir un lapin, un serpent, voire l'insaisissable léopard, à plusieurs mètres au-dessus du niveau qu'on pouvait atteindre, et voilà que de nouvelles peintures d'hommes et d'animaux se révélaient à nous. Toutes étaient merveilleuses, mais c'étaient surtout les animaux qui suscitaient l'admiration.

— Regarde là. Il y a un éland, une autruche...

— Une autruche ? C'est la preuve qu'elles fréquentaient la région autrefois. On ne peut pas s'être contenté de les *imaginer*, n'est-ce pas ?

Nos récits sur les peintures des Bochimans étaient accueillis différemment par nos parents. Ma mère avait tendance à considérer toute découverte intéressante dans cette ferme comme un obstacle de plus pour s'en échapper. En revanche, mon père était fasciné.

— Cela fait des siècles que les Bochiman habitent ce pays. Je ne serais pas étonné qu'ils soient même là depuis des millénaires...

Et nous imaginions les petits chasseurs parcourant la brousse à deux ou trois, ou en bandes.

— Ils vivaient ici bien avant les Bantous.

(C'était ainsi qu'on appelait alors les Noirs.)

— Des vagues de Bantous sont venues du Nord en tuant et en pillant tout sur leur passage, et...

(Le mot « Bantous » signifie « les gens », rien de plus.)

— J'aimerais tellement voir ces peintures...

Cette scène remonte donc à avant que mon père soit atteint de diabète et irrémédiablement affaibli. Mon frère et moi devions avoir entre dix et treize ans, quelque chose comme ça.

— Il faut que je voie ça de mes propres yeux.

Malgré les remontrances de ma mère, il prit sa canne et monta en voiture. Nous partîmes devant lui en bicyclette, afin qu'il pût nous suivre. La voiture, une vieille Overland, progressa péniblement sur les pistes semées d'ornières puis dut s'avouer vaincue. Mon père sortit et continua de nous suivre à pied. Bientôt, les bicyclettes elles-mêmes furent incapables d'affronter les pentes rocheuses. Avant de poursuivre à pied, nous les dissimulâmes sous une couche de broussailles. Une bicyclette coûtait cinq livres – une année de salaire. Pour un ouvrier agricole, en trouver une paraissant abandonnée aurait été une aubaine plus précieuse qu'une marmite de pièces d'or.

Deux enfants vigoureux n'avaient guère de peine à grimper parmi les pierres, les rochers et les arbres tombés, mais c'était une rude épreuve pour mon père. Il s'obstina pourtant, non sans glisser sur des plaques d'herbe jaune et trébucher sur des rochers. Nous marchions en avant, les yeux fixés sur un petit *kopje* escarpé, en nous retournant sans cesse pour voir si cet homme amputé d'une jambe parvenait à suivre. Nous savions que cette région était appréciée des cochons sauvages et des phacochères, pour ne rien dire des serpents. Cependant mon père tenait bon. À la fin de cette ascension si dure pour lui, il s'agrippait à des buissons, des souches, tout ce qui pouvait l'aider à grimper. Nous arrivâmes enfin au dernier versant de granit, sur lequel il se traîna laborieusement, puis à l'étendue de terre relativement plate que dominait l'énorme surplomb rocheux. Ici les peintures étaient si hautes qu'il fallait supposer que les petits hommes s'étaient hissés sur des troncs d'arbre, voire des pierres empilées, afin de les exécuter. Après avoir franchi laborieusement les derniers mètres, mon père s'exclama :

— Regardez-moi ça !

Les animaux de ces temps lointains s'offraient à notre regard. Divers cervidés – et ceci était-il un crocodile ? Un flanc tacheté... oui, un léopard. Et là, une autruche. Les gens pouvaient se moquer tant qu'ils voulaient, c'était bel et bien une autruche. Mon père s'assit et contempla. Quand il fut fatigué, il se retourna et regarda en arrière la brousse où se trouvait, très loin, la maison biscornue où nous vivions.

— Par moments, je pense vraiment que tout ça en valait la peine, dit-il d'un ton de défi, comme s'il imaginait que ma mère pouvait l'entendre.

C'est un pays superbe. Je l'ai revu il n'y a pas si longtemps, et j'ai songé aux tribus de Bochimans, puis aux Bantous, qu'on appelle différemment de nos jours mais qui devaient certainement tuer et piller, puisque telle est la nature des hommes.

Je ne veux pas dire que je n'avais pas conscience dans mon enfance de vivre au cœur d'un paysage magnifique. Je m'en rendais fort bien compte. Mais en revenant ainsi, après si longtemps, l'émotion m'atteignit de plein fouet. J'avais parcouru ces étendues à bicyclette avec mon frère, nous y avions couru, tué du gibier pour la table familiale. Ce n'était pas notre terrain de jeu – on ne peut décrire comme des enfants qui jouent ces deux broussards sagaces et sérieux.

— Mon Dieu ! dit mon père en contemplant la brousse, les *kopje*, les arbres, les collines, les rivières...

Et nous retournâmes d'un pas lent à l'endroit où étaient cachées nos bicyclettes. La vieille voiture se remit en marche et nous rentrâmes.

Mon père décrivit les peintures des Bochimans à ma mère. Il était habité par des visions de l'histoire, du passage du temps.

— Tu comprends, ma vieille, c'est comme en Angleterre. Nous avons eu les Pictes et les Scots, tu vois, puis les Angles et les Saxons, puis les Vikings, les Français... Chaque invasion était accompagnée de viols et de pillages, les nouveaux prêtres tuaient les prêtres des précédents envahisseurs et on voyait s'installer d'autres rois avec leurs courtisans. Tu comprends ? C'est exactement pareil. D'après certains, les Bochimans ont vécu ici pendant des millénaires. Puis les tribus actuelles sont arrivées, puis nous, les Blancs, et qui viendra ensuite ? Je ne serais pas surpris que ce soient les Arabes. En tout cas, quelqu'un viendra... Et chaque nouvelle vague détruit ce qui existait auparavant.

SŒUR MCVEAGH

La vision de l'histoire de ma mère se réduisait à sa tâche quotidienne. Bien que ses activités n'eussent jamais reçu un nom précis, il s'agissait bel et bien d'un dispensaire, dont elle était l'infirmière.

Chaque matin, assis en cercle dans la cuisine ou parfois dans les fins fonds de la brousse, les ouvriers agricoles – hommes, femmes et enfants – attendaient ma mère. Tous ces gens dormaient la nuit dans une hutte enfumée, où brûlait une bûche. Leurs têtes étaient enveloppées dans des linges ou des couvertures, et leur brouhaha faisait penser à une foule de figurants invités à faire un bruit de fond dans une pièce de théâtre. En fait, ils répétaient : « *Chefua, chefua* », ce qui signifie « feu ». Les doigts pointés sur leur poitrine et leur gorge, ils expliquaient à ma mère qu'ils avaient l'impression de brûler.

— Ils souffrent d'affections respiratoires, disait ma mère d'un ton irrité car elle était impatiente. Pourquoi faut-il qu'ils emmaillotent ainsi leur tête, pourquoi...

Oui, il fait froid dans le haut-veld (comme l'appelle Kipling) durant l'hiver, et aussi lorsqu'il pleut. La bûche enflammée sert à chauffer, il est impossible de s'en passer. Si bien que, parmi les gens attendant ma mère chaque matin, il y avait des bébés qui avaient trébuché dans le feu et s'étaient sérieusement brûlés. Quand on regardait une foule d'ouvriers agricoles levant et baissant leurs houes en cadence, on en voyait toujours un ou deux dont les jambes et les pieds étaient déformés ou abîmés : ils étaient tombés dans un feu quand ils étaient petits.

— Que puis-je faire ? demandait ma mère à l'adresse du Destin ou du Tout-Puissant.

Elle fournissait aspirine et médicaments contre la toux. Elle pansait les bébés souffrant de brûlures. Ou encore, elle envoyait un mot à l'hôpital de la ville appelée alors Sinoia ou Chinoia, et une famille entière se rendait là-bas avec l'enfant brûlé sur le dos d'une femme.

— Nous ne pouvons pas nous le permettre, disait ma mère. Vous vous rendez compte ? Avec ce que nous dépensons en médicaments pour eux, nous pourrions prendre des vacances, nous pourrions...

D'autres épouses de fermiers distribuaient de l'aspirine ou des sels d'Epsom, mais rien dans la région ne pouvait se comparer à la réunion matinale de ma mère. Les gens faisaient plusieurs kilomètres pour venir s'asseoir par terre en murmurant : « *Chefua, chefua.* » Le précieux bassin en cuivre que mes parents avaient rapporté de Perse perdait son statut d'ornement de leur chambre pour être installé sur un tabouret et rempli d'eau chaude, où ma mère versait des aromates. Les malades les plus gravement atteints de *chefua* s'asseyaient devant, une serviette sur la tête, et inhalaient les vapeurs apaisantes.

C'était là une attraction appréciée, mais le stéthoscope était encore plus populaire. Les assistants faisaient la queue pour avoir l'appareil passé à leur cou et entendre avec émerveillement les battements de leur propre cœur.

Ma mère faisait apporter sur son chevalet le tableau noir dont elle se servait pour nous enseigner l'arithmétique et l'orthographe. Elle dessinait un cœur à la craie rouge. Debout devant une foule de Nyassas ne parlant pas un mot d'anglais, elle s'adressait au cuisinier, qui faisait office d'interprète. Elle expliquait le mécanisme du cœur en s'aidant de ses deux poings pour décrire la circulation.

— Oh ! Ach ! s'exclamaient-ils à qui mieux mieux.

Mon père observait la scène. Les chiens et sans doute aussi quelques chats s'étaient assis et semblaient également intéressés.

— Voyons, ma vieille, intervenait-il, que crois-tu qu'ils aient compris à tout ça ?

— Mais il faut qu'ils connaissent ces choses, ripostait sœur McVeagh d'un air sévère et impatient. Cela peut leur servir à l'occasion, n'est-ce pas ?

— Malgré tout, ils doivent bien voir le cœur quand ils attrapent et découpent une antilope ou un lapin...

— Mais les poumons ? Leurs poumons doivent être noirs de fumée, avec tous ces feux de bois.

Elle se tournait vers le cuisinier :

— Dites-leur qu'ils doivent absolument arrêter de respirer autant de fumée.

Mon père demandait à son tour au cuisinier :

— À quoi sert donc le cœur, d'après vous ?

Cet homme parlait et comprenait passablement l'anglais, même s'il ne savait ni lire ni écrire.

— Le cœur sert faire bouger le sang, répondait-il. Pas de cœur, tout mal, tout mort.

Et il répétait le mot « mort » sur des tons et dans des idiomes variés. Tous les assistants riaient et battaient des mains.

— Et voilà, disait mon père.

Toutefois les stéthoscopes ne sont pas éternels et celui que ma mère avait rapporté d'Angleterre finit par rendre l'âme. Elle déclara qu'elle en commanderait un autre, mais en attendant, son dispensaire dut se passer de stéthoscope. Il restait les sirops antitussifs, les sels d'Epsom, l'aspirine, les onguents pour les bébés brûlés et les attelles pour les fractures. Sans oublier, toujours à portée de main, la boîte de sérums antivenimeux, que les innombrables serpents rendaient indispensable et qui sauva plus d'une vie.

Comment se fait-il que mon frère et moi n'ayons jamais été mordus ? Aujourd'hui, cela me stupéfie. Mais nous étions habitués à voir des serpents disparaître en ondulant dans l'herbe, comme les queues des léopards dans les collines. Un jour, j'ai failli ramasser une vipère heurtante, qui a la particularité de paraître lente et endormie. Cependant c'est la seule fois où j'ai vraiment frôlé la mort par morsure de serpent.

Mon père se plaisait à remonter le cours de l'histoire et à spéculer sur les Bochimans, les Bantous et les possibles successeurs des Blancs, mais je me demande ce qu'il aurait dit s'il avait pu prévoir l'avenir.

Franchissons donc d'un coup quelques années ! Oublions les petits chasseurs basanés aux arcs et aux flèches meurtrières, qui peignaient leur vie et leurs animaux sur la moindre paroi rocheuse appropriée. Bientôt, la famille quitterait la ferme. Il deviendrait impossible à mon père d'y rester en vie tant les comas et les crises se multiplieraient, l'obligeant chaque fois à se rendre au plus vite à la ville – pour autant qu'on puisse parler de vitesse à propos d'un mortel trajet de cinq heures passées à déraper sur les ornières de pistes exécrables.

Ils ont donc fini par « s'évader de la ferme », n'est-ce pas ? Quelle humiliation, quelle déchéance ! Ils se retrouvèrent dans un horrible petit pavillon de banlieue, tout ce qu'ils haïssaient l'un comme l'autre. Quant à notre ferme, elle révéla sa vraie nature en devenant l'annexe d'une grosse exploitation. Notre maison ne dura pas longtemps. Pendant des années, j'avais été habituée à voir humecter notre toit dès qu'un feu de brousse arrivait à deux ou trois kilomètres de la maison... Toutefois il n'y avait pas d'eau sur notre colline. Il fallait l'apporter dans une charrette écossaise, laquelle consistait en deux tonneaux sur un châssis de bois que tiraient deux bœufs avançant péniblement. Cette provision d'eau était conservée sous un toit de chaume afin de la garder fraîche, mais quand les feux étaient proches il arrivait que les bœufs dussent monter et descendre la piste escarpée une douzaine de fois en une après-midi. On appuyait contre le toit des échelles et des troncs d'arbres, et des hommes couraient verser de l'eau sur le chaume, en un va-et-vient continuel. Si jamais une étincelle tombait dessus, il fallait absolument l'éteindre. Mais lorsque la famille déménagea et laissa la maison vide, le premier feu de brousse se propagea jusqu'à elle et anéantit cette demeure qui, il faut l'avouer, était une pure fantasmagorie. Non que je m'en fusse rendu compte sur le moment. Les enfants vivent dans une réalité d'où sont exclues les folies des adultes.

J'entrai dans l'adolescence avant d'avoir vraiment vu cette maison, de l'avoir comprise... Une petite fille ne voit pas plus que ce qu'elle peut comprendre.

Ma mère avait rapporté de Perse un drap qu'elle étendit sur une petite table, où il disparut bientôt sous les livres et les bibelots. Cependant les bordures demeurèrent visibles. Le drap était en coton kaki, mais la bordure était cousue de petites figures aux couleurs à la fois délicates et éclatantes. Je m'asseyais et m'émerveillais des motifs que j'avais juste sous les yeux. Un âne, suivi d'un garçon armé d'un bâton... un homme vêtu d'une longue robe et coiffé d'un hideux chapeau noir... un arbre aux minuscules fruits rouges... un rosier... une femme dont la tête était enveloppée dans une sorte de châle noir... un serpent – il n'y avait pas de doute – qui dardait une langue écarlate... un gros oiseau noir... mais si je faisais le tour de l'étoffe touchant presque le sol, je finissais par retrouver l'âne, noir cette fois, et l'oiseau, qui au contraire était devenu blanc.

J'apprenais à coudre avec un nécessaire venu d'Angleterre en franchissant les mers. Des carrés de tissu – gaze, toile de jute, une sorte de sparterie pour le sol mais destinée à une maison de poupée, du coton, de l'étoffe kaki pour pantalon. J'avais une boîte pleine d'aiguilles, certaines en bois, presque aussi grosses qu'un doigt, et d'autres en métal mais émoussées. Et il y avait mes essais : des points d'au moins deux centimètres de long sur des étoffes qui s'était plissées malgré mes efforts. Voilà ce que je savais faire.

— C'est sans importance, tu vas t'améliorer.

Mais quand je regardais les motifs de la bordure du drap persan... Les points minuscules semblaient l'œuvre de fées. Sur l'oiseau noir, les points étaient noirs. Ceux de l'âne immaculé étaient blancs, presque imperceptibles. Chaque figure avait souvent nécessité une douzaine de couleurs différentes, et les fils étaient aussi fins que des cheveux. Cette bordure était une merveille. Je l'admirais sans fin, ne pouvant croire qu'une telle perfection me soit accessible – pas plus qu'à aucun autre être humain ordinaire. Cet arbre, par exemple, d'un vert si réaliste, était constellé de petites taches rouges, alors que l'arbre correspondant de l'autre côté était vert, lui aussi, mais avec des taches jaunes. Et les points étaient rouges et jaunes. Quant au bâton avec lequel le garçon s'apprêtait à frapper l'âne, il n'était pas cousu en appliqué mais brodé de plumetis noir.

— Tu vois, ici, c'est du plumetis. On s'en sert pour couvrir une petite surface. Oui, regarde...

Et un autre drap arborait une guirlande d'énormes fruits jaunes, orange et rouges, qui étaient tous couverts de ces merveilleux petits points.

— Encore du plumetis, tu vois ?

Une grosse boîte en cuivre – mais peut-être n'était-elle pas si grosse que cela – s'ornait de figures ciselées dans un métal terne, qui représentaient des scènes rappelant celles du drap aux bordures si séduisantes. En tout cas, il y avait un petit âne ici, un oiseau là, et même un arbre.

Voilà ce qu'une petite fille voit et ressent.

Lorsque je fus enfin en mesure de comprendre la maison, les rideaux étaient défraîchis et effilochés, les bordures colorées du drap avaient perdu leur éclat. Mais quelle maison extraordinaire ma mère avait créée, en cette lointaine année 1924, à partir du contenu de quelques malles bourrées d'achats de chez Liberty et Harrods. Le sol était recouvert d'un linoléum noir luisant, mais comme des racines d'arbres pourrissaient dessous il se gondola bientôt de telle façon que les tapis persans se présentèrent sous des angles que les tisserands n'avaient jamais prévus. Ces tapis étaient maintenant usés jusqu'à la corde. Toutefois, imaginez ce sol d'un noir brillant avec ces merveilleux tapis persans tout neufs... Ma mère s'abstint de blanchir à la chaux les murs du salon, car la couleur brun-gris des parois de terre mettait en valeur les tons vifs des motifs liberty. Les armoires et les tables, fabriquées avec des caisses peintes en noir, formaient un contraste saisissant avec ces motifs que ma mère avait vus bien longtemps auparavant sur les rayons de chez Liberty. Il y avait des coussins, des tentures et des étoffes venues de Perse, dont certains dessins sont restés gravés dans mon esprit. Dans la chambre de mes parents, sur la table de toilette, trônaient un bassin et un broc en cuivre, tous deux admirables. Ils resplendissaient sur le fond immaculé des murs, qui cette fois avaient été blanchis, mais il fallait les nettoyer et les astiquer chaque semaine car ils se ternissaient vite, surtout pendant la saison des pluies.

Dans ma chambre, les rideaux étaient orange vif, si bien qu'au lever du soleil ils semblaient s'embraser...

Cette maison, quel triomphe de l'imagination c'était... Pour le plaisir de quels invités ma mère l'avait-elle conçue ? Mes parents disaient qu'elle avait été construite pour durer quatre ans – mais comment était-ce possible ? Étaient-ils censés en quatre ans gagner tout l'argent promis par le stand de la Rhodésie du Sud à l'Exposition impériale et quitter aussitôt la ferme pour retourner en Angleterre ? Non, non, tout cela était absurde, surtout pour une adolescente méprisante et accusatrice qui pouvait bien reconnaître le charme de la vieille demeure de terre et de chaume, son charme aussi irréel que déchirant, mais qui, ayant atteint l'âge de la logique, du bon sens et de la cohérence, était tout simplement incapable d'accepter cette maison comme un fait raisonnable.

D'ailleurs, elle n'avait rien de raisonnable.

Et bientôt les flammes s'en emparèrent... Qu'ont pu faire alors tous les habitants minuscules de la maison ? Car d'innombrables scarabées et araignées vivaient dans le chaume, les frelons bâtissaient leurs nids dans les murs, des souris trottinaient dans les chevrons, la poussière blanche des galeries d'insectes se répandait sur le sol... J'imagine qu'un concert de protestations et de cris imperceptibles s'est peut-être élevé, mais en vain. La maison a brûlé et le vent eut vite fait de disperser ses cendres. Qui pourrait se douter qu'en cet endroit se dressait une maison de rêve, sans aucun rapport avec la honteuse réalité de « s'évader de cette ferme » pour s'installer dans la banlieue d'une ville gonflée par les arrivants de la guerre ?

INSECTES

Parfois, la partie inférieure du sommet de la colline se couvrait de papillons. La nature avait réalisé l'un de ses synchronismes mystérieux. Il y avait eu concordance entre les pluies, le moment de l'année et, non moins essentielle, une abondance de bouses sur la piste due au va-et-vient de la charrette à eau ce matin-là, dont les bœufs avaient laissé derrière eux des portions croustillantes et odorantes de... paradis. Des sages de toutes les religions ont été inspirés par cette vision :

— Maître, à quoi peut-on comparer notre vie ?

— Elle est semblable à un papillon surgissant des ténèbres pour voleter vers un lieu éclairé. Apercevant sous lui sa nourriture favorite, il se pose et se gorge d'ordures jusqu'à satiété, après quoi il s'envole pour retourner dans les ténèbres.

Je n'ai sans doute jamais rien vu de plus exquis qu'une profusion de papillons de tailles et de couleurs variées se rassemblant autour des bouses du chemin en battant de leurs ailes ravissantes.

Qu'ils étaient beaux ! Notre famille s'approchait aussi près que possible pour admirer ce spectacle merveilleux. Puis les papillons s'éloignaient indolemment, un à un, et s'en allaient quêter de nouveau leur délice plus ordinaire : le nectar.

Si je choisis de me remémorer cette vision, comme je puis être tentée de le faire par une sombre après-midi de décembre à Londres, l'honnêteté exige que je n'oublie pas l'influence bienfaisante des bouses mais aussi la présence d'autres insectes. Après tout, la vie ne se réduit pas à des papillons enchanteurs aux ailes miroitant dans la lumière du soleil.

Notre maison se trouvait au cœur de la brousse, qui par endroits n'en était éloignée que d'une vingtaine de mètres. Elle pullulait de tous les insectes imaginables, dont certains m'emplissaient d'horreur. Les pires envahisseurs étaient de gros insectes brun foncé, dotés d'antennes et d'un corps épais. Ils arrivaient avec les pluies et se répandaient partout. Ma mère me grondait, les domestiques se moquaient de moi, mais je me cachais dans un coin en sanglotant. Cela se passait ainsi dans ma petite enfance. Cependant je grandissais et les scarabées – puisque tel était leur nom – continuaient leurs intrusions. Alors que je me croyais en sécurité dans mon lit, j'en apercevais une douzaine sur la moustiquaire. Déséquilibrés par le poids de leur corps volumineux, ils se cramponnaient au filet avec leurs petites pattes. Je me recroquevillais sous les draps en appelant au secours. Mon père, qui devait être déjà couché, se levait péniblement.

— Ton hystérique de fille remet ça ! lançait-il d'une voix furieuse mais calme.

S'aidant de sa béquille peu commode, il boitillait sur le sol inégal et me découvrait blottie sous la moustiquaire couverte de ces affreuses bêtes brunes juste au-dessus de moi. Il se tenait sur son unique jambe, la main appuyée sur la table de toilette, et les faisait tomber avec sa béquille. Ils s'éparpillaient par terre.

— Non, non ! m'écriais-je. Ils vont grimper de nouveau sur la moustiquaire.

S'appuyant toujours à la table de toilette, mon père attrapait une serviette, se penchait – avec quelle peine ! – et ramassait les insectes, lesquels dans mon souvenir émettaient de petits cris plaintifs, avant de les jeter dans la nuit.

— Ferme la porte, ferme la porte ! l'implorais-je même si d'ordinaire je ne tolérais pas qu'elle soit fermée.

Il obéissait.

— De quoi as-tu peur ? demandait-il d'un ton froid.

Il se détournait et regagnait sa chambre avec sa béquille. Que tout cela lui coûtait d'efforts...

— Des scarabées ! disait-il à ma mère, qui n'avait pas bougé de son lit car elle estimait qu'il ne fallait pas m'encourager dans mon comportement irrationnel.

De quoi avais-je peur, effectivement, au point de me cramponner à mes oreillers en pleurant ?

Il y avait d'autres invasions, dont certaines sont pour moi des souvenirs presque insupportables.

Au zoo de Londres, il existe des cours pour les gens atteints de phobies. Il s'agit de s'accoutumer à sentir grimper sur ses bras des créatures couvertes de poils, qui sifflent, mordent, glapissent. Oh, non, non ! Il vaut encore mieux ne pas y penser.

Si jamais je me surprends à faire du sentiment sur la brousse, je me rappelle à moi-même qu'il pouvait m'arriver, au beau milieu d'une promenade tranquille parmi les arbres, de me retrouver prise dans une toile d'araignée aussi gluante que les toiles empoisonnées des vieux mythes ou des contes de fées. Pendant ce temps, l'araignée trépignait de fureur à moins d'un mètre de moi.

Un bungalow hideux fut construit en contrebas de notre maison. Puis quelqu'un – qui ? – raccourcit la colline d'au moins trois mètres. Le sol s'était affaissé tout autour de la vieille maison perchée au sommet. La terre en surplus fut entassée à la pelle sur les versants de la colline, là où jadis les bœufs avaient avancé péniblement sur des pentes escarpées.

Le bungalow accueillit divers occupants, lesquels partaient en laissant leur marque – des rosiers mal soignés s'alignant le long d'une clôture, quelques pêchers qui ne réussissaient pas mieux que les grenadiers plantés par ma mère.

Puis ce fut la guerre d'indépendance. Toutes les fermes se transformèrent en forteresses entourées de hautes clôtures derrière lesquelles on se barricadait la nuit. Mais elles n'étaient pas assez hautes pour empêcher terroristes et guérilleros de jeter des grenades par-dessus ou même de les escalader. À l'intérieur des maisons, je vis les carabines et les fusils de chasse posés sur les rebords des fenêtres, et les seaux d'eau prévus en cas d'attaque incendiaire. Les fermiers blancs assiégés dans leurs propriétés menèrent une guerre longue et effrayante, après quoi ce fut le gouvernement noir, qui déçut tant d'espoirs, puis Mugabe, cet horrible petit tyran. Aucune clôture fortifiée, aucune arme de siège ne défendirent les habitants contre ces assaillants.

C'est ainsi que mon père, si ses rêves l'avaient transporté dans l'avenir au lieu du passé, aurait dû voir ce district naguère renommé pour son bon fonctionnement, ses magnifiques récoltes de maïs et de tabac, commencer lentement à retourner à la brousse. En effet, Mugabe et ses acolytes, en mettant la main sur les fermes des Blancs, ne songeaient nullement à nourrir la population ni à assurer son avenir. Ils laissèrent les fermes à l'abandon. Pour qu'une exploitation agricole reste saine et productive, il faut des engrais, des machines et d'innombrables spécialistes. S'il s'agit d'une ferme laitière, des vétérinaires sont indispensables. Que tout cela vienne à manquer, les terres négligées redeviennent inéluctablement de la brousse.

LE VIEUX *MAWONGA*

En me rendant à la ferme vers le début des années quatre-vingt, je me retrouvai à une quinzaine de mètres de l'emplacement de la maison. Devant moi, j'avais un ivrogne titubant, un grand Noir très maigre qui était pauvrement vêtu et empestait la bière éventée. J'étais accompagnée d'Antony Chennells, lequel enseignait alors à l'université du Zimbabwe. C'était un compagnon idéal pour ce genre de voyage, outre le fait qu'il connaissait mieux que personne l'histoire, la législation, la littérature et la population, aussi bien noire que blanche, de la Rhodésie du Sud. Son grand-père était Charles Coghlan, le premier des Premiers ministres sud-rhodésiens. Il m'était dur de retourner à la ferme, au *kopje* où se dressait jadis la maison – à mes souvenirs. Nous étions donc devant cet homme en colère, sans avoir demandé la permission aux propriétaires de la ferme, car nous savions que ç'aurait été inutile et étions venus plus ou moins sur un coup de tête.

— Que faites-vous ici ? demanda l'ivrogne d'un ton agressif et accusateur.

— Je vivais ici autrefois. J'y ai passé mon enfance ! répondis-je d'un air enjoué, comme si cette visite ne s'annonçait pas catastrophique.

Il était trop saoul pour paraître vraiment méprisant, mais il fit de son mieux.

— Notre ancienne maison se trouvait ici, dis-je en désignant du doigt un endroit où surgissaient des buissons et même de jeunes arbres. Les gens qui sont venus après nous ont raccourci le sommet de cette colline. Il me semble qu'elle est plus basse d'au moins cinq mètres.

— Personne n'a touché à cette colline, déclara l'ivrogne.

C'était en fait un mécanicien travaillant pour cette annexe et la grosse exploitation dont elle faisait maintenant partie.

— Je vous assure que cette colline est nettement moins haute qu'auparavant, insistai-je. On a entassé la terre sur les versants. C'est pourquoi la piste qui monte au sommet est en pente douce. Dans le passé, elle était si raide qu'il fallait passer en seconde pour la gravir.

Non, je n'étais quand même pas assez bête pour croire que mon amour pour cette région – on pouvait même dire : la connaissance que j'en avais – me donnait le moindre droit de me considérer comme la compatriote de cet homme. Bien sûr que non. Et pourtant...

— À l'époque, il y avait un arbre énorme à cet endroit.

Je montrai du doigt un point sur le devant de la colline, à une centaine de mètres du sommet.

— Il n'y avait aucun arbre là-bas, dit l'homme vacillant sur ses jambes. Il n'y en a jamais eu.

— Nous l'appelions le *mawonga*.

— Ce n'est pas le bon nom, trancha l'ivrogne.

Il était intéressant de voir l'histoire refaite sous mes yeux, le passé désavoué.

Un peu plus bas sur le versant de la colline, quelques femmes noires nous écoutaient avec curiosité. Sans doute, aussi, n'étaient-elles pas mécontentes d'avoir un peu de distraction dans leur vie probablement médiocre et monotone.

Quelques mètres plus loin s'élevait le bungalow bâti par des inconnus. Derrière les fenêtres, on apercevait les visages d'enfants noirs.

Sans demander la permission, puisqu'elle nous aurait été refusée, nous nous approchâmes pour mieux voir ces fenêtres surpeuplées. D'un seul coup, les enfants disparurent. Je scrutai l'intérieur de la maison. Les fenêtres étaient fermées, en cette après-midi torride, et une douzaine d'enfants étaient enfermés entre ces murs. Ils s'étaient regroupés, timides, au centre de la pièce. Il n'y avait que des enfants, de tous âges. Pas un jouet, pas un morceau de papier, aucun cahier ni livre d'aucune sorte. Rien pour jouer ni pour exercer son esprit. Où se trouvait l'école la plus proche ? À Banket, à moins qu'on ne donnât des cours dans une ferme des environs.

C'était avant que Mugabe n'ait permis qu'on confisque les fermes des Blancs.

Cela faisait mal de voir cette maison et ces enfants qui n'avaient... eh bien, rien. Absolument rien. Pour s'assurer qu'ils soient en sécurité et ne puissent faire des bêtises, on s'était contenté de les enfermer dans une maison vide...

En cet instant même, cela fait mal. Donnez-nous une éducation, donnez-nous des cahiers, des livres – voilà ce qu'ils crient, mais peut-être moins fort à présent que tout le monde manque de nourriture, de tout. À l'heure actuelle, ces enfants sont sans doute des adultes au chômage.

Il est aussi très possible qu'ils soient morts de faim, ou du sida.

Voilà bien longtemps, en 1956, je me suis rendue dans une ferme « progressiste » s'appelant tout bonnement ferme de la Piètre Consolation. On y donnait des cours aux enfants et aux adolescents, avant l'instauration du gouvernement noir. J'y ai rencontré un jeune homme plein d'idéalisme, qui entendait devenir professeur. Il disait qu'il voulait être instruit afin d'aider ses compatriotes : « Je veux consacrer ma vie à mon peuple. »

Les jeunes idéalistes ne tournent pas toujours bien.

Celui-là devint bientôt Didymus Mutasa, un grand ami de Mugabe. Il a déclaré récemment qu'il n'était pas grave que tant de gens meurent du sida ou d'autre chose. « Nous irions mieux avec deux millions d'habitants en moins », a dit cet homme qui est maintenant l'un des politiciens noirs les plus cyniques et corrompus d'Afrique.

Je me demande si quelqu'un a abattu le vieux *mawonga*. Était-il vraiment vieux ? Est-il tombé ? Ces géants poussent au milieu des arbres moins imposants du haut-veld. Ils se distinguent des autres par leur taille supérieure, leur tronc blanchâtre et leurs branches, qui ne sont pas plates et superposées comme celles des *musasa*.

Notre arbre était une sorte de point de repère. Il était toujours rempli d'oiseaux. Un jour, une nuée de criquets arriva du nord et s'abattit sur tous les arbres. Sous leur poids, une branche du *mawonga* se rompit.

Des abeilles habitaient l'arbre. On voyait de loin l'entrée de la cavité environnée d'insectes bourdonnants. De temps à autre, un groupe d'hommes quittaient les champs pour aller faire un feu à l'endroit propice en dessous du nid. En apercevant la fumée, les abeilles se mettaient à s'agiter avec fièvre puis à tomber, étourdies. Les hommes appuyaient alors un tronc d'arbre dénudé contre celui du *mawonga*, et l'un d'eux grimpait en haut. Introduisant son bras dans la cavité, il en sortait des fragments et des rayons de miel, qu'on rangeait ensuite dans une boîte de paraffine. Il écartait de la main les abeilles, sans en paraître fort incommodé. Puis il descendait en glissant le long du tronc. Nous recevions pour notre maison une bassine pleine de miel, de rayons, de pain d'abeille, mais plusieurs grosses boîtes étaient destinées aux indigènes.

Cette colonie d'abeilles devait être importante, car elles essaimaient souvent. Nous entendions leur bourdonnement s'enfler lorsque l'essaim passait au-dessus de la maison en s'en allant chercher un emplacement où installer de nouveaux nids.

À propos de cet arbre, mes parents disaient :

— Nous ne quitterons jamais la ferme et on nous enterrera sous le *mawonga*.

— Oui, ce vieil arbre sera encore là quand nous aurons disparu.

En fait, il ne dura guère plus longtemps qu'eux.

Quand les hirondelles arrivaient, vers le début de la saison des pluies, elles tournoyaient devant la maison et autour de la partie inférieure du *mawonga*.

Elles repartaient en avril ou en mai, et ma mère se lamentait :

— Oh, les hirondelles seront bientôt en Angleterre. Elles y reviendront avant nous. Imagine-les en train d'effleurer la surface des étangs ! En les voyant arriver au printemps, on savait que l'été ne tarderait pas...

— Je voudrais qu'il se mette vraiment à pleuvoir, disait mon père. Regarde-moi ces nuages. Ils ne contiennent pas une goutte de pluie.

— Elles ne seraient pas ici si les pluies n'étaient pas imminentes, disait ma mère. Sans pluies, pas d'insectes. Sans insectes, pas d'hirondelles.

D'après sa consonance, *mawonga* est un nom shona. Cet arbre a une double dénomination : *pericopsis* et *angolensis*.

LES PROVISIONS

Deux petits enfants étaient assis à la table installée devant les fenêtres dont ma mère disait qu'elles étaient « comme à la proue d'un navire ». Un petit drame avait éclaté. La petite fille gémissait qu'elle ne voulait pas manger son œuf, et son frère déclarait qu'il en ferait autant.

— Je n'aime pas ces œufs visqueux, affirme la rebelle.

— Tu devrais avoir honte ! riposte son père. Pense aux enfants qui meurent de faim en Inde.

Ces petits Indiens affamés jouaient un rôle certain dans nos repas. Plus tard, je découvris qu'il était courant dans les familles bourgeoises de les invoquer lorsqu'un enfant n'aimait pas ce qu'on lui servait.

« Pense aux petits Indiens qui meurent de faim » était une plaisanterie éprouvée des cours d'école, par exemple.

Pourquoi mon père ne disait-il pas : « Pense aux enfants qui ont faim dans l'enclos des Noirs » ? Mais il ne le dit jamais. La disette devait être lointaine pour faire de l'effet. Du reste, je ne pense pas que les enfants de l'enclos aient souffert de la faim. Il était réservé aux ouvriers agricoles de la ferme, dont nous étions censés connaître le nombre. En effet, la loi imposait aux fermiers de fournir des rations de farine de maïs – la nourriture de base –, d'arachide, de haricots, qui étaient pesées chaque semaine sous la surveillance du boss-boy. Tous les travailleurs de la région venaient du Nyassaland, car elle faisait partie de l'itinéraire qu'empruntaient des hommes et même des femmes pour se rendre dans le Sud. Ils faisaient halte dans les fermes où ils avaient des parents ou connaissaient le boss-boy. Mon père disait en plaisantant :

— On pourrait penser que nous sommes les maîtres, mais n'en croyez rien. Ce sont les boss-boys qui dirigent.

Si une partie de ces travailleurs du Nyassaland ne faisaient que passer, d'autres s'installaient dans l'enclos quand ils trouvaient du travail. Du coup, la population de la ferme était nettement plus nombreuse que ce qui était déclaré officiellement. Il fallait tirer le maximum des rations, et il pouvait arriver que certains enfants eussent faim.

— Bon sang, Smoke ! protestait mon père. Vous m'avez dit qu'il y avait vingt-cinq personnes dans l'enclos, donc j'ai fourni vingt-cinq rations. Et voilà que vous m'en demandez davantage.

— Oui, baas. Mon frère est arrivé hier soir et il a sa femme avec lui.

— Travaille-t-il pour moi ?

— Non, baas, mais il cherchera un emploi la semaine prochaine.

Ces « frères » ne cessaient de provoquer des conflits, car nous devions l'hospitalité à tout parent qualifié de « frère ».

— Et combien d'enfants ont-ils ?

Le vieux Smoke – qu'on appelait ainsi parce qu'il fumait du chanvre *dagga* – restait évasif et marmonnait :

— Pas beaucoup.

— Mais l'enclos n'est pas censé accueillir des enfants.

— C'est vrai, baas.

Mon père aurait pu lui demander combien de gens vivaient vraiment là-bas, mais il ne le faisait pas car le vieux Smoke aurait été obligé de mentir.

Cependant, le soir du jour où les rations étaient distribuées, le vieux Smoke avait les clés de la réserve.

En somme, si les enfants ne mouraient pas de faim dans notre enclos, je suis certaine qu'aucun ne mangeait d'œufs à la coque ni de tartines beurrées, pour ne rien dire de la marmelade et de la confiture.

En avril 2007, la BBC a diffusé une série consacrée à la nourriture à l'époque édouardienne : « Voilà ce que mangeaient nos grands-parents. » C'était stupéfiant. Notre alimentation actuelle est à mille lieues de ces repas aussi lourds qu'abondants. La table de mes parents était impressionnante, elle aussi. Après avoir échappé à ces excès, à mesure que la nourriture devenait plus saine et plus légère, je ne pouvais que m'étonner en repensant au passé.

Petit déjeuner : plusieurs sortes de porridges et des corn-flakes, qui étaient alors une nouveauté, puis du bacon, des œufs et des saucisses, le tout accompagné de tomates et du délicieux pain frit, dont le goût n'est plus le même maintenant que la graisse de bœuf est passée de mode. N'oublions pas les toasts, le beurre, la marmelade. Plus tard, c'était le thé du matin avec scones et biscuits. Le déjeuner comprenait de la viande froide et diverses sortes de pommes de terre ou des plats préparés, comme du gratin de chou-fleur ou des macaronis. Et du pudding en dessert. Le thé de l'après-midi voyait un nouveau défilé de scones, biscuits et gâteaux. Nous, les enfants, prenions le soir une collation – beaucoup trop copieuse – et les petits Indiens affamés étaient souvent appelés à la rescousse. Quand nous fûmes plus âgés, le dîner devint un vrai repas comprenant rôtis, côtelettes, foie, rognons, langue, servis avec de merveilleux légumes du potager de ma mère. Des puddings concluaient le festin.

Ce régime alimentaire stupéfiant perdura dans les années soixante-dix, quatre-vingt... Rien ne manquait à la table du déjeuner, chez mon frère aussi bien que chez mon fils, John. Et bien sûr, ils ont tous deux succombé à un infarctus, mais on ne peut que se demander comment ils ont pu survivre aussi longtemps.

Quand je reprochais à mon frère ces repas faits pour un ouvrier agricole ou un terrassier, il répliquait :

— Mais nous devons garder notre standing.

En d'autres termes, il s'agissait de montrer qu'on pouvait se permettre de telles débauches de nourriture. Toutes les anciennes possessions de l'Empire britannique ont hérité de cette tendance. Aujourd'hui encore, on peut voir des Australiens décrire en s'étouffant de rire des repas de Noël que Dickens n'aurait pas désavoués, avec pudding et mince pies, le tout par une température de cinquante degrés. Combien de fois ai-je entendu mon père déclarer :

— Seigneur, faut-il vraiment que nous fassions un réveillon ? J'ai besoin de repiquer le tabac.

Si ce n'était pas le tabac, c'était le maïs à replanter ou les grains à ensiler. Et la scène se reproduisait le 25 décembre – est-ce encore le cas aujourd'hui ? –, parce qu'il fallait bien penser au standing.

Chez nous, les repas pesants à la mode édouardienne furent de rigueur au moins jusqu'au début des années trente. Toutefois des idées nouvelles étaient dans l'air et mes parents se laissèrent tenter par d'innombrables régimes plus ou moins sérieux, dont certains ressemblaient à ceux qu'on observe aujourd'hui. Nous recevions à la maison le magazine *Nature* aussi bien que l'*Observer* et les bulletins de politique anglaise. Nous savions l'importance des fibres, des vitamines, de la cuisson correcte des légumes. Il m'arriva de séjourner quinze jours chez des amis de la famille. Je fus stupéfaite de découvrir à la faveur de ce séjour l'opposé de toutes les certitudes de mes parents.

— La viande ! proclamait mon hôtesse. Il n'y a que ça. D'autant que vous êtes en pleine croissance. Il vous faut de la viande !

Je mis en avant les dernières théories en vogue chez nous – la nécessité des salades, la cuisson à la vapeur – mais j'étais démunie face à des convictions aussi passionnées qu'absolument contraires à celles de mes parents. Cela m'arriva plus d'une fois. À peine entrée dans l'adolescence, j'étais déjà au fait de toutes les dernières lubies de l'époque. Au cours de ma vie, j'ai vu tous les aliments successivement portés aux nues ou mis à l'index – le sucre, lui, a toujours été considéré comme pernicieux.

Cela dit, l'obsession de la santé qui régnait à la maison n'a pas empêché mon père de devenir diabétique ni ma mère de se plaindre d'une infinité de maux. En attendant, le besoin qu'elle avait de me bourrer de nourriture me rendait malheureuse, car je grossissais. Oui, rien n'a changé. Même si j'échappais à ces horribles magazines qui accablent les jeunes filles de leurs prescriptions, je n'avais aucune envie de grossir, pas plus que mes amies. Je mis au point moi-même un régime, qui m'impressionne par sa détermination à ne pas céder au piège de la malnutrition. Pendant trois ou quatre mois, je me nourris de tomates et de beurre d'arachide, en me disant qu'à eux deux ces aliments me fourniraient toutes les vitamines nécessaires. Ce fut un succès. Je perdis du poids, non sans lamentations de la part de ma mère. Mais elle pleurait aussi parce que j'étais en train d'acquérir ma silhouette d'adulte, qui n'était pas mal du tout et qu'elle détestait.

S'il a jamais existé une femme qui eût été heureuse que sa petite fille ne quittât jamais le monde magique de l'enfance, c'était bien ma mère. Je commençais à me faire des robes, à gagner de l'argent, et elle ne cessait de se répandre en plaintes, en exhortations, en pronostics funestes quant à mon avenir.

Je recommande aux gens désireux de maigrir ce régime à base de tomates et de beurre d'arachide, mais je ne sais ce qu'en penseraient des spécialistes. Bien entendu, il faut des tomates venant d'être cueillies en plein soleil, du beurre préparé avec des arachides fraîches, tout juste sorties de terre. Il n'est pas aisé de s'en procurer, en tout cas pas à Londres, malgré son abondance ostentatoire.

Et que faisait mon père pendant que je refusais de manger autre chose que les deux aliments que j'avais sélectionnés ? Il était trop malade, si affreusement malade. Pourtant il aurait très bien pu, à présent, me dire de penser aux enfants affamés de la Grande-Bretagne, car la crise de 1929 avait éclaté. Une bonne partie de la classe ouvrière mangeait des tranches de pain et de margarine saupoudrées de sucre, ou des tartines à la graisse, qu'on accompagnait de thé fort et très sucré. Bientôt ce serait la guerre et je connaîtrais des hommes de la RAF dont l'enfance s'était plus ou moins passée dans cette atmosphère. Et maintenant – en juin 2007 – qu'en est-il des enfants affamés du Darfour ? Et de ceux du Congo, du Zimbabwe, de...

Il m'arrive parfois de poser cette question passablement rhétorique : « Pour quel motif nos descendants nous blâmeront-ils comme nous blâmons aujourd'hui les trafiquants d'esclaves ? » La réponse tombe sous le sens. Ils diront que la moitié du monde se gavait pendant que l'autre moitié mourait de faim. Il n'est pas difficile d'imaginer qu'un Premier ministre de l'avenir, désireux d'être bien noté par l'histoire, présentera des excuses pour la goinfrerie répugnante de ses aïeux, à savoir nous-mêmes.

Je ne vois pas comment on pourrait pardonner ce que nous sommes en train de faire.

Il n'existe sans doute pas de spectacle plus écœurant en ce monde que celui des assiettes sortant à moitié pleines d'un restaurant américain pour rejoindre les tonnes de restes remplissant les poubelles de la rue. Cette chose honteuse existe aussi en Angleterre : on jette des aliments qui pourraient nourrir des milliers d'affamés. Affamés et mourants. Ils meurent, ils sont à l'agonie à l'instant même où j'écris ces lignes...

Alors, vous pardonneriez, vous ? J'en doute.

Mais tandis qu'en Angleterre, et dans bien d'autres pays d'Europe, les enfants vivaient dans les privations, notre vieille Rhodésie du Sud jouissait d'un régime alimentaire meilleur que tout ce qu'on trouve aujourd'hui. Les légumes étaient cultivés sans pesticides ni engrais artificiels. La viande n'avait jamais entendu parler d'hormones.

Les poulets menaient une vie saine : l'élevage en batterie était inconnu. Et quel parti on savait tirer de ces produits, dans les fermes ! Certaines de ces recettes délicieuses n'ont laissé aucune trace dans les mémoires, je pense. Par exemple, tous ces plats préparés avec ce que nous appelons « sweetcorn », les grains de maïs frais, dont les épis arrivent tout droit des champs.

Les grains de maïs dans une sauce au fromage, cuits au four de manière à se couvrir d'une croûte légère, ou frits dans de la pâte, ce qui donne également une croûte. Et les soupes et ragoûts innombrables qu'on faisait avec. Il existait une sorte de ragoût de légumes à base de maïs, de morceaux de potiron, d'oignons, de haricots, de pommes de terre, auquel on ajoutait ou non un peu de viande, suivant les caprices du régime en vogue. Lorsque je suis allée en Argentine, nous avons demandé au chauffeur qu'on nous avait alloué de nous emmener dans les restaurants où lui-même mangeait. C'est dans un de ces endroits fréquentés par les gens du pays que j'ai retrouvé le même ragoût, mais avec en plus du piment et des tomates. Il est temps maintenant de parler du potiron, que personne ne semble savoir cuisiner en Angleterre. Laissez caraméliser des morceaux de potiron saupoudrés de sucre et de cannelle. Le résultat est exquis, surtout avec un rôti de viande. Et que dire du potiron frit avec des oignons, ou en purée avec de la cannelle et de la noix de muscade. Et les soupes de potiron. Sans oublier le meilleur : les beignets au potiron, épicés et croquants.

Cependant ma mère s'efforçait de convaincre les ouvriers agricoles de manger les légumes qu'elle cultivait avec tant de succès. Ils appréciaient oignons et épinards. En revanche, elle eut beau leur expliquer la nécessité des vitamines – oui, elle le fit : « Il faut bien qu'ils connaissent ces choses, non ? » –, ils refusaient de goûter aux tomates. Non, ils n'en voulaient pas, au moins à cette époque. Elle les suppliait d'aller au potager, où le jardinier leur donnerait toutes les tomates qu'ils voudraient. Et des haricots grimpants. Et des choux – « Le chou leur ferait tant de bien », se lamentait-elle. Mais ils n'en voulaient pas. Tout cela a changé. En ce temps-là, ils prenaient du maïs dans les champs, avec ou sans permission. Une troupe d'hommes du Nyassaland était capable d'en arracher toute une rangée en passant.

— Qu'est-ce que tu crois ? disait mon père. N'en ferais-tu pas autant ?

— Mais c'est du vol, protestait-elle. Comment l'appeler autrement ?

— Eh bien, ma vieille, je dirais que c'est bien le mot. C'est du vol, oui.

Je n'ai rien dit des fruits, dont l'abondance nous paraissait normale. La grenadille poussait dans certaines régions du pays. On voyait des goyaviers dans de nombreux jardins. Quant aux énormes papayers, ils étaient partout, de même que les avocatiers. Les plantains réussissaient bien, mais pas les bananiers. Dans plus d'une maison où j'ai habité, des litchis se dressaient devant la porte de la cuisine. Oranges, citrons, pamplemousses : la vieille Rhodésie du Sud permettait toutes les cultures, à un point ou un autre de son territoire. Et j'oublie les pêches, et les mangues de Mutare, et...

Bref, le régime alimentaire dont bénéficiaient les Blancs et certains Noirs aisés serait impossible aujourd'hui, même avec tout l'argent du monde. Il n'est plus qu'un rêve.

LES PROVISIONS – EN VILLE

La journée commence tôt, avec un petit déjeuner à sept heures : les bureaux ouvrent à huit. Le breakfast anglais complet est de rigueur. Après le départ des hommes, les femmes se mettent au travail. Si la maisonnée comprend des bébés ou de petits enfants, il faudra les garder tranquilles jusqu'à la fin de l'opération importante des commandes du jour. Les livreurs arrivent à bicyclette, qu'ils laissent appuyée contre un arbre ou une grille. Ils se rendent avec leurs carnets droit à la cuisine, où le cuisinier les vérifie et ajoute des annotations. Puis il amène le carnet apporté en premier à la « missus » – le mot « madame » fut un embellissement ultérieur.

On n'emploie pas le vrai nom du cuisinier dans la maison, mais un autre aux consonances bibliques, comme Joshua ou Isaac.

— Missus, annonce-t-il, voici les fruits et légumes.

Chaque livreur a un petit cahier portant l'adresse de la maison – mettons : 183 Livingstone Avenue. Chaque page est datée et un bout de crayon est attaché par une ficelle à ce carnet.

La maîtresse de maison regarde la commande de la veille. Le cuisinier a coché chaque article pour indiquer que celui-ci est arrivé.

Elle sait qu'elle doit s'assurer qu'il y ait assez d'oignons, de tomates et d'un légume dans le genre des épinards. Ils sont destinés aux « boys » – les serviteurs. En Rhodésie du Sud, le personnel de la maison ne comprenait que des hommes, alors qu'en Afrique du Sud il était et est encore exclusivement féminin. Pourquoi ? Qui peut le dire, à présent ?

Elle écrit :

1 papaye
6 plantains
6 oranges
2 livres tomates
4 livres oignons
4 livres épinards

Elle dit à l'homme qui attend, les yeux fixés sur elle :

— J'ai mis des épinards et des oignons. Quoi d'autre ?

Ce qui signifie : quoi d'autre pour *vous* ? À ce stade du développement de la colonie, ce n'étaient pas des fruits que les domestiques voulaient.

— Du potiron, missus.

Elle ajoute : *1 potiron*.

— Des grenadilles. Pour la salade de fruits ce soir.

Elle écrit : *3 livres grenadilles*.

— C'est tout, déclare Moses, Benjamin ou Jacob.

Il pose un autre cahier devant elle. C'est le carnet de l'épicerie, qui donne souvent lieu à quelques frictions, sur un ton plus ou moins aimable suivant l'humeur.

Elle regarde la commande de la veille. Tous les articles sont cochés.

— Du riz, missus, dit l'homme.

— Mais nous avons reçu cinq livres de riz hier.

— Nous avons besoin de riz, missus, insiste-t-il. Vous avez eu un ragoût avec du riz.

— D'accord, concède-t-elle.

Et elle écrit : *5 livres riz*.

— Du curry.

Les domestiques adorent le curry, dont ils vont jusqu'à saupoudrer leur bouillie de farine de maïs, la *sadza*.

Elle paraît dubitative, mais inscrit : *1 boîte de curry*.

— Du sucre, dit-il.

Cette fois, ils ont vraiment de quoi discuter un moment.

Il n'y a jamais assez de sucre. Cet homme donne à manger au moindre ami qui fait un saut, à ses « frères » et probablement aux amis de ses amis.

Le garde-manger abrite des sacs de farine de maïs, de haricots et d'arachides. Mais il semble que le sac de sucre ne cesse de diminuer mystérieusement.

— Nous avons reçu un sac de dix livres de sucre la semaine dernière.

— Du sucre, missus, dit-il doucement.

Et elle écrit : *10 livres sucre*.

Après avoir ajouté successivement confitures, miel, café, thé, elle en a fini avec le carnet de l'épicerie. C'est le tour d'un petit cahier au rôle essentiel : le carnet de la boucherie.

Quand je suis retournée en Rhodésie, moins de dix ans après mon départ, je fus stupéfaite par la quantité de viande qu'on y consommait. Les réfrigérateurs en étaient bourrés jusque dans les compartiments à légumes.

— Nous ne mangions pas toute cette viande, me suis-je écriée. C'est impossible.

Impossible – mais vrai.

Et tous les serviteurs aimaient la viande – *nyama* – et en redemandaient.

La maîtresse de maison regarde la commande de la veille :

5 livres bœuf extra pour rôti
2 livres foie
2 livres bacon
2 livres romsteck

En fait, il devrait rester la moitié du foie du déjeuner d'hier.

Elle devrait demander ce que sont devenus les restes du foie, mais elle préfère s'abstenir.

Ce soir, son mari et elle mangeront le rôti. Il restait aussi une grosse portion du ragoût de la veille.

— Au fait, comment était le ragoût ? lance-t-elle d'un ton badin.

Sachant les questions inutiles, elle essaie les plaisanteries.

— Je me demande combien de gens vous ont aidé à le manger.

— Le ragoût était très bon, missus, réplique-t-il promptement. Vous vous rappelez ? Vous et le baas avez dit qu'il était excellent.

— Et c'était vrai.

Elle écrit :

2 livres rognons de veau
3 livres viande hachée
2 poulets

À l'époque, on ne mangeait pas du poulet tous les jours mais seulement dans les grandes occasions. Elle projette de donner un déjeuner le dimanche.

— Et il nous faudra un autre rôti pour dimanche, dit-elle.

Elle aimerait commander de la cervelle, mais la coutume de sa tribu ne permet pas au cuisinier d'en préparer et encore moins d'en manger.

Épaule de porc

4 livres saucisses

À présent, elle commande la viande pour les domestiques : *4 livres viande pour boys*. Il s'agissait de tous les morceaux et os imaginables. Beaucoup plus tard, je mangeai de ladite viande pour boys, accommodée manifestement par un cuisinier hors pair. Ces restes variés, cuits avec des oignons dans une sorte de boîte en fer-blanc, étaient absolument délicieux. *3 livres viande pour soupe* : encore des os et des morceaux dont les domestiques avaient la plus grande part. *3 livres viande pour chiens*. Cette fois, les os l'emportaient sur la viande. Des os énormes jonchaient les pelouses, et il fallait les enlever.

De temps en temps, les boys se plaignaient que la viande des chiens était meilleure que la leur. Le statut privilégié des chiens les indignait.

— Et maintenant, quoi d'autre ? Demande la maîtresse de maison en songeant qu'il était dommage que l'agneau de cette colonie fût indigne d'être mangé.

— De la langue ? suggère l'homme.

Ils aimaient tous la langue.

— Le fromage de tête de ce boucher est excellent, observe-t-il.

3 livres fromage de tête, écrit-elle. Ni elle ni son mari ne l'aiment, mais pourquoi pas ?

— Si vous commandez un morceau de jambon, je peux faire une soupe au jambon et aux pois.

Il tape sur son genou pour lui montrer quelle partie du cochon elle devrait commander.

Elle écrit : *Jambonneau*, puis rend le carnet au cuisinier.

Il jette un coup d'œil pour vérifier qu'il ne manque rien.

Elle raconte à son mari qu'elle prend plaisir à « batailler » avec... mettons : Joshua.

— Du moment que tu te rends compte qu'il t'exploite, réplique le maître de maison et pourvoyeur de la famille, pour marquer son autorité.

— Oh, je t'en prie, pour ce que cela nous coûte !

— La note est salée, si tu fais l'addition de tout.

Dehors, les trois livreurs sont sur leur bicyclette, un pied posé sur la véranda. Ils attrapent au vol les carnets que le cuisinier leur lance l'un après l'autre, puis s'élancent sur leurs coursiers en direction des magasins, qui ne sont guère qu'à un kilomètre.

« Fini, se dit-elle. Tout le monde aura à manger. Enfin, j'espère. »

Maintenant, il est temps qu'elle s'occupe des enfants. Si elle n'en a pas, elle va bientôt partir prendre un thé matinal chez une autre épouse. Il y aura des scones, des biscuits, du gâteau, diverses friandises, chefs-d'œuvre du cuisinier de la maison.

Quand les filles échangent des recettes, il s'agit de cakes et de puddings. Quant à la viande, elle n'a pas besoin de leurs soins. Elles se plaignent parfois qu'on devrait inventer un autre animal :

— Du bœuf, encore du bœuf, toujours du bœuf. Je finirai par me faire végétarienne !

MON FRÈRE, HARRY TAYLER

La Seconde Guerre mondiale ne faisait que commencer et des cuirassés britanniques se livraient à leurs activités belliqueuses dans l'océan Pacifique. Il s'agissait du *Repulse* et du *Prince of Wales*. Tous deux étaient insubmersibles. Comme le *Titanic*. Est-il permis à des contribuables et citoyens inquiets de s'interroger sur le sort qui attend les « experts » nantis d'idées aussi fausses sur les aptitudes des grands bâtiments ? Ces derniers sont-ils anoblis ? Les fait-on entrer dans d'autres commissions afin de se prononcer sur la viabilité des navires ?

Mon frère se trouvait à bord du *Repulse*. Les Japonais coulèrent les deux vaisseaux en vingt minutes. En apprenant cet événement, nous fûmes abasourdis. Des centaines et des centaines d'hommes noyés... Mais il nous fallut attendre pour avoir des nouvelles plus précises. D'où nous seraient-elles venues ? Le Pacifique n'était pas encore sillonné par des correspondants de guerre. Puis des survivants racontèrent ce qu'ils avaient vécu, et tout se révéla peu à peu. Mon frère écrivit une lettre, qui mit du temps pour arriver. La correspondance n'était pas vraiment sa spécialité.

« Ce n'était pas une expérience très agréable », concédait-il. Lorsque les bombes se déchaînèrent, en ce matin funeste, il se trouvait près d'une échelle menant à un des ponts. Des marins passaient en hâte, et quelqu'un lança : « Tu montes en haut, Tayler ? » Il se mit donc à grimper l'échelle et découvrit que le navire coulait. Il traversa le pont s'inclinant vers la mer et s'éloigna à la nage avec une nuée de survivants. Quand le *Repulse* sombra, il était suffisamment loin. Pendant des heures, il resta dans l'eau au milieu des cadavres, des débris, du pétrole. Il y avait des requins dans les parages, mais ils furent probablement tenus à distance par le pétrole. Un navire anglais finit par les recueillir et les emmena à Ceylan. Là, ils racontèrent leur épopée aux journalistes. Il leur fut permis de récupérer. Harry fut ensuite affecté à l'*Aurora* et passa le reste de la guerre à son bord dans la Méditerranée. Les tirs d'artillerie aggravèrent sérieusement sa surdité – il avait commencé à devenir sourd dès son adolescence.

Je le rencontrai au Cap, dans les circonstances suivantes.

Mon premier enfant, John Wisdom, ne fut jamais du genre à supporter sans se plaindre difficultés et contrariétés. La naissance de mon deuxième enfant, sa sœur, fut un choc pour lui. Je n'ai jamais entendu dans ma vie de hurlements de rage comparables aux siens lorsqu'il se sentit trahi en découvrant que cette nouvelle venue allait rester. Il s'en prit au bébé mais aussi à moi, en me frappant de ses petits poings avec une violence précoce. Le message était clair : « Pourquoi m'as-tu fait ça, à *moi* ? »

Il y eut maintes délibérations. Moi-même, je me sentais passablement éreintée. Combien de fois ai-je entendu des hommes faire des déclarations du style : « Ma grand-mère a eu huit enfants en huit ans, et cela ne l'a jamais empêchée de se porter comme un charme. » Personnellement, j'ai la conviction qu'avoir des enfants trop rapidement épuise les femmes. Une voisine me pria de la laisser s'occuper de mon bébé, car elle avait toujours voulu une fille et n'en avait jamais eu. Pendant ce temps, j'emmènerais John sur la côte afin qu'il ait sa mère toute à lui, jour et nuit, et retrouve son équilibre.

J'ai déjà écrit sur ce voyage jusqu'au Cap. Cinq jours dans un compartiment de la taille d'un petit fourgon à poneys. Parfois, on peut voir des vétérans de la vie considérer les années passées en se demandant laquelle de leurs expériences fut la pire. J'affirme qu'être enfermée pendant cinq jours dans un espace restreint avec un bambin hyperactif occupe un rang appréciable au classement des expériences pénibles. Nous finîmes pourtant par arriver à bon port. L'hôtel se trouvait sur le front de mer, à Sea Point. Les établissements du coin étaient tous dédiés au plaisir, comme l'indiquaient les guirlandes électriques multicolores ornant leurs façades. Tout était archiplein, car les survivants de la chute de Singapour venaient d'arriver. On rencontrait toutes sortes de voyageurs surpris par la guerre et contraints de se contenter de logements nettement moins confortables que ceux auxquels la plupart étaient manifestement habitués. Ce n'étaient partout que fonctionnaires, bureaucrates et employés privés de leurs propres locaux, qui avaient sans doute été réquisitionnés pour l'effort de guerre.

Parmi eux se trouvaient plusieurs quakers, auxquels je dois une conversation dont j'avais grand besoin. Même si l'on ne pouvait dire que le régime sud-rhodésien fût à mon goût, je n'avais encore jamais entendu personne en donner une description objective. Il faut se rappeler qu'en 1924, l'année où mes parents arrivèrent dans la colonie, on venait d'organiser un plébiscite, ou une sorte de vote, afin de déterminer si ce pays nouveau voulait ou non devenir la sixième province de l'Afrique du Sud. Tous les Rhodésiens votèrent : « Non, nous préférons être une colonie britannique autonome. »

Les quakers – une demi-douzaine de fonctionnaires – apprirent que je venais de « ce petit pays entêté » et se mirent à en parler. Pour mon plus grand profit.

— Vraiment... on ne peut rien imaginer de plus ridicule. Ils prétendent se débrouiller tout seuls. Cent mille Blancs gouvernant un demi-million d'indigènes...

(C'était alors le mot correct pour désigner les Noirs.)

— Mais chaque fois que nous, Sud-Africains, promulguons une loi, ils la copient et l'adoptent à leur tour. Toute notre législation est plagiée par eux. Pourquoi donc ne sont-ils pas restés membres de l'Afrique du Sud ? Avez-vous jamais séjourné là-bas ? Britannique par-ci, britannique par-là, c'en est écœurant...

Et ainsi de suite. Cela me fit réfléchir utilement, comme on dit.

Cet hôtel bondé et bruyant plaisait à John, d'autant qu'il n'y avait pas trace d'une petite sœur. Il s'amusait beaucoup. Un beau jour, on vit arriver dans la véranda de cet hôtel l'aspirant Harry Tayler. Un jeune homme d'une beauté stupéfiante, que toutes les femmes à la ronde épiaient par les fenêtres quand elles ne s'arrangeaient pas pour prendre le thé sur la véranda afin de le contempler.

Cette fois, je pus entendre de vive voix les événements du *Repulse*.

— Vois-tu, déclara mon frère, je crois que j'ai subi un choc sérieux. Je ne m'en suis rendu compte qu'après coup. Pendant des semaines, j'ai vécu comme dans un brouillard. Mes souvenirs de Ceylan sont confus.

— Combien de temps es-tu resté dans la mer à attendre d'être recueilli ?

— Je ne sais pas. On m'a dit que plusieurs heures s'étaient écoulées, mais elles m'ont paru des jours. L'eau était chaude, ce n'était pas le problème. Mais il y avait tous ces morts flottant autour de moi, et dont j'avais connu un certain nombre. Le soleil était torride. Il me brûlait tellement que ma peau se couvrait de cloques. J'essayais de garder ma tête humide. D'autres hommes étaient accrochés à n'importe quel débris qui flottait. Ils appelaient au secours. J'ai lu le témoignage d'un des survivants, dans le *Times*, je crois. Il affirmait qu'il y avait des requins, mais je n'en ai vu aucun. Le pétrole n'aurait-il pas dégoûté tout requin qui se respecte ? Cela dit, en y réfléchissant, je suppose que ce pétrole était plutôt bienvenu pour nous protéger du soleil.

— T'arrive-t-il de penser à l'homme qui t'a dit de grimper l'échelle menant au pont ?

— Oui, ç'a été un coup de chance, si tu veux. J'ai pu monter sur le pont et m'éloigner à la nage avant que le bateau sombre complètement. Autrement, j'aurais coulé avec lui. Mais, vois-tu, Tigs... (C'était ainsi qu'on m'appelait dans mon enfance.) On ne réalise pas vraiment, quand il se passe quelque chose d'aussi énorme.

— Tu y penses souvent ?

— Le moins possible. Ce n'était quand même pas agréable, tout ça.

Et maintenant, imaginez que cette conversation continue, mais plusieurs années après – voici la suite. Harry qui avait passé la guerre en Méditerranée, fut soigné à Londres pour sa surdité, mais il n'eut pas d'appareil auditif vraiment efficace avant sa vieillesse. Il se maria et eut des enfants. Ses divers emplois furent toujours liés à sa connaissance phénoménale de la brousse et du veld, des animaux et des plantes. Puis les Noirs gagnèrent leur guerre et prirent le pouvoir. Harry déclara qu'il ne pouvait pas vivre sous un gouvernement noir et s'installa en Afrique du Sud, jusqu'au jour où ce pays fut à son tour gouverné par les Noirs. Puis il eut une crise cardiaque et mourut, beaucoup trop jeune. Dans l'intervalle, nous nous retrouvâmes plusieurs fois à Londres, dans ma cuisine. Pendant toutes ces années, nous ne nous étions pas très bien entendus. Il soutenait les Blancs durant la guerre, alors que j'étais du côté des Noirs. Nous avions donc beaucoup à nous dire, quand nous nous rencontrions, désormais âgés l'un comme l'autre. Si du moins nous arrivions à nous parler. Nous avions si peu en commun, lui et moi, qu'il était souvent difficile de trouver des sujets de conversation. Je préférais garder le silence lorsqu'il entonnait les couplets habituels sur l'infériorité des Noirs, et lui-même prenait fréquemment un air indulgent, qui signifiait que mes opinions sur tel ou tel problème le mettaient mal à l'aise.

Un jour, cependant, peu avant sa mort, il déclara qu'il avait à me parler. Il voulait que je comprenne quelque chose. Sa femme avait succombé à une crise cardiaque, à l'époque, et il vivait en solitaire. Il était en proie à ce besoin qu'ont les vieillards de s'expliquer avant qu'il ne soit trop tard. Il voulait parler à quelqu'un, n'importe qui, comme si ce qu'il avait à dire ne pourrait avoir de réalité qu'en existant également dans l'esprit d'un autre.

Pendant la guerre d'indépendance, mon frère ne fut pas un combattant, car il était trop vieux. Toutefois les fermiers trop âgés pour se battre passaient la plupart des nuits dehors, dans des camions ou des voitures blindées, en restant en contact radio avec les fermes des Blancs ou en passant voir si tout le monde allait bien. Il y avait des embuscades sur les routes, qui risquaient toujours d'être minées par les guérilleros. C'était dangereux, même si combattre dans l'armée était pire. Mais Harry, comme tous ces hommes, adorait ça.

Quand des pacifistes, ou des gens essayant de limiter les guerres, choisissent d'oublier que certains hommes prennent plaisir à se battre, ils commettent une grave erreur.

Mon fils John, qui avait été un petit garçon si belliqueux, était amoureux de la guerre. Il aimait se traîner en rampant dans la brousse, armé jusqu'aux dents, en plein danger.

Cela fait trois fois à présent que j'ai entendu des hommes évoquer le bon vieux temps avec ceux qu'ils avaient combattus. Ces anciens ennemis avaient tout en commun.

L'un d'eux était mon père, qui rendait souvent visite à un mineur allemand – un de ceux qu'on descendait dans des puits ou des galeries à risque tant qu'il subsistait une chance d'en extraire quelques grammes d'or. L'Allemand comme l'Anglais avaient été militaires. Ils avaient été dans les tranchées au même moment et dans la même région.

Pendant des heures, ils discutaient des patrouilles qu'ils avaient faites, des blessures qu'ils avaient évitées de justesse – avant d'y passer pour de bon –, de la compétence ou de l'incurie de leurs officiers.

Les routes étaient complètement défoncées. Le plus pénible, pendant ces sorties nocturnes, c'était d'être cahoté en tous sens dans de vieux camions. Une nuit, Harry se trouvait à bord d'un camion bondé lorsqu'ils rentrèrent dans une ornière ou heurtèrent un rocher. Harry sentit tout son corps violemment ébranlé et sa tête se cogna contre l'arrière de la cabine.

— Le choc avait été terrible et je me sentais tout drôle. J'ai téléphoné au médecin – comme l'essence était rationnée, on ne se servait de la voiture qu'en cas d'urgence, tu comprends. Je lui ai dit ce que je ressentais et il m'a répondu que je ne lui donnais pas l'impression d'avoir été vraiment commotionné. Pourtant je me sentais tellement... Je ne sais pas comment t'expliquer. Tu te souviens de la malaria ?

— Non.

— Quand on a la malaria, on est secoué de frissons effrayants, et l'instant d'après on se sent merveilleusement lucide et en forme. Mais ce n'était pas ça, je n'avais pas de température ni aucun autre symptôme. Je n'étais pas malade. Il me semblait que je devenais fou tant tout me paraissait soudain clair et lumineux. Il m'a fallu des jours pour comprendre. D'un seul coup, je me suis rendu compte que j'étais comme ça avant le naufrage du *Repulse*. Ce choc à la tête m'avait remis dans mon état normal. J'avais retrouvé brusquement ma vraie personnalité, vois-tu. J'étais redevenu moi-même. Il me fallait affronter le fait que j'avais vécu pendant quarante ans dans un état second. C'était comme si j'avais été derrière une muraille de cristal. Non, je n'arrive pas à expliquer...

— Tu y arrives très bien, Harry. Continue.

— Cela signifie que Monica ne m'a jamais connu.

(Monica était sa femme.)

— Elle a ignoré mon être réel, pour qui tout est si net et limpide. Et mes enfants... C'est si difficile à accepter, Tigs. Quelque chose dans cette histoire du *Repulse* m'a déstabilisé... Mais toi, pourrais-tu dire comment j'étais, pendant toutes ces années ?

— Nous ne nous sommes pas beaucoup vus, n'est-ce pas ?

— Non, pas vraiment.

Pour répondre à sa question : j'avais pensé que mon frère n'était pas très vif, mais que c'était sans doute lié à sa surdité. C'est alors qu'il en parla de lui-même :

— Je me suis dit que ma surdité était peut-être l'explication. Je n'ai jamais eu d'appareil auditif digne de ce nom. Mais ce n'était pas ça. Même si j'étais sourd, je voyais tout. Mes facultés étaient intactes. Néanmoins tout était comme amorti, étouffé. J'avais l'impression d'être sous l'eau et d'entendre les sons de très loin. Vois-tu, Tigs, ç'a été ainsi pendant la plus grande partie de ma vie : j'étais tout simplement absent.

S'ÉVADER DE LA FERME

Vers le milieu de la guerre, mes parents s'installèrent en ville – à Salisbury, l'actuel Harare. Il n'était plus possible de soigner mon père à la ferme. Pourtant la vieille maison, qui était si délabrée qu'il pleuvait sur le linoléum au moindre orage et que les vents se déchaînaient parfois autant à l'intérieur qu'à l'extérieur, lui avait mieux convenu que le pavillon de banlieue, qu'il détestait.

Le diabète avait atteint un stade critique. Le traitement n'était pas aussi au point qu'aujourd'hui. Quand on considère sa maladie du début à la fin, elle aura été constamment dominée par la question du régime. Mon père suivait une diète si sévère que la dernière image que je garde de lui est celle d'un homme hagard, décharné, assis à la table à côté d'une petite balance de cuivre sur laquelle il pesait trente grammes de tel ou tel aliment, une moitié de scone, une petite pomme de terre. Tout a changé. De nos jours, les médecins sont si habiles qu'ils maintiennent l'équilibre entre l'insuline et la nourriture, de sorte qu'en vivant avec un diabétique on oublie aisément sa maladie. Si les médecins de mon père avaient eu autant de savoir-faire, il n'aurait pas été aussi affreusement malade.

Le destin, mon karma ou le hasard ont fait que j'ai eu moi-même à m'occuper d'un diabétique, exactement comme ma mère, et je peux comparer la situation actuelle avec ce qui se passait à l'époque. Que nous sommes heureux d'avoir les médicaments que nous avons ! Les malades du diabète n'imaginent pas ce qu'ils auraient dû endurer il n'y a pas si longtemps.

Toute notre éducation et notre évolution tendent à nous faire accepter le malheur comme un coup imprévu. Il est tombé de cheval, une flèche a crevé son œil. Elle est morte en accouchant, ou d'une appendicite aiguë, d'une intoxication alimentaire. Il y a eu une fusillade dans la rue, un attentat suicide, une chute de pierres. Ou un incendie, une inondation, un accident de voiture. En revanche, il est difficile d'imaginer, et plus encore de décrire, le lent naufrage d'une maladie interminable. Si je dis que ma mère soigna mon père jour et nuit pendant les quatre dernières années de sa maladie, avec une vigilance de chaque minute, tandis que son organisme le trahissait inexorablement, jusqu'au moment où il en vint à implorer qu'on le laisse mourir – notre esprit a peine à assimiler une telle évocation. Et avant ces quatre années, ma mère l'avait soigné pendant dix ans.

Elle n'était pas assez aidée. Moi ou d'autres personnes nous occupions de mon père pour une après-midi, une soirée, afin qu'elle puisse sortir. Ce dont elle aurait vraiment eu besoin, toutefois, c'était qu'on lui dise : « Je prendrai la relève ce week-end, pour que tu puisses... » Sans doute dormir, tout simplement. Je ne savais comment m'en sortir avec cet attirail de seringues et d'éprouvettes, sans compter le monceau de pilules dont aucune n'était destinée à l'affreuse dépression qui l'accablait.

La guerre et ses suites furent une période terrible pour tout le monde, mais particulièrement pour ma mère. Nous savons désormais que la guerre a eu une fin, qu'elle a duré de 1939 à 1945, mais nous l'ignorions en ces années où elle s'éternisait, et personne ne prévoyait les horreurs de l'après-guerre. Il est si difficile de rendre cette impression d'un effort implacable, abrutissant. Ce que ma mère ressentait réellement, durant les dernières années de mon père, n'était guère communicable. Cependant il me semble que les gens ayant passé par le même genre d'épreuve comprendront.

Ses enfants n'étaient certes pas une joie pour mon père. Après avoir failli sombrer avec le *Repulse*, mon frère fut sauvé puis fit une guerre longue et pénible en Méditerranée, où les combats furent si acharnés. Quant à sa fille... Je quittai un mari et deux enfants pour épouser un Allemand, considéré comme un ressortissant d'un pays ennemi. Mes parents n'étaient pas germanophobes, mais il existe plusieurs stéréotypes de l'Allemand. L'un d'eux est l'homme gros et jovial, bon enfant et probablement fumeur de pipe, aux allures de Père Noël, qui leur aurait été sympathique. Un autre est le Prussien, distant, correct, froid et peu généreux. Comment auraient-ils pu apprécier mon deuxième mari ? Sans compter que c'était un communiste, un vrai – il l'est resté jusqu'à sa mort. Il y avait aussi beaucoup d'arrière-plans qu'heureusement ils ignoraient. Par exemple, le fait que Gottfried ne m'avait épousée que pour échapper au camp d'internement, comme beaucoup d'étrangers recherchant à cette fin des filles du pays. Toutefois il devait être évident pour eux, surtout mon père, que Gottfried et moi n'étions pas bien assortis, comme on dit. Alors que tout dans sa vie en Rhodésie du Sud déplaisait à Gottfried, il se montrait d'une politesse implacable, et mes parents respectaient eux aussi les formes. À présent, je me demande comment le comportement de sa propre fille aurait pu être pire pour mon père.

Pourtant nous nous comprenions très bien, lui et moi. Quand j'étais assise avec lui, en ces après-midi et ces soirées si longues, il me tenait la main et nous communiions dans la même rage de comprendre. Je crois que la colère ramenée des tranchées par mon père s'est emparée de moi très tôt et ne m'a plus jamais quittée. Les enfants ressentent-ils les émotions de leurs parents ? La réponse est oui, nous les ressentons. Et voilà un héritage dont je me serais bien passée. À quoi bon tout cela ? C'est comme si cette vieille guerre imprégnait ma mémoire, ma conscience.

Il rêvait souvent aux tranchées. Ma mère prétendait qu'elle avait parfois l'impression que les anciens camarades de mon père étaient avec lui – avec nous.

— C'étaient de si braves types, disait mon père. Des hommes bien. Et ils sont tous morts à Passchendaele. Jusqu'au dernier soldat de ma compagnie. J'aurais dû mourir avec eux, mais j'ai eu cet éclat d'obus dans ma jambe juste avant la bataille. J'ai dû déjà te le raconter – j'en suis même sûr. Mais tous ces gars merveilleux, ils devraient être vivants aujourd'hui. Ils n'étaient que de la chair à canon, rien de plus.

Des années plus tard, à Londres, j'ai visité le musée impérial de la Guerre, où on a reconstitué des tranchées avec un réalisme qui met franchement mal à l'aise. Une femme les contemplait, en larmes. Comprenant qu'elle pleurait de rage, je m'arrêtai à côté d'elle. Elle me jeta un coup d'œil et vit que j'étais d'accord avec elle.

— On aurait dit qu'ils n'étaient que des déchets, lança-t-elle. On les jetait dans les tranchées comme des déchets. Ils comptaient pour rien du tout, voyez-vous.

C'était exactement ça.

Et mon père continuait sans relâche à parler de la chair à canon.

— Si seulement tu les avais connus, disait-il en serrant ma main. Tous ces braves garçons. Je pense sans cesse à eux.

Et mon père pleurait, en écarquillant les yeux comme un enfant. Il versait des larmes de vieillard, lui qui n'avait pas encore soixante ans, et il murmurait les noms de ces chics types, ses hommes, qui avaient péri dans la boue de Passchendaele. Pendant ce temps, la radio, qu'on n'éteignait jamais, nous donnait des nouvelles des champs de bataille en Europe et dans le Pacifique.

— Je pense à eux, oui, il ne se passe pas un jour sans que je pense à eux. Oh, tous ces garçons merveilleux, si jeunes...

Ma mère entrait et s'asseyait sur le vieux fauteuil en osier, qui venait de la ferme : son siège attitré. Elle était complètement épuisée. Je voyais qu'elle avait envie de s'accorder quelques minutes de sommeil, peut-être. Elle avait la main sur la joue – cette main où les bagues étaient devenues trop larges pour les doigts.

— J'ai déjà dû te le raconter, disait mon père en la voyant assise près de lui. Oui, j'en suis même sûr. Si je n'avais pas été atteint par cet obus, je serais mort avec eux. Parfois, je me demande si ça n'aurait pas mieux valu.

Il continuait d'un ton excité :

— En fait, je reste persuadé que tout aurait pu être mieux. On aurait pu s'y prendre différemment, comprends-tu ? Emily ? Emily ?

— Laisse-la dormir, l'implorais-je. Elle est si fatiguée.

— Emily ? criait-il, affolé.

— Je suis là, disait ma mère en se réveillant.

Dans le district, il y avait d'autres soldats rescapés de la Grande Guerre, cette guerre qui devait être la der des ders. Une femme avait perdu un époux et trois fils dans les tranchées. Il ne lui restait plus qu'un fils, trop jeune pour partir se battre. Avec la dignité du chagrin, elle disait qu'en regardant son fils cadet il lui semblait voir les autres bien-aimés que la guerre lui avait ravis. Quand ces survivants de la Première Guerre se rencontraient, ils s'exprimaient en des termes aujourd'hui démodés. « Ce sont les fabricants d'armes qui ont provoqué la guerre, disaient-ils. Krupps est le vrai responsable. » Le mineur allemand ami de mon père, qui habitait en bas de la colline, avait lui aussi été atteint par un obus, dans une tranchée allemande. Il parlait sans cesse des fabricants d'armes, de Krupps et des profiteurs.

Il est vraiment étrange que ces mots – et cette idée – aient disparu de notre pensée. Le « complexe militaro-industriel » n'a plus la même résonance, n'éveille plus en nous aucun souvenir, aucune réflexion. Quand une guerre éclate en Afrique, sans raison apparente, pour quelques arpents de broussailles, mes parents et les gens de leur génération auraient dit : « C'est encore un coup des fabricants d'armes, des profiteurs. » Et tout cela pour quel résultat ? Quelques centaines de morts, mais des millions de livres dépensés en armes et bien cachés dans la poche de quelqu'un.

Les illustrations de Grosz évoquaient ces industriels et autres mercantis pour qui la guerre était si profitable.

Mais nous ne prononçons plus ces mots. Ils ne nous viennent même plus à l'esprit, semble-t-il.

À l'enterrement, j'étais trop en colère pour écouter ou regarder. Les yeux clos, je priais, pour autant que des malédictions puissent être appelées des prières.

Ma mère était épuisée et mit du temps à se remettre.

Et voilà.

PROBLÈMES DE DOMESTIQUES

Partout dans le monde, les gens quittent leurs villages et leurs cabanes pour affluer dans les villes. C'était vrai de la vieille Rhodésie du Sud comme ce l'est aujourd'hui du Zimbabwe. Il semble que tout le monde soit d'accord avec Lénine évoquant « l'idiotie de la vie villageoise ». Ah, les villes merveilleuses, riches en sensations et en opportunités ! Cependant on n'est pas toujours bienvenu en ville. À Salisbury, par exemple, ou dans n'importe quelle ville sud-rhodésienne, les Noirs n'avaient le droit de rester que s'ils avaient un emploi. C'était la même politique que le tristement célèbre « apartheid » de l'Afrique du Sud. En somme : « Si vous êtes utiles aux Blancs, restez. Autrement, retournez dans vos huttes. » Et que trouvaient-ils dans les villes ? À Salisbury, chaque maison de Blanc possédait, outre des cabinets ressemblant à une guérite et vidés toutes les semaines par les éboueurs, des logements pour domestiques appelés « kias » – abréviations de je ne sais quel mot –, consistant en une petite bâtisse d'une pièce ou deux, en brique, juste à côté des installations sanitaires. Ils étaient censés abriter les boys travaillant pour la maison, mais leurs occupants étaient toujours nettement plus nombreux. Quels étaient donc les distractions et divers bienfaits qui les attendaient à, mettons, Salisbury ?

Je pense qu'il y avait des cinémas, et j'ai également gardé le souvenir de salles de danse. Quant au logis en brique à l'arrière de la maison du Blanc, il leur permettait de se retrouver ensemble. L'assemblée était gaie et bruyante, pleine de rires et de commérages. J'ai écrit autrefois une nouvelle intitulée : *Un toit pour le bétail des hautes terres*, après avoir passé des heures à observer par la fenêtre le théâtre de l'existence des boys, où un tas de bois, des arbustes ou un feu de cuisine servaient d'accessoires à des drames sans fin. Au moins jusqu'à la fin de la Seconde Guerre mondiale, la plupart des maisons abritaient fréquemment cinq domestiques. Le cuisinier avait pas mal de travail, mais le boy avait souvent fini de nettoyer les pièces dès le milieu de la matinée. Il pouvait y avoir deux boys et un jardinier, guère menacés par le surmenage, ainsi qu'un « négrillon » pour les petits travaux. Ils recevaient un salaire minimum et des rations de nourriture, et les vieux vêtements de la famille blanche prenaient souvent, portés par eux, un aspect jamais envisagé par leurs créateurs. Je ne me souviens pas avoir jamais constaté la moindre ambition chez eux. Une fois, Gottfried et moi suppliâmes notre domestique, un jeune homme vif et intelligent, de suivre des cours du soir – payés par nous, bien entendu – afin d'apprendre la comptabilité ou n'importe quoi d'autre. Il refusa en déclarant qu'il aimait trop la danse.

Chaque jour, du matin au soir, des villageois allaient de maison en maison pour demander du travail. S'ils trouvaient un emploi, les joies de la ville étaient à eux. Autrement, il fallait déguerpir, et la police ne les lâchait pas.

Pendant la guerre, alors que Salisbury était archibondé, Gottfried Lessing et moi trouvâmes un endroit pour vivre. Une solution temporaire – tout était temporaire, à cette époque. Il s'agissait d'une pièce très vaste, avec de chaque côté un corridor ne menant nulle part. Ces deux espaces abritaient une armoire et une commode, ainsi qu'un bloc de marbre supportant des plaques chauffantes, une bouilloire et un évier. Il y avait une salle de bains. L'arrivée du bébé ne me donna guère de travail. Il était sans problème, comme on dit, et je savais qu'il n'en allait pas toujours ainsi car mon premier-né, John, était loin d'être commode. Cependant ce bébé-là dormait et se montrait plein de gentillesse. Il suffisait d'une demi-heure pour laver ses couches, et elles séchaient au soleil en deux heures. Gottfried et moi décidâmes que nous n'avions pas besoin de domestique. Pour quoi faire ? Il serait plus embarrassant qu'utile.

Toutefois, les avenues du quartier étaient sillonnées à longueur de journée par des hommes demandant du travail et se faisant éconduire par le cuisinier et les boys, qui voyaient en eux des concurrents et ne voulaient pas d'eux. Le bruit courut bientôt que la missus de telle maison avait besoin d'un boy. Plusieurs fois par jour, un candidat frappait à la porte et implorait : « Je veux du travail, missus », « S'il vous plaît, donnez-moi du travail, missus », ou même « Vous pouvez m'apprendre à cuisiner, j'apprends vite. » Et ainsi de suite. Je punaisai à ma porte une pancarte où j'avais écrit : « Inutile de demander du travail ici. Il n'y en a pas. »

Ma mère était horrifiée. Depuis la disparition de mon père, elle avait beaucoup de temps à m'accorder. « Que vont dire les voisins ? » Ce pâté de maisons comprenait huit pièces comme la nôtre, et chacune était pourvue d'un boy. Ces domestiques devaient loger dans la « réserve » indigène, ce qui signifiait qu'ils arrivaient le matin et repartaient le soir à temps pour le couvre-feu de huit heures.

Comment s'occupaient-ils ? Ils traînaient dans les rues ou trouvaient une maison amie, où on les laissait fainéanter dans le logis des boys.

— Mère, dis-moi donc ce que cet homme pourrait faire dans cet endroit ? Jette toi-même un coup d'œil. À moins qu'il n'emmène dehors le bébé pour une promenade en poussette.

— Non, non, quelle mauvaise idée ! Ce serait vraiment chercher les ennuis.

— Quels ennuis ?

— Dans ce cas, je vais faire un peu de ménage pour toi.

— Non. Arrête. NON.

Elle renonçait.

— Alors je vais juste emporter les chemises de Gottfried pour les faire laver.

— Non, les blanchisseries sont là pour ça. Laisse-les. NON.

Je vis ensuite arriver le domestique de ma mère, qui me pria d'engager son frère – un parent quelconque. Il mourait d'envie de vivre à Salisbury, où il ne parvenait pas à trouver du travail, mais si je l'employais...

— D'abord, cela impliquerait pour lui de venir chaque matin et de repartir le soir. Or vous habitez à au moins cinq kilomètres d'ici.

L'idée était que cet homme habiterait avec lui chez ma mère, dans le logement des domestiques.

— Ce serait parfait. Il irait à pied. Ou vous pourriez lui acheter une bicyclette et il ferait le chemin en seulement une demi-heure.

— Je n'ai pas besoin d'un domestique. Vous ne comprenez pas ?

— Mais si. Il fera un de ces ménages ! C'est un bon garçon, missus.

— Non.

Venir et repartir en bicyclette n'avait rien d'étonnant. Un homme que je connaissais bien, un vieux Rhodésien, trouvait normal que son serviteur fît chaque matin dix kilomètres afin que le thé soit prêt à six heures.

— Donne-lui simplement un papier attestant qu'il travaille pour toi, dit ma mère qui voulait faire plaisir à son domestique – Abraham, Benjamin ou Moses.

— Ce serait illégal. La loi te serait-elle indifférente ?

— Il m'arrive de penser que tu fais sciemment tout ce que tu peux pour me rendre la vie difficile.

À cette époque, je travaillais à temps partiel pour un certain Mr Lamb. Lord Milner avait créé un célèbre groupe de jeunes gens, appelé le Jardin d'enfants de Milner, afin de fournir aux parties de l'Empire britannique qui en auraient besoin des travailleurs intelligents, honnêtes et hautement qualifiés. Mon Mr Lamb avait été l'un de ces brillants sujets. À présent, il œuvrait comme sténographe chargé du compte rendu des débats du Parlement et de diverses commissions parlementaires. Comment en était-il venu à la sténographie après un début aussi prometteur ? Je ne le lui ai jamais demandé. Aujourd'hui, je donnerais cher pour le savoir, mais quand on est jeune on néglige de poser aux gens des questions auxquels eux seuls pourraient répondre.

Travailler pour lui était un plaisir. Il pétillait d'intelligence et d'ironie, et ses propos abondaient en citations et traits d'esprit qu'il devait à son éducation classique.

Cependant ma mère alla le voir pour l'informer que je n'étais qu'une jeune entêtée et qu'il devait savoir quelle sorte de personne il employait.

Mr Lamb m'annonça :

— Votre mère est venue me dire que vous étiez un danger et une menace pour l'ordre public.

J'étais en colère, mais à quoi bon ?

— Elle prétend que vous êtes communiste. Cela dit, l'un des avantages de vivre dans un mouchoir de poche, c'est que nous n'avons pas de secrets les uns pour les autres.

— Je ne cache guère mes opinions, Mr Lamb.

— C'est vrai. Mais vous serez sans doute furieuse d'apprendre que nous considérons vos actuelles convictions politiques comme une maladie infantile[1].

Il prit un air triomphant et je ne pus m'empêcher de rire.

Je fis la leçon à ma mère. Comme si cela avait jamais servi à quelque chose !

— Mère, te rends-tu compte que tu aurais pu me faire perdre mon emploi ? Alors que mes quelques heures de travail pour Mr Lamb me rapportent plus que mon ancienne place au bureau.

Elle s'effondra aussitôt. Elle était soudain pleine d'agitation, de remords et même de panique.

Ces émotions complexes surgissent quand la colère s'est emparée d'une personne et que celle-ci a attaqué – mentalement – l'objet de sa rage comme s'il était un criminel ou un ennemi perfide.

---

1. On sait que Lénine réprimanda un jour un jeune camarade incompétent, qui projetait des mesures extrêmes, en lui disant qu'il souffrait de «maladies infantiles de gauche».

Ma mère découvrait qu'elle n'avait en face d'elle que sa propre fille, une enfant irritante, « née pour la contrarier », et qu'elle avait mission de sauver.

— Mère, c'était tellement méchant de ta part.

— Oh, non, mais il fallait vraiment qu'il soit au courant. C'était mon devoir.

Si je faisais une rencontre nouvelle, me liais d'amitié ou même seulement de sympathie avec quelqu'un, elle l'apprenait toujours et soit devenait à son tour l'amie de cette personne soit allait la voir pour lui dire sur mon compte des choses qui, bien entendu, m'étaient répétées. Et je n'y pouvais rien.

— Mère, ce n'était pas très gentil, n'est-ce pas ?

— Mais tu es tellement stupide, tellement entêtée, il faut bien que quelqu'un...

À présent, ces scènes m'amusent. Sur le moment, j'avais l'impression d'être prise dans une toile d'araignée.

Et cette longue et triste histoire suivit son cours. Je la fuyais, elle me poursuivait.

J'avais coutume de mettre sur le papier des anecdotes sur l'antagonisme mère-fille. Ma collection finit par être impressionnante.

Résumées en une phrase, ces histoires étaient plutôt dramatiques. Développées en un paragraphe, elles prenaient l'aspect d'une farce absurde. Lorsque j'en faisais la matière d'une page entière, le résultat était toujours étrangement pitoyable, comme si j'avais écrit sur des monstres.

Je vais consigner ici une seule de ces anecdotes exemplaires, la plus simple de toutes.

Une mère et une fille ne « s'entendaient » pas. Pourquoi la fille restait-elle à la maison ? Elle attendait, en se répandant en invectives contre sa mère mais en profitant du moindre avantage, tel que la garde des enfants ou les aides financières. Puis la mère eut une crise cardiaque et devint impotente. Sa fille lui dit alors : « Très bien, tu m'as prise au piège. Je vais m'occuper de toi, mais je ne t'adresserai plus jamais la parole. » Et c'est ce qui se passa. Pendant les vingt ans que vécut encore la mère, la fille refusa de lui dire un mot.

Cette histoire est plutôt bénigne comparée à certaines de ma collection.

Puis la guerre s'acheva bel et bien, même si nous avions parfois l'impression qu'elle continuerait à jamais. N'était-ce pas arrivé avec d'autres guerres dans le passé ? Mais les bombes de Hiroshima et Nagasaki y mirent un terme. À l'époque, nous étions peu nombreux à comprendre que ces deux bombes étaient pires que tout ce qui s'était produit auparavant. N'avions-nous pas déjà détruit les principales villes du Japon ? Ce qui était le juste châtiment du bombardement de Pearl Harbor, bien entendu. En somme, nous étions heureux que la guerre fût terminée, que ce fût fini pour de bon... mais ensuite l'après-guerre commença et rien ne parut vraiment s'améliorer. Nous apprenions des horreurs qu'on nous avait cachées durant le conflit, notamment les camps de concentration. Non, nous n'avons pas « réalisé » tout de suite. Cette nouvelle était trop terrifiante pour pouvoir être assimilée si aisément : il nous fallait du temps.

Après avoir combattu Rommel, nos soldats étaient revenus – enfin, ceux qui vivaient encore. Le nombre de réfugiés semblait augmenter de jour en jour, et bientôt ceux qui fuyaient Staline s'ajoutèrent à ceux qui avaient fui Hitler. Salisbury était rempli de soldats de la RAF aspirant à rentrer chez eux. Certains étaient là depuis quatre ou cinq ans. Aviateurs et bombardiers avaient été rapatriés en avion, mais les milliers d'hommes chargés d'entretenir les appareils et les campements devaient attendre les bateaux. Les monteurs, tourneurs, riveurs et mécaniciens, aussi bien que les divers administrateurs des campements, n'avaient qu'une idée en tête : retrouver leur patrie, même si elle était sombre, froide et rationnée.

Notre pièce abritait un bébé, très aimé et câliné par des jeunes hommes qui rêvaient de la vie de famille, eux dont l'existence avait été comme mise entre parenthèses. Presque chaque soir, je faisais la cuisine pour une dizaine, voire davantage, d'hommes de la RAF. Œufs au bacon, saucisses accompagnées de haricots blancs à la sauce tomate : tout ce qui était dans les moyens de mes deux plaques chauffantes. Ils savaient qu'ils n'auraient pas droit à des assiettes d'œufs au bacon, une fois rentrés chez eux. Mais quand rentreraient-ils enfin ? Ils attendaient avec impatience qu'on leur annonce l'arrivée de navires pour les transporter. Néanmoins, le voyage lui-même ne leur souriait guère. Tous affirmaient que rien ne pourrait être pire que la traversée depuis l'Angleterre jusqu'aux ports de l'Afrique du Sud. Un véritable enfer, disaient-ils. Pour rentrer chez eux, ils allaient pourtant devoir monter sur les mêmes navires, que les épreuves de la guerre n'auraient certes pas rendus plus confortables.

Je cuisinais. Ils mangeaient. Nous avions un unique point commun : nous attendions que notre vie réelle commence. À présent, je dirais que nous étions comme des convalescents. Nous étions hébétés, stupéfiés, car nous n'avions pas encore vraiment « assimilé » les années de guerre. Du reste, je ne crois pas que le monde ait « assimilé » la guerre, même aujourd'hui. Refuserions-nous d'admettre la réalité ? Exactement. On peut passer autant de films de guerre qu'on voudra, centrés le plus souvent sur les nazis, mais le monde entier était en guerre, et certaines zones du conflit n'ont qu'à peine été prises en considération.

En attendant, ma mère jouait elle aussi les nourricières, essentiellement pour les hommes de la RAF.

Mon frère était revenu de la guerre, à peu près sourd mais sain et sauf, et toujours célibataire. Il rencontrait des camarades de la RAF, en ville et dans les environs, et les ramenait chez ma mère, qui l'hébergeait provisoirement. Durant cette période, quand j'allais voir ma mère, je trouvais sa maison remplie de jeunes gens assis sur les vérandas et parlant de ce qu'ils feraient une fois rentrés enfin chez eux. Elle les nourrissait, avec l'aide de son cuisinier – celui qui voulait que son frère vienne travailler pour moi. Ledit frère vivait maintenant avec lui, en faisant semblant d'être invisible. Malgré sa situation illégale, il était heureux d'être dans la grande ville, loin de son village où rien n'arrivait jamais.

Ces longues après-midi suivaient leur cours indolent, interminable. Pour ne pas s'endormir après les repas plantureux, les soldats chantaient. Ma mère s'installait bientôt au piano, qu'on avait rapporté de la ferme et qui était encore jouable, quoique fort endommagé par d'innombrables saisons des pluies où les touches gonflaient et les cordes se distendaient, si bien que l'accordeur déclarait : « Je suis vraiment désolé, mais je ne peux pas faire mieux. »

Ils chantaient les chansons de la Première Guerre, et s'ils ne connaissaient pas les paroles, on pouvait être sûr que ma mère s'en souvenait.

Oh, oh, oh, quelle jolie guerre! était très apprécié à cause de sa mélodie entraînante. *Mademoiselle d'Armentières* ne remportait pas moins de succès, et on avait souvent l'impression que le vieux piano allait éclater. La Seconde Guerre n'était pas oubliée, avec les mélodies joyeuses de *Je vais pendre mon linge sur la ligne Siegfried* et *Qui croyez-vous tromper, Mr Hitler*. Une chanson allemande, *Lili Marlene*, était aussi très populaire. Après elle venaient les succès du jour, dont l'un des plus aimés, que les jeunes gens réclamaient sans cesse, était : « *Je vais m'acheter une poupée en carton qui soit vraiment à moi / Une poupée que les autres gars ne pourront pas me voler... / Quand je rentrerai le soir, elle sera là à m'attendre / Ce sera la poupée la plus fidèle qui soit au monde...* »

Ces jeunes gens avaient des petites amies, lorsqu'ils avaient quitté l'Angleterre, mais ils les avaient perdues. Ils n'en avaient pas trouvé d'autres en Afrique, car ils étaient trop nombreux – des centaines de milliers d'hommes massés dans divers campements. Il leur était interdit d'avoir des relations avec des Noires. De toute façon, elles non plus n'auraient pas suffi. Durant toutes ces années, ç'aurait vraiment été une chance pour ces garçons d'avoir une poupée en carton. Et ils chantaient sans se lasser : « *Quand je rentrerai le soir, elle sera là à m'attendre / Ce sera la poupée la plus fidèle qui soit au monde...* »

Lorsque l'après-midi touchait à sa fin, ils entonnaient : « *Nous nous reverrons, j'ignore où, j'ignore quand...* » Si l'on était à quelque distance de la maison donnant sur une butte qui bientôt serait recouverte par une nouvelle banlieue, cette chanson paraissait d'une tristesse insoutenable, reprise ainsi en chœur, inlassablement : « *Nous nous reverrons... nous nous reverrons...* »

Puis mon frère et moi entassions les jeunes gens dans nos vieilles guimbardes, et nous les ramenions en ville afin qu'ils prennent les bus faisant la liaison avec les campements. Mais avant de partir, même si c'était l'après-midi, ils exigeaient de finir avec « Bonne nuit, mon cœur ».

Le jour brillait encore, aucun lampadaire n'était allumé, mais ils chantaient :

Bonne nuit, mon cœur,
Bonne nuit, mon cœur,
Jusqu'à demain,
Bonne nuit, mon cœur,
Le sommeil chassera le chagrin,
Les larmes du départ
Nous laissent désolés,
Mais à l'aube
Naît un jour nouveau,
C'est pourquoi je dirai
Bonne nuit, mon cœur...

Lorsqu'ils s'en allaient, il arrivait que ma mère ait passé plusieurs heures à jouer des chansons populaires – elle, Emily McVeagh à qui jadis ses professeurs de musique avaient déclaré qu'elle pourrait faire une carrière de pianiste de concert si elle le désirait.

— C'est quelqu'un de bien, disaient les garçons de la RAF. Elle est vraiment épatante, votre mère.

Ces années d'avant notre départ à tous, dès qu'il y eut des bateaux disponibles, non, elles ne furent pas heureuses. On aspire à voir une guerre finir, et lorsque enfin elle est terminée... Parfois, quand la vie devient difficile, je me dis : « Puisque tu as réussi à survivre à ces années d'après-guerre en

Rhodésie, tu es capable de survivre à n'importe quoi. » Je suis sûre que ma mère ne parlerait guère en bien de cette période, ne serait-ce que parce que ses deux enfants lui faisaient comprendre qu'ils refusaient de la laisser régenter leur existence.

— On croirait vraiment que vous m'accusez d'être une mère abusive ! s'écriait-elle d'un ton de défi non dénué d'humour, à cause de l'absurdité de ces propos.

Elle prenait même un petit air malicieux, comme pour nous prier, mon frère et moi, de reconnaître qu'elle avait raison et que nous n'avions parlé que dans un accès de mauvaise humeur. L'espace d'un instant, nous avions devant nous Emily McVeagh, ou peut-être même John McVeagh, car je suis certaine qu'il avait recours à un air malicieux face à des accusations injustes.

Parfois, je songe au passé et je me revois assise sur les marches de cette maison, en train d'écouter le rythme endiablé des mélodies joyeuses ou les accents gémissants des complaintes : « *Qu'il est long le chemin qui serpente devant nous...* » Non, me disais-je. Non, ce n'est pas possible.

La TSF est toujours allumée et nous apprend les nouvelles.

Des millions de réfugiés se traînent le long de routes crevassées par les bombes, mourant de faim et de soif. On compte par milliers ceux qui n'ont plus de foyer. Il n'y a pas de moissons, pas de graines à semer. Dans les ruines des grandes cités de l'Europe, des enfants jouent.

Cela ne pouvait pas être possible, car nous avions tous été élevés à coups de : « Lave-toi les mains avant de passer à table », « Non, ne fais pas ça, tu vas déchirer ta robe », « S'il vous plaît – on dit s'il vous plaît et merci », « Quel gentil petit garçon ! »,

« Quelle vilaine petite fille ! » Que nous nous appelions Emma, Chantal, Hans, Dick, Ivan ou Ingrid, nous étions tous invités à être sages et ainsi de suite. Cependant, cela n'empêchait pas les bombardements. Et certains de ces enfants dont toute l'éducation visait au respect de l'ordre et de la loi avaient entendu des bombes tomber pendant quatre ou cinq ans. « Je ne peux tout simplement pas croire qu'il ne s'agisse pas d'un cauchemar affreux » : voilà ce que nous pensions tous sans exception alors que nous endurions la guerre et ses énormités, sa pesanteur, ses horreurs, sa cruauté monstrueuse. « Cela ne peut pas être vrai, c'est impossible... »

Sur la véranda, un des jeunes hommes jouait avec le petit chien blanc de ma mère, tout en fredonnant encore : « *Je vais m'acheter une poupée en carton...* » Il faisait rebondir une balle contre un pilier et le chien essayait de l'attraper.

Ce garçon, dont j'ai oublié le nom, avait lui-même eu un chien chez lui, mais il avait fallu le faire piquer car il était vieux et son petit estomac ne supportait pas la nourriture réservée aux animaux pendant la guerre.

— Ma mère lui donnait un peu de ses propres rations, mais il était habitué au meilleur, mon petit chien. Il s'appelait Tache, parce qu'il avait une tache noire sur une oreille...

Il donna un grand coup dans la balle et l'animal bondit.

— Il est temps que nous y allions, non ?

Il se mit à chanter au chien :

— *Bonne nuit, mon cœur, nous nous reverrons demain...*

Les hommes de la RAF finirent par rentrer chez eux, ils nous écrivirent, nous leur écrivîmes, ma mère vendit la maison quand mon frère se maria, et pendant les brèves années précédant sa mort, à soixante-dix-sept ans, elle passa ses après-midi et ses soirées à jouer au bridge avec d'autres veuves. De l'avis général, elle jouait magnifiquement au bridge.

REMERCIEMENTS

Je remercie le photographe Francesco Guidicini, qui m'a aidée à sauver des clichés très anciens et parfois abîmés.

Le monde de Ben

Ben est un être hors du commun, errant dans les rues de Londres, inspirant pitié et répulsion. Est-il un « primitif » ? un homme de Neandertal né par accident parmi nous ? Dans notre société moderne aussi cruelle qu'intolérante, le monstre n'est pas celui qu'on croit...

« *Le monde de Ben* atteint un épurement et une densité rare qui marquent l'intuition juste de ceux qui ont vécu. » *Lire*

N°8899

Un enfant de l'amour

James Reid est un jeune homme romantique qui a trop rêvé sa vie avant qu'elle ne commence véritablement. Mobilisé en 1939, il rencontre au Cap une jeune femme mariée dont il tombe éperdument amoureux. Un enfant naîtra de cet adultère, sans que James en sache rien...

« L'amour fait une courte mais sublime escale en pleine guerre. » *Le Figaro*

N°8721

9030

Composition
NORD COMPO

Achevé d'imprimer en Espagne
par ROSES
le 2 août 2009.

Dépôt légal août 2009.
EAN 9782290015377

ÉDITIONS J'AI LU
87, quai Panhard-et-Levassor, 75013 Paris

Diffusion France et étranger : Flammarion